吉田松陰著作選

留魂録・幽囚録・回顧録

奈良本辰也

講談社学術文庫

目次

吉田松陰著作選

凡例

一、本書に収録した各著作原文のテキストは、山口県教育会編、岩波書店刊、普及版『吉田松陰全集』全十二巻をもとにした。

一、本書は、適宜区切られた段落ごとに原文・語釈・現代語訳をほどこす構成となっている。ただし、「書簡」については原文が平易なこともあり、訳文は省略する。

一、原文の校訂は次の方針のもとに行なった。

1 字体は現行の字体に統一した。

2 通読の便のため、句読点・濁点・改行・段落をほどこした。

3 原文のふりがなは歴史的かなづかいによったが、外国地名・人名には現代かなづかいを用いた。また、語釈・現代語訳のふりがなは現代かなづかいを用いた。

一、中扉の裏には各著作ごとに簡潔な解説をつけ、読解の助けとした。

一、本書は、校訂・語釈・現代語訳をはじめ、参考文献・年表の作成まで、編者奈良本辰也がこれに当たり、榕林忠男が協力した。

吉田松陰著作選

留魂録・幽囚録・回顧録

解説　松陰の人と思想

奈良本辰也

一　幕府体制の動揺

封建社会の危機がいよいよ深刻となり、それが人々の心に深い関心を呼び起こすようになったのは、十八世紀の中葉からであった。その頃、米沢《よねざわ》藩の儒者で上杉鷹山《うえすぎようざん》に仕えていた藁《わら》科松伯《しなしょうはく》は、次のようにいっている。

いまの時代の有様をみると、太平の世が打ちつづいて、あまりにも世の中に変化がないので、人々の生活はいやが上にも派手になり、奢《おご》りという病根が多くの人の心に浸透してしまった。そしてその病根は、次第にその心根を腐らせて、誰も彼も気むずかしくなっている。だから、少しでも平常とかわったことが起こると、すぐに人々の心は動揺するのである。まして、少しでも年貢の取立てがきついとか、農民に対する政治のやり方がきびしいとかいうと、すぐに一揆や強訴《ごうそ》のようなことが始まって、それが毎年のようにつづいてゆく。昨日、日光で一揆があったかと思うと、今日は山県大弐《やまがただいに》があらわれて幕政の批判をし、また大坂に騒動が起こったかと思うと、すぐに佐渡の一揆だ。伊勢路でもめごとがあると直ちにそれが越後のあたりにまで飛火してくる。

このように農民たちの心が荒れてゆくのも、結局は一度治まった世の中も必ず末になれば乱れるという天の法則の示すとおりで、そろりそろりと天下が揺らぎ始めたことのしるしであろう。

（『鷹山公世記』）

これほど明らかに、幕府政治の動揺を将来にかけて予見した言葉はない。ひとたび治まった世の中も末に到れば必ず乱れる、それは天が教えるところとしているのだ。この時代、このような政治は決して長く続くものではないという絶望のような言葉がつづられている。

たしかにそのとおりであった。この言葉のなかに出てくる山県大弐は、『柳子新論《りゅうししんろん》』という本を書いて、最初の幕政批判をやってのけた人であった。大弐はその著書のなかで、幕府の官制に著しい混乱があることを指摘しながら、その最も甚だしいものは文武の二つが整然と分けてなくて、非常の際にのみ発動される武がすべてに優先して、政治の中心にあることを非難している。この場合、文は京都、武は江戸を指しているのであって、現在のような制度は最も遅れた蛮族の制度であるというのだ。

ここには、幕府に替って京都朝廷が政治をとらなければならないという考え方がはっきりと示されている。こうした考え方は、もちろんこれまでにない考え方であった。幕府がこれを処罰したのも当然であろう。

この山県大弐の事件のあとに、竹内式部《たけのうちしきぶ》の事件がつづいた。竹内式部は、京都の公卿たちに記紀の「神代巻《かみよのまき》」を講義して、政権が当然に京都に帰らなければならない理由を説いたのである。そして京都朝廷のなかにも、この式部の考え方に共感の意を表する者が少なからず存在していた。幕府は、もちろん、そうした公家たちをも含めて、きびしい態度でこれを断罪している。

ところで、山県大弐や竹内式部というような幕政の批判者は、何故に京都朝廷をかつぎ出してきたのであろうか。当時の京都朝廷は、その実力からいえば極めて微々たる存在で、武力はもとより、経済的にも殆《ほと》んど力を持っていなかった。ただ、将軍の代替りのときにだけ、これに征夷大将軍の称号を与えたり、或《あるい》は位をさずけたりする程度なのである。その位の授与も、ときには幕府からこれ以上はいらないといって断られるときがあるのである。たとえば、将軍家斉《いえなり》のとき皇居造営の功をたたえるべく、「従一位《じゅいちい》」をおくろうとして、それを拒まれたことなどだ。

新井《あらい》白石《はくせき》は、朝鮮などとの外交では、将軍家を日本国王として代表させるという立場をとっていた。外交関係で国に二君のあることは許されないと見、現実に政治の実権を握っているものが、当然に国家の主権を代表するという考え方からである。そして、彼が京都から朝廷の儀式や故事にあかるい近衛《このえ》忠熙《ただひろ》を招いて、しきりに幕府の京都化をはかったのは、大弐のいう官制の乱れを白石の考え方で収拾しようとしたのである。この方向が進めば、京都朝廷の力はさらに小さなものとなったであろう。

しかしながら、その微々たる存在としての皇室が、なお力を持っていたのは、幕府政治の神権性がそれによって成立していたということである。即ち、徳川幕府は、信長・秀吉の政権のあとをうけて諸侯をその下に制圧した。ここに国家の統一をなしとげたのであるが、しかしそれは絶対的な信頼のもとにそれがなしとげられたというのではない。

ただ力のみである。加賀の前田、長州の毛利、薩摩の島津などという大名とくらべて、他の大名を味方につける方法にすぐれていたのみである。その出身からいうならば、むしろそれはそうした大名たちとくらべて、或は一段と下るかも知れない。ということは、幕府権力をつくりあげた人たちを、つねに相対の場において不安がらせるものがあったということであろう。

幕府権力は、その相対性から逃れるために絶対的な権威をかざす必要があった。これはあたかも、ヨーロッパの封建君主たちが、ローマン・カソリックの教会によって自己を絶対化したのと同じことである。即ち、徳川幕府は戴冠式のかわりに征夷大将軍という称号をうけることにしたのだ。朝廷の委任で政治を行なうという体制をとったのである。

こうした体制をとりながら、この神権的な存在に現実的にはいささかの力も与えないというのが幕府のやり方であったのだが、大弐や式部は実にそのところに眼をつけたのであった。もちろん、大弐や式部はそれを便宜的に、単なる手段として主張したのではなかった。

そこには、彼らは日本古代の神話につらなる神聖な存在としての皇室というものを十分に尊敬もし崇拝もしていた。

そして一般の民衆のなかにも漠然とした皇室崇拝があったことはたしかである。たしかに一般の庶民にとって支配者は、その各々が所属している地方の藩主であり、それを通じて将軍の権力を最高のものと思っていた。しかしながら、皇室というものと結びついた伊勢大神宮の信仰もまた根強いものがあった。それは、徳川時代を通じて、前後五回も起こったあの「御蔭参《おかげまい》り」の大群集をみればわかるであろう。文政《ぶんせい》の末年には、実に百万人をはるかにこえる大群集が、幕府の禁令を無視して伊勢へ伊勢へと集まっているのだ。

百万人をこえるといえば、日本全国の人口の二十数人に一人が動いたということになる。もちろん、そのことがすぐに京都朝廷と簡単に結びつくというのではない。それは現実に存在するものと遥かな遠い夢のなかにあるものとの関係にも似ていたであろう。しかし、それは幾つかの屈折を経てくれば当然に、二つのものが一つに結び合わされるというようなものであったことは確かである。

だからこそ、大弐や式部はそこのところを明らかにしようとしたのだ。そしてそれは、やがては幕府の否定に連なってゆく。幕府がそれを極めて危険なことだとみてとったのも当然であった。この事件以後、幕府を支えてきた政治の思想は大きな変化をうけることになる。即ち、公武合体《こうぶがったい》思想というものが支配的な形態をとってくるのだ。

山県大弐の『柳子新論』を批判した松宮観山《まつみやかんざん》は、いま皇室に国内を統一する力がないから幕府が代って政権をとるようになったのだといいながら、「いま、女性らしい女性の天皇が位についておられても、そこに少しも不安がないのは幕府のお蔭ではないか」というようなことをいっている。そして、それが一般の学者の見解であった。大坂の町人学者中井竹山《なかいちくざん》の如きも『草茅危言《そうぼうきげん》』という本のなかで、「幸いに立派な天子が世に出られ、関東の賢い智者に政治のことを専らまかせられたので、中興の政治が行なわれるようになった」ということを述べている。

二　幕末の政治思想

しかも幕府政治の行きづまりとともに諸藩の割拠的な動きも進んでいた。諸藩は、早くから財政窮乏になやまされ、その存立の基礎さえ危ぶまれるほどであったが、その危機を切りぬけるために、それぞれの考え方で藩政の改革を行なってゆかねばならなかった。最初の頃は、倹約政治と新田開発事業などが中心であったが、しかしそれには自《おのずか》ら限界があった。倹約よりも日常経費の方が加速度的にふえ、新田は土地や条件に限度があるのである。

諸藩は、勢い殖産興業政策に頼らざるを得なくなってくるのである。殖産興業政策とは、藩が中心になって産業を興し、それを全国に売りさばいて、そこから利益をあげようというものである。米沢藩に絹織物業が興ったのも藩の指導であった。福井藩の越前紙、高松藩の砂糖といったようなものは、民間に発達しつつあるものを藩が直接に指導するという形をとった。

このようにして、諸藩が自分の計算で財政的危機を切り抜けなければならない状態があったことと、そこにおける自主的な努力は、当然にその自立化を招くであろう。意図するとしないとにかかわらず、それらは幕府支配の下にありながらも、かなり割拠的な色彩を強くしていったものである。

相対的な権力機構は、いよいよその相対性を自覚しなければならないものがあった。幕府支配の擁護者たちは、その相対性をおぎなうために、天皇の神話的な権威をかり、公武合体的な考え方をいよいよ強く推し進めてゆくのである。水戸学や国学などを例にとって考えてみてもそうであった。なるほど水戸学は、儒教の名分論《めいぶんろん》を根底とし、尊皇斥覇《そんのうせきは》の思想をかかげている。この場合、王が皇室で、覇が幕府であるということはいうまでもないであろう。しかしながら、それを歴史の事実として展開するとき、覇たる幕府は力において政治の実権を皇室からとりあげたのではなく、完全な合意において、むしろその委託をうけてこれを行なっているのだという説明になる。

その委託をうけた幕府が、二百年以上も天下の政治を立派に行なってきたのであるから、決してこの恩を忘れてはならないと説くのが藤田東湖《ふじたとうこ》などの思想であった。もちろん「もしその君父をそしり、藩主をのりこえて自分の忠義を幕府や朝廷につくそうとする者があれば、それは世の中の秩序を乱す甚だしい者」(『弘道館記述義《こうどうかんきじゅつぎ》』)として排斥されたのである。

これは、水戸学よりももっと自由に自分の思想を展開できた本居宣長《もとおりのりなが》などの国学においてもそうであった。宣長の考え方のなかには、儒教道徳に対する痛烈な批判があり、人間性の封建的束縛からの解放が見えていた。しかしながら、その彼も政治の根本にふれるとやはり水戸学などと同じようになるのである。即ち、「さて今の世というのは、まず天照大神《あまてらすおおみかみ》のお考えによって、朝廷の御委託をうけて、徳川家康《とくがわいえやす》公以来つぎつぎに、大将軍家が政治をとっておられる世の中」(『玉くしげ』)ということだ。

そして、天照大神以来の皇室という考え方はいよいよ強くなってゆく。かつて、幕府最高の学術顧問であった林羅山《はやしらざん》は、「神武《じんむ》天皇は呉《ご》の太伯《たいはく》の子孫か」という議論を出して、天孫神話を完全に否定し、新井白石も『読史余論《とくしよろん》』では、その神話を完全にきり捨てた。朱子学的な合理主義が、徳川幕府の正統性を十分に説明しえたからである。

しかし、いまやその朱子学はその観念性を問われて、複雑な政治関係を処理してゆく力を失ってしまった。また貴穀賤金の思想こそが治者の政治理念でなければならないといわれているのに、逆に貴金賤穀の時代になってきているのだ。最も封建君主らしい将軍といわれた吉宗さえが、山下幸内《やましたこうない》の上書では、貴金賤穀の考えに立っていると非難される有様である。

殖産興業政策も、もちろん貴金賤穀の思想なのである。この思想はやがて重商主義の思想となって確立してゆくのであるが、そのような封建制度にとって異質な考え方が出てきたとすれば、政治の思想は観念的な合理主義に頼っていることはできなくなる。たとえ非合理主義であろうと、土着の思想にまさるものはないのである。一般士民の心のなかに潜在する神道思想、それにつらなる神話の肯定なのである。

本居国学では、この神話の世界が最高の形において復活していた。彼によれば、この世に起こることはすべて神のはからいによるものとされるのである。だから、すべての人間はあたかも意志のないからくり人形のようなもので、善い働きをするも悪い働きをするも、すべて神の意志によっているというのだ。

その神の世界の主宰者である天照大神の意志が幕府に政治を委任しているというのである。とするならば、そこからまた逆の結果も生まれ出てくるであろう。幕府の責任が軽くなればなるほど、皇室というものの威信が加わってゆくのだ。そして人々は政治の根本や理想を、幕府にではなくして日本の神話や歴史に聞くようになる。蒲生君平《がもうくんぺい》が歴代天皇の御陵を訪ねて『山陵志《さんりょうし》』を著わし、高山彦九郎《たかやまひこくろう》がはるばる関東の地から足を運び、公家の邸に出入して、皇室のあり方を考えようとしたのも、すべてそのような傾向のなかから出てきた。

しかも、ヨーロッパ列強の日本に対する接触がはじまろうとしていた。インドやインドシナなどを植民地下に置いた英仏の勢力は、清国を侵しながら日本の領海にもしきりに出没していたのである。そして天保の改革の始まろうとする一八三〇年代には、阿片《あへん》戦争がひき起こされていた。これはもちろん、清国の屈服に終る。

清国の屈服が当時の知識人たちに与えた影響は深刻であった。佐久間象山《さくまぞうざん》などは、やがてそれがわが国に向かう力であることを知って、早速に西洋学を始めたほどである。そして人々のあいだには「第二の印度となる危機」が叫ばれはじめたのである。それは痛烈な国際的危機の自覚であった。

この危機をのりきるためには、二つのことがまず志向されなければならない。それは、第一には日本国を強力な統一組織にまとめあげること、第二には軍事・技術の面においてヨーロッパに追いつくことである。わが国をヨーロッパ風の近代的統一国家につくりあげなければならないという考え方は、すでにこの頃、佐藤信淵《さとうのぶひろ》などの思想にあらわれていた。彼が書いた『宇内混同秘策《うだいこんどうひさく》』などというものがそれである。

しかし、この信淵の考え方は、構想としてはすぐれていたが、その実現の方向というものを持っていなかった。その実現の方向が具体的に出てくるのが、公武合体思想のなかからである。それは、対外的な国家の自覚を三千年来の歴史によって強化し、その意識によって国内の統一をはかり、その政治の現実的な運営の中心に幕府を置こうということであった。まさに水戸学や国学などが考えたことと方向を一つにしている。

しかしながら、こうして生まれてきた統一国家の思想は、それがヨーロッパの政治を対象としてとらえ、西洋の軍事や技術をとり入れなければならないとする限りで、水戸学や国学と性質を異にしてゆくのである。即ち、水戸学には、名分論の他に強烈な華夷《かい》の弁があり、国学にも根強い排外主義があった。

華夷の弁とは、自国を全ての政治や文化の中心と考え、外国人を夷狄《いてき》として排斥することで、いよいよその純粋性と正統性を保とうという考え方である。この考え方は、儒教的な知識をうけて育った当時の知識人たちには、多かれ少なかれ抱かれていたもので、佐久間象山や横井小楠《よこいしょうなん》のような西洋のことを知る者にとっても、なかなか抜け切れないものであった。

佐久間象山が「東洋の道徳、西洋の芸術」といっているのも、軍事・技術の方面においては西洋に劣るとするが、道徳においては自分たちが優越しているということの自負心をあらわしている。しかしながら、少なくとも強固な統一国家を造りあげるためには、その排外主義を前面に押し出すことができなかった。まずヨーロッパに学ぶことから始めなければならないのである。

こうした考え方の上に立って、政治の方向が決定しようとしたのは、安政《あんせい》の開国の前、将軍継嗣《けいし》問題が起こったときのことである。このとき、福井藩主松平春嶽《まつだいらしゅんがく》や薩摩藩主島津《しまづ》斉《なり》彬《あきら》を中心とする開明派の諸侯たちは、将軍の継嗣に水戸《みと》斉昭《なりあき》の子である一橋慶喜《ひとつばしよしのぶ》を立て、その下に強固な統一国家をつくりあげる計画をもっていた。その計画の立案に参画していたのが橋本左内《はしもとさない》である。

左内は、彼の構想を次のように語っている。

> 内政の方向は、これまでのような古い形ではいけないであろう。第一には、慶喜公を将軍職につける。第二段は、わが藩の松平春嶽公、それに水戸の斉昭公、薩摩の島津斉彬公くらいを国内の専任の事務大臣にして、肥前の鍋島閑叟《なべしまかんそう》（直正《なおまさ》）公はこれを外交専任の事務大臣とする。そして外交の輔佐役には川路・永井・岩瀬などの有能な人々をつけ、また全国から学問と識見に富んだ人々を抜擢して、それぞれ大臣の部局に配置し政策を練らせる。尾張と因幡の両藩主は京都の守護に任じ、その輔佐として彦根か大垣の藩主くらいの

所をつける。なお、北海道へは伊達宗城《だてむねなり》・山内容堂《やまうちようどう》（豊信《とよしげ》）くらいの所を長官として派遣し、そのほかに小藩の中から有志の藩主をこれが輔佐として送るならば、今の状態をそれほどに変革しなくともかなりの大事業が出来ると思う。そしてこれを成功させるために、ロシアとアメリカから工業技術の専門家を五十人ばかり招いて、各地にそれを伝習する機関をつくり、物産の製造を手広く興して、北海道の開拓には内地の物乞いたちにそれぞれ統率者をつけて送り込む。そしてその往来は主として海運によることにすれば、北海道の開発もすぐに出来るであろうし、航海術も熟達するであろう。

以上は、村田氏寿《むらたうじひさ》への手紙の内容の一部であるが、そこには将来、日本の進むべき近代的統一国家の方向が、実に整然と語られていたのである。幕府が主権者となって国家統一を進めるという方向であった。

三　思想の歩み

さて、吉田松陰《よしだしょういん》であるが、彼は天保元年（一八三〇）の八月四日、長州萩《はぎ》の城下町からあまり遠くない松本村の団子岩に生まれた。父は杉百合之助常道《すぎゆりのすけつねみち》、母は児玉氏から迎えられたものである。伝記風に記すならば、父の家禄は二十六石、文字どおりの下級士族の家であるが、しかし、その家庭にはいかにも武士らしい謹厳実直さがあふれていた。父は家計を助けるべく耕作の仕事をつづけながら、つねに精神面の修養に志し、母はその貧しい家計を必死にささえて愚痴一つこぼさなかった。

松陰には一人の兄と一人の弟、それに三人の妹があった。この六人兄妹の仲の良いことも語り草になるくらいである。いわば、封建武士の家庭を絵にかいたような一つの家族であった。そしてその家からほど遠くないところに父の弟玉木《たまき》文之《ぶんの》進《しん》が住んでいた。この叔父の家も同じように貧乏で、杉家と同じような半士半農の生活であった。

松陰は、そのような家庭に幼時を送ったのであるが、五歳のときに叔父の吉田大助賢良《よしだだいすけけんりょう》が死んだので、その継嗣がないままに吉田家の養子となることになった。吉田家は五十七石六斗という家禄をうけていたが、代々山鹿流《やまがりゅう》軍学師範の家で、杉家などよりかなり格式の高い家であった。

その家の格式はともかくとして、吉田家を嗣ぐことにおいて、松陰は自らの前途を山鹿流軍学の師範として生きなければならない運命に置いた。いやしくも吉田家を嗣いだ以上、それ以外に生きる道は許されないのである。そこで直ちにこの五歳の少年に、山鹿流軍学の師範として恥ずかしくない教育が施されなければならなかった。

この教育に当ったのが叔父の玉木文之進である。彼は山鹿流軍学についてはかなりの造詣があり、他の儒学一般についてもこれを学んで一家の見識を備えていた。そこで松陰の教育は自分に課せられた任務であると思い、彼をいち早く立派な軍学者にきたえ上げることが何よりの忠義であると思い込んだのである。

松陰はこの父や叔父が田畑の耕作をするあいだ、そこの畦道《あぜみち》に連れ出された。そして四書《ししょ》五経《ごきょう》から山鹿流軍学に至るまでの教えを受けるのである。暗誦を命ぜられてそれが出来ないときは、容赦なく鞭《むち》が飛んできた。尋常の少年であったらとても耐えることはできなかったであろう。

しかし、松陰はそうした教育を甘んじて受けていた。ついでにいうと、松陰が叔父の玉木文之進から『孟子《もうし》』の素読《そどく》を教わったのは、数えで六歳のときである。もちろん、その年齢では『孟子』の意味の深さはわからなかったであろう。ただ、教え込まれ、詰め込まれていたのだ。

そのような教育を受けながら、松陰は十歳で藩校明倫館《めいりんかん》に出て家学の講義を行ない、十一歳のときには藩主の前で、『武教全書《ぶきょうぜんしょ》』「戦法篇」の三戦を講じている。誰の目にもたぐいまれな秀才であったのだ。そしてこのころから、次第に馬術を学んだり、他流の兵学をも学ぶようになってゆく。

精神主義者玉木文之進が、理想としているとおりの山鹿流軍学師範吉田松陰が成長していたのである。しかし、ここであらかじめ断っておくが、このような教育や学問の仕方からはすぐれた思想家というものは育たないのである。ただ世間でいうところの型にはまった秀才が出るのみだ。

では、思想家吉田松陰の誕生はどのあたりにおいて見たらよいであろうか。それは、彼が十六歳の時、長沼《ながぬま》流兵学の師範山田《やまだ》亦介《またすけ》について学んで、その師から世界の大勢を聞かされたときであるといってよい。松陰はここで、時代の動きを感じとるのである。

しかしまだ、彼は独立の師範ではなかった。山鹿流軍学の師としても未完成なのである。彼が家学の後見人たちから離れて、独立の師範として認められたのは、それから数年の後、十九歳になった時であった。この頃から『水陸戦略《すいりくせんりゃく》』などの本を著しているが、しかしまだまだ時流にぬきんでるものではない。

松陰の目が大きく開いて行くのは、二十一歳、九州遊学の頃からであろう。彼はここで多くのことを学んだ。そこで目にふれる本も片っぱしから読んだのである。平戸滞在五十余日の中に八十冊、長崎滞在二十日余りに二十六冊、その中には阿片戦争関係の記録を集めた『阿芙蓉彙聞《あへんいぶん》』や『鴉片始末《あへんしまつ》』から、高野長英《たかのちょうえい》『夢物語《ゆめものがたり》』、渡辺崋山《わたなべかざん》『慎機論《しんきろん》』に至るまで、その他、西洋事情の本、砲術書などを含む厖大《ぼうだい》な数になる。

もちろん、高島流砲術についても見聞するところがあり、オランダ船の実際もその目で確かめることができた。これは彼の眼が世界に向かって広がったことを意味している。それと同時に、山鹿流軍学の一つにかかわって生きることの疑問もしのびよってきた。

これは松陰が軍学者として世に立つ以上、当然の疑問でもあろう。いやしくも軍学というからには、そこには相手がなければならない。孫氏《そんし》は「敵を知り、己れを知れば百戦必ず勝つ」といっているが、戦に勝つ要訣《ようけつ》はまず相手を知ることであろう。その相手がいま、測り知れない力を以て眼の前にあらわれてきているのである。

松陰は、こうした相手を眼の前にして、これまでの軍学が、別々に流派を立てて固く守っていることの無意味さを知った。当時の彼の言葉として、「兵学や砲術については、剣道・槍術などと違って個人をこえたものでありますから、いろいろと流派が別れているのはよろしくないと思います」（『未焚稿《みふんこう》』）というのがある。そして彼は、平戸滞在中に会沢正志斎《あいざわせいしさい》の『新論』を読んだ。これは彼の今までの学問が専《もっぱ》ら儒教的で中国のことにはくわしいが、日本の歴史についてはほとんど知るところがなかったということの反省にもつながるものである。「己れを知る」重大性に目ざめていったとしても間違いではないであろう。

これまで詰め込まれた厖大な知識の集積が、その束縛から彼を自由にしてゆく過程であったのである。そしてその彼がいよいよ大きく羽搏《はばた》いていくのは、平戸遊学の翌年、藩主について江戸に出たときであった。

松陰はそこで、安積艮斎《あさかごんさい》・山鹿素水《やまがそすい》・佐久間象山の門を叩いている。彼は当時江戸の学風として三つの流れのあることをいい、第一は林家の門流で佐藤一斎《さとういっさい》を代表とするが、彼らは兵学を軽蔑しており、特に西洋の学問などといえば老仏の害よりも大きいとし、第二が彼の学ぶ安積・山鹿であるが、これは西洋の学問には得るところがない、ただ防禦《ぼうぎょ》の都合からこれを知っておかねばならないという意見、第三は古賀謹一郎《こがきんいちろう》・佐久間象山でこれは西洋の事には非常に優れたものがあり、学ぶべき事が多いという見方であるとすると報告している。

松陰がとったのは、この場合、第二・第三の見解であった。これについて学ぼうと決心しているのである。

松陰は、そうして師の門に通う一方で、しきりに輪読会をやっていた。『論語』の註を読む会・中庸会《ちゅうようかい》・大学会といったものである。これは同じ藩の侍長屋に住む人々によって組織されたものであった。松陰らは、できるだけ倹約をしなければならないとして、お菜はほとんど金山寺味噌《きんざんじみそ》と梅実ばかり、魚は一日と十五日しか食べないという質素な生活なのである。山鹿や安積、佐久間などへはそれぞれ一里余りの道程を歩いて通ったものだった。まるで修行僧を思わせる生活である。

しかし、こうした生活のなかから湧き出てくる思いは、自分が如何に学問を知らないかということである。その頃、彼は故郷の兄にあてて次のような手紙を書いている。

これまで学問したといいながら何一つ満足なものはありません。僅《わず》かに字を識《し》っているというくらいなものでありましょう。それを思うと胸の中が湧き返るようであります。まず歴史についても何も知りません。そこで大家が述べていることを見ると、本史を読まなければ駄目だとのこと。『通鑑《つがん》』や『綱目《こうもく》』くらい読んで満足していたのでは立派な学者にはなれないともいっています。本史を読めというが、あの中国の「二十一史」を悉《ことごと》く読むとすれば、その量にも圧倒されるばかりです。しかし、いま『史記』からボツボツ読み始めました。

というのが書き出しであるが、このあとで彼がいっているのは、学問の世界の限りない深さと、このような勉強の仕方では駄目だから、何か自分の本気で打込める学問の方向を見つけたいという考えである。そして、彼はここで兵学よりも次第に経学《けいがく》の方に関心をむけはじめている。「私も兵学の勉強はおおまかなところで差し置いて、全力を経学に注いだならば、或《あるい》は人に遅れをとらない自信もありますが、しかし兵学はなかなかの大きな仕事で、経学以上のものと思われますし、また代々受けついできた学問でありますから、これを振い起すことなしで、他に移るということは、なんとも残念至極であります。これを思うにつけても胸の中が千々《ちぢ》に乱れてどうすることもできないほどであります」という言葉がある。

この手紙が書かれて、しばらくして彼は東北旅行に出発するのだ。この東北旅行については、松陰は前もって藩にも願いが出してあり、故郷の父兄の許可も得ていたのであるが、急に期日を早めて、藩庁の許可の下りない前に出発してしまう。理由は、同行者宮部《みやべ》鼎蔵《ていぞう》らとの約束を守るためというのであるが、そこには深い決心が秘められていたものといってよい。彼ほど考えが深い人間が、それをあえてするのは決して簡単な行きがかりとみてよいはずがないからである。「胸中の苦悶」を解決するための一大決心でもあったろうか。

四　歴史への回帰

松陰が藩庁の許可を得ないで東北の旅に出発したということは、明らかに処罰の対象であった。即ち、それは脱藩の罪に相当するのである。松陰がそれを知らなかったのではない。彼はこのとき、そのままで藩邸に帰らないことも考えていた。しかし、そのまま出奔《しゅっぽん》をつづけるならば、一家の者に罪が及ぶことを考えると、そのことも出来ないですすめられるままに自首して出た。

藩はこれを押込めとし、やがてその亡命を責めて御家人召放しとするのである。彼はここでこれまでの禄高を失ったが、しかし、あの山鹿流軍学師範という家重代の役目からも解放された。すなわち、彼は毛利家における昇進の道は絶たれたが、学問的には極めて自由の身となったのだ。これはあたかも広島藩の儒学師範の家をつぐべき頼山陽《らいさんよう》があえて亡命の罪を犯し、自由な文人の生活に入ったのとよく似ている。

彼が平戸滞在中に、会沢正志斎の『新論』を読んだことはすでに記したが、東北旅行の途中も水戸に寄って、水戸学というものにふれ、日本歴史に対する関心をますます強めたことも指摘されなければならないであろう。江戸在学中にも、他藩の人から長州の学者は日本の事を知らないといわれて、ひどく恥ずかしい思いをしたと書いていた。そうした反省が、いよいよ松陰の関心を日本歴史の方向にもむけたのであった。

だから、亡命の罪を断ぜられての家に閉居中は、まず、「身《み》皇国に生まれて、皇国の皇国たる所以《ゆえん》」を知らなければならないとして、最初に『日本書紀』三十巻、『続日本紀《しょくにほんぎ》』四十巻を読破することを決心している。それに続いては『日本逸史《にほんいっし》』『令義解《りょうのぎげ》』『三代実録《さんだいじつろく》』というような日本史関係の本が読破されてゆくのだ。もちろん、その間に時事的な本や中国関係の書も入っている。

そして、その皇国に生まれて皇国の皇国たる理由を明らかにしなければならないという彼の考え方のなかには、水戸学に極めて近いものがあると同時に、それ以上に自由な歴史解釈の成立する場所があった。彼は安政二年（一八五五）の頃は、まだ「幕府への御忠節は即ち天朝への御忠節で、これは決して二つのものではない」といっている。しかし、徳川家と毛利家との関係を歴史的に考えてゆけば、徳川幕府というものを一つ抜いて直接に天朝への御忠節という言葉が出てきてもよいはずであった。

しかし、そのことはともかくとして、彼はその閉居の生活のなかで、読書に沈潜しながら、次第にその思想を自己のものとして確立していった。そして、彼は亡命の年の翌々年に、藩主の許可を得て再び江戸に出てゆくのである。そして江戸につくや再び佐久間象山の門に入った。

しかし、松陰が江戸についた年は、嘉永六年（一八五三）、アメリカの水師提督《すいしていとく》ペリーが軍艦四隻をひきいて浦賀に入った年である。それはしきりに威嚇《いかく》の大砲を放ちながら江戸湾のなかを周游した。そして開国の要求をつきつけたのである。来るべきものが来たという感じであった。

いやしくも幕府が祖法を守って鎖国の方針を貫こうとすれば、それは当然に大砲を以てこれを迎えなければならない。すでに幕府としては、諸藩に命じて警備の態勢は整っているはずであった。沿岸の庶民は、そのことを恐れて既に避難を開始しているのだ。

吉田松陰も、浦賀に馳せ参じた。そこには佐久間象山もきて成行き如何《いかん》と見張っているのである。彼らがここに期待したものは、幕府が断乎《だんこ》たる処置をとるということであった。一歩も退いてはならないとするのである。しかしながら、事態は松陰らの期待に反して行なわれた。第一に警備する者の側にその態勢がないということである。それは無紀律を極めていた。そして幕府自体にも定見がなかったのだ。外国人の侮りを目のあたりにみて、いかに松陰らが切歯《せっし》しようとも如何ともなし難いのである。

ペリーは翌年を約して浦賀の港を去った。しかし、翌年のことを考えると、日本の運命は累卵《るいらん》の危きにあるのだ。この後、松陰は西洋兵学のことを一心になって勉強する。また、こうした非常のなかで試されるのが学問や思想であるということも知った。松陰がかつて、初めて江戸に学んだときの安積艮斎や山鹿素水といった学者たちは、相当な人物であると思っていた。その頃は素水などに対しても兄への手紙のなかで「一流の才物」というようなことをいっている。

しかしながら、このたびのペリー来航については簡単に平素の言動を裏切って、幕府の政策を専ら擁護する側に立っているのである。艮斎に対して投げかけた言葉は、一言、「俗儒、僕は甚だ彼を卑しんで、一歩もその門に入る気がしない」ということであり、素水に対しては、「不学無術の心正しくない人間であるのは衆目の一致する所」というような批評であった。

松陰の思想は、ただの観念論であってはならないのである。それは常に現実との重大なかかわりを持ちつつ進むものなのである。彼は松下村塾《しょうかそんじゅく》などで、よく本を読んでも所謂《いわゆる》学者になってはいけないということをいっていたようである。松陰と同じ時代に関東の荒れはてた農村を復興していた二宮尊徳《にのみやそんとく》も、坊主と学者がいちばん嫌いだというようなことをいっていた。それは書物から学んだことをそのまま口写しにいっているに過ぎない、というのが理由であった。

吉田松陰が、ペリーの船を頼って、海外に密航を企てたのは、安政元年（一八五四）の三月である。彼はその前年、ロシアの軍艦が長崎に来ているというので、それを頼って長崎まで駆けつけたが、そのときは既に露艦は出発してしまっていた。このときが二度目の機会だったのである。

この企ては佐久間象山のすすめる所でもあったが、同時に彼が志した方向でもある。そこには、西欧文明の実際を研究して、他日それを日本のものにしようという、ひたむきな精神がみられる。しかし、このことはペリーの拒絶によって失敗した。そして松陰は、これを自首して出て、伝馬町《てんまちよう》の獄につながれることになるのである。

江戸の獄中では、浅見絅斎《あさみけいさい》の『靖献遺言《せいけんいげん》』が読みたいといっている。この本については松陰はときどきこれを読み返しているが、その内容である中国の忠臣・義士八人から拾いあげてきた言行が、つねに彼の生き方に勇気を与えるものであったからだ。ついでにいうと、松陰は経学よりも歴史の方に深い関心を持っていたようである。それは安政二年（一八五五）正月の兄への手紙にもあるように、「歴史を読んで賢人や豪傑の言動を知り、それによって志気を激発するのが最高である」ということであった。松陰にあっては、それはただ歴史の流れを知るということだけではなくて、一つの修養書でもあったのである。

それはともかく、江戸の取調べがすむと、松陰は萩《はぎ》へ送り返されるということになった。そして野山獄《のやまごく》での生活が始まるのである。この獄中での生活は誠に陰惨であった。彼がそこに閉じ込められたころは、時あたかも正月、「寒風が格子を通して入ってくるので、鬚《ひげ》にも氷がはるほどであり、牢屋のなかの底冷えは膚を刺すようにこたえる。一日中、太陽のかげはなく、身体を暖めようとしても火の気はない。そこに薄い着物を着たまま坐っていると、時に暖かい飲み物が欲しくなるが、それも自由にはならない状態だ。冬の夜は長いのに、早くから灯を消してしまう。眠ろうとしても、ろくに眠ることもできない」と松陰は、その状態をつづっているが、なお、そこに同居する人たちは在獄四十九年になるという大深虎之允《とらのじょう》をはじめとして、人生に絶望し切った人々なのだ。

しかし、ここでも松陰は読書することを止めないのである。彼がこの獄中で読んだ本は、正月から十二月までに総計四百九十二冊、その中でも特に多いのが歴史書であった。彼は、世間の人は歴史学者といえば重みがないように思い、経学をやっている人はいかにも深遠にみえるので、とかく経学、経学という風習があるが、学問というものはそのようなものではなくて、種類は何でもよいから、まず根本的な把握を心がけることが大切であるともいっていた。

そしてまた、空理空論の類を最も軽蔑していたのである。彼は兄から獄中での著述をすすめられたとき、自分には今その意志がないと述べ、それにつづいて「たしかに会沢正志斎の『新論』であるとか、塩谷宕陰《しおのやとういん》の『籌海私議《ちゅうかいしぎ》』などというのは世間でもてはやされている本であるが、結局のところ現実に必要なのは軍艦と大砲だけである。さあ軍艦の建造が許されたといって、この両人に軍艦はどうして造るのかと問うたところでわかりはすまい。その後、塩谷の上書を見たら矢張りオランダから買えということであった。艦を造るよりは買う方がよい、砲も造るよりは買う方がよいといっているのは『聖武記《せいぶき》』の作者、清人《しんひと》の魏源《ぎげん》だ。要するに、その口真似をしているだけではないか。これでは彼らの名声は虚名であり、議論は空論となってしまう。自分はそのようなことは恥とするのだ」といい切っていた。

その艦や大砲を自らの手で造るために密航をさえ企てたのだが、いまやそれは空しい夢となった。彼は獄中では、西洋学をふっつりと断ち切っている。それは、もちろん良い師もなければ、独学の為に辞書類も容易に手に入らなかったからである。すなわち、師の佐久間象山や福井藩の橋本左内のような仕方と違った学問の方向へ大きく一歩を踏み出したといえるであろう。

それは、自分の学問を実学的な方向においてとらえるのではなく、専ら政治論として展開する方法であった。命を賭した二度のつまずきと、これまでの読書の厖大な蓄積が互いに相関連しながら、在獄という最も陰惨な境遇のなかから、彼を幕末の最も精彩ある思想家に育てあげてゆくのであった。

そうした意味からいうならば、この獄中で始めた他の囚人たちとの『孟子』の輪読会も、彼にとってはより大きな前進の第一歩であったろう。彼が六歳のときに叔父の玉木文之進から『孟子』の素読を教わったことは既に述べたが、彼はそれ以後ほとんど『孟子』について研究したことはなかったのである。しかし、その『孟子』の性善説は、ふしぎに彼の心をとらえて放さなかった。

五　たたかうヒューマニスト

松陰が、本当の教育者としての自分を見出したのもこの獄中であった。世間的にいうならば、彼は山鹿流軍学の師範として幼時から既に教育者たるべき運命をになっていた。しかし、彼が明倫館に出仕して多くの人々を前に教授する軍学の講義は、けっして本当の意味の教育といえるようなものではなかった。心と心が通っていないからである。

しかし、松陰はこの獄に入れられて、絶望的な状態にある囚人たちをみたとき、これらの人々をすべてもう一度、世の中に送り出してやりたいと思った。話をかけてみると、それぞれの人間がどこかに美点を持っているのである。この美点を引き出してくるならば、彼らは生きる希望を持つであろうし、また世の中の役に立つ人間にもなれるという確信が湧いてきた。

俳句の会をやり、習字の会を持った。教師はすべて同囚の人である。彼らはそれを教えることによって、改めて自分を見直すのであった。そして松陰が読む『孟子』の話のなかで、不正が勝つのを憤り、正義が亡びることに切歯《せっし》扼腕《やくわん》するようになるのである。しかも松陰は、『孟子』を単にくわしく註釈するという方法に立たなかった。彼はそれを、つねに現代に引きつけて考えたのである。

河野《こうの》数馬《かずま》であるとか、富永有隣《とみながゆうりん》といった人々は、早くもこの牢屋から解放されるに至っている。彼が、その人々のなかに入り込んで、行なった教育そのものの結果であった。そしてこのような教育方針が、彼が獄舎を出てからのちもつづけられるのであった。松下村塾の教育である。久坂玄瑞《くさかげんずい》や高杉晋作《たかすぎしんさく》はもとより、伊藤俊輔《いとうしゅんすけ》（博文《ひろぶみ》）に至るまで、松陰の指導がどれだけ彼らの成長を助けたか測り知れないものがある。

いま少し、松陰の人間に対する態度についていうならば、彼が獄から放たれて、村塾の経営に当っているとき、当時最も低い身分の者として賤しめられていた宮番の妻登波《とわ》が、夫の敵を討ったという事件が持ちあがった。しかもこれは並みたいていのことでなされたのではないのである。登波はその仇敵を求めて十数年のあいだ、日本国中を探して歩いているのであった。そして千辛万苦の末、これが本懐を達したというのだ。

武士の間でも敵討ちというようなことの少なくなった幕末である。それを一賤民の妻が、これほどの苦辛を払ってなしとげたということは、すぐに松陰の心をうった。松陰は、その登波を呼んで、話を聞くのである。一般の庶民でさえも声をかけることをためらった賤民に対して、松陰はいささかも差別をしないのだ。そうして書きあげたのが『討賊始末《とうぞくしまつ》』なる一冊であった。

そのころ、賤民を解放しなければならないという立場で論ぜられたものは、加賀藩の重臣千秋藤篤《せんしゅうふじあつ》の『穢多を治するの議』という書、ただ一つであった。もちろん、それは一般に読まれたものではない。身分的差別は、封建社会を支える役割をもって厳然としていたのだ。しかし、松陰はそのことに平然としていた。だから、松陰の弟子のなかには、わざわざ彼女を訪ねて、その肖像画をかく者さえ現われたということが語られている。のちに、高杉晋作が奇兵隊《きへいたい》を組織したときも、その中に組み入れられたのが、被差別者によって編制された「一新団《いっしんだん》」と称する一隊であった。松陰門下の人々の心に、その差別を無視して平然とこれに交わってゆく気持があったとすれば、それは師松陰の影響であるといっても差し支えないのである。

このようにしてみてゆくと、松陰の囚人に対する態度、被差別者に対する態度には、自《おのずか》ら一貫したものがあるといえよう。それは、ヒューマニズムということだ。そして、彼こそ幕末における最も偉大なヒューマニストといえるのである。

しかしながら、時代は松陰をして単なる学者、教育者という姿でおいておくことを許さなかった。安政三年（一八五六）の十二月には梅田雲浜《うめだうんぴん》が萩にきて上方と毛利藩の間の交流をはかっており、松陰にも面会を求めてきている。この時の雲浜の目的は、長州の物産と上方の物産との交易ということであったが、もちろん、主眼がそこにあったのではあるまい。それは、幽囚中の松陰に特に面会を求めたことでもわかるであろう。

このとき、松陰は雲浜に面会はしているけれども、時事について語ることを避けていたといわれる。しかし、アメリカの総領事ハリスが着任して、翌年には下田条約が調印され、さらには日米通商条約の可否まで問われようとしている時である。雲浜の来訪は、松陰の心を大いに動かすものがあったことも確かであろう。かつて、松陰は京都で雲浜にあったときの印象を「事務には甚だ練達《れんだつ》、議論もまた正、事務上については益を得ることが多い」と記していた。

松陰が、堰《せき》を切ったように時務を論じ出すのは、安政五年（一八五八）の正月からであった。その頃、将軍継嗣問題をめぐって、江戸や京都では花々しい議論が戦わされていた。一橋慶喜を推す諸侯やその謀臣たちのあいだに、近代的統一国家の構想ができあがっていたということは既に述べたとおりである。

しかしながら松陰の議論は、まず通商条約可否の問題が先決になっていた。彼は現在のような国内の状態であれば、条約調印の後には必ず悪い結果が出てくるであろうということを考えたのである。彼の智識は専ら中国の書籍からきているが、彼国が植民地化されているのは外夷の極めてずるいやり方だというのであった。即ち、彼らは貧乏人のためには貧院をつくり、捨子のためには幼児院を設け、貧乏な病人のためには施薬医院をつくる。そして中国人の民衆の心をつかんだ。わが国にも同じように貧乏人が多く、捨子が多く貧窮な病人が多い、それは中国と同じようになる条件が具《そな》わっているというものだ。

これに対しては、先んじて手を打たなければならないが、しかし、外夷に対しては断乎たる態度であたらなければならない。幕府のような無責任の態度は許されないというのであった。そして、幕府が無責任であれば朝廷の方から断乎たる態度を示すべきだ。朝廷は、鎖国のことにこだわっておられるようであるが、むしろ進んで世界に航海を開き、こちらから打って出るほどの勇気がなければならないとする。

橋本左内らが幕府を中心とした統一国家の構想を打ち出しているとき、松陰は主として朝廷を中心とした改革案を打ち出すのである。即ち、『愚論《ぐろん》』においても述べられているように、まず朝廷において、文武兼備の大学校をつくる。この大学には、「上は皇子・皇孫より、下は人民に至るまで、貴賤尊卑のへだてなく寄寓させる。そして、天下の英雄・豪傑をここへ集めて講義させる」というのだが、この大学校の性格は、かなり重要なものをもっていた。

即ち、それはその一方に銃砲調練所を構え、弓馬剣槍所をその下に持つというのだ。いや、それだけではない。「製本所・製薬所・鋳銃所並びに諸工作所等を皆学校の中か、別の所において学校の支配にする。悲田院や施薬院もこれに準ずる」というのであった。航海術などは、オランダ人に託して習得したらよいともいっている。

ここには、身分を越えて人間の才能が全面に立ち表われてきている。これは彼が意識するとしないとにかかわらず、大きな近代への前進であった。しかも、この大学校をみると、これはわが国近代化の中心となるべき性質のもので、それを幕府ではなくて朝廷におけということをいっているのである。

しかし、ここで考えておかなければならないのは、このころ、松陰の心のなかには、まだ討幕の意志はなかったということである。松陰は、「天朝《てんちょう》の正論と西域の正議と合体して天下の俗説をおし崩し、神州を維持することが今日の急務である。天朝の中興も幕府の中興もこの時にあるのだ。天朝の正論を守ることが幕府を永久に保つ妙計である」ということをいっている。これは、彼が天下の時勢を大いに憤って方々に上書していたころの手紙であるから、決して駆引きに使った言葉ではない。

　しかし、彼のこのような公武合体思想が次第に崩れてゆくのは、幕府が京都朝廷の反対を押しきって、日米通商条約に調印したときからのことである。この調印のあとをみると、松陰は、これは将軍の意志から出たのではなく、その裏で将軍をあやつっている奸物《かんぶつ》がそれをなさしめたのであるとみていた。だから、そうした奸物を斬ればよいという考えであった。

　だから、越前や水戸の浪士たちが井伊《いい》大老《たいろう》を斬るという噂がながれてくると、自分たちはそれを調印にまで運ばせた実際の担当者である間部《まなべ》下総守《しもうさのかみ》を斬らなければならないと計画をねるのである。そして、実際にその計画を実行に移すべく、同志を募って、武器の調達を前《まえ》田《だ》孫《まご》右衛《え》門《もん》あてに依頼するのである。その時の手紙に、「クーポール砲三門、百目玉筒五門、三貫目鉄空弾二十、百目鉄玉百、合薬五貫目貸下げの手段の事」というのがある。藩庁の役人である前田に対して、幽囚の人間がこのような依頼をするのであるが、このためについに彼は再び野山獄に入れられることになるのだ。

　獄中における彼は、いよいよ凄烈な思想の持ち主となってゆく。伏見の獄を破って梅田雲浜を救出すべく弟子の赤根《あかね》武人《たけと》を走らせるかと思えば、入江兄弟に大原卿要駕《ようが》策《さく》を授ける。

　そして獄に入れれば抗議のために食を絶つ。

　そのころの手紙に、「江戸居の諸友、久坂・中谷・高杉なども皆僕と見るところ違うなり。その分れる所は、僕は忠義をする積り、諸友は功業をする積り」ということをいっているが、それにはなお「忠義とは鬼の留守の間に茶にして呑むようなものでなし」ということも書いてあった。彼のいう忠義とは、ただ尊皇攘夷の一途に生きることなのである。その成功の暁には、などという志は毛頭持っていなかったのだ。政治をみにくい駆引きの道具とすることは、松陰の最も排斥したところである。

久坂玄瑞や高杉晋作がただ徒《いたず》らに手をこまねいて見ていたというのではない。しかし、それすらも信用ができないというならば、松陰は一体、誰を頼んで未来を託そうとするのか。それはもはや、将軍でもなければ諸侯でもない。「頼むべきところは草莽《そうもう》の英雄のみ」ということになってくるのだ。そして彼は完全な討幕論者となってゆく。

独立を保って何ものにも束縛されないで来た三千年来の日本が、たとえ一時でも外国人の束縛をうけるということは、血の気のある者にとっては視るに忍びないことである。わが国でも大ナポレオンのような偉大な指導者を見つけ出して、フレーヘード（自由）の叫びをあげなければ、腹の中にたまったつかえをなおすことも出来ない。僕はそのことが成り難いこともよく知っているが、それでもと思って昨年以来、微力相応のことはやってきたつもりだ。しかし、なんの得るところもなかったばかりか、野山獄に投げ込まれるだけの結果だった。これからどうしたらよいかということについていうと、一族に罪が及ぶであろうが、しかし、今の幕府も諸侯も、もはや正体を失った酔っぱらいのようなものであるから、今さらこれを鼓舞してなどということはいえなくなった。頼みになるのは、ただ草莽の中から起ってくる志士たちだけである。

という言葉に、晩年の松陰の心は最もよく表われているであろう。

そうして、松陰が江戸に送られ、小塚原《こつかっぱら》の刑場の露と消えたのは、安政六年（一八五九）十月二十七日のことであった。

六　松陰の思想

最後に、以上述べてきた松陰の思想を、彼の主著『講孟余話《こうもうよわ》』を中心にややくわしく記しておこう。

松陰は兵学師範として、その修学時代の大半を兵学の研究に費やした。そのことは、彼の物の考え方を著しく実学的にしている。いうまでもないことであろうが、兵学とは敵を想定して、もしもそれと戦わなければならないときには、如何にしてこれを破るかということである。この場合、敵は当然に城を築き砦を構えるであろう。そして攻めてくるときには、あらゆる可能な物理力を駆使するであろう。

もちろん、松陰の習った山鹿流軍学は、その頃すでに著しく観念的になっていた。松陰が江戸からの手紙で江戸の人たちのその字句の解釈が精密であることに驚いているのは、まさしく山鹿流軍学の観念化を意味する以上の何ものでもない。しかしながら、それでもなお一般の儒学と異なる点は、それが物理力の使用を前提としているということなのである。

兵学から出発して、実学的な発想を基礎としながら成長した松陰には、いわゆる儒者のスコラ的な性理学はない。これは、佐久間象山が易《えき》の思想を研究して、それを中心に世界を考えようとしたのとは違うのである。だから、彼の思想は時代と共に鋭く成長していった。

即ち彼は、その兵学師範の眼で、まず平戸・長崎をみた。そこにあったのはオランダの軍艦である。そして、阿片戦争関係の多くの書物を読んだ。何故《なにゆえ》にあの清国が負けたかということである。彼の眼がヨーロッパと日本の双方に向けられたことは当然であろう。

オランダの軍艦が積んだ大砲よりも、もっと凄い威力を持つ大砲があり、そしてそれらの近代兵器を自由に使いこなす軍隊がいるのだ。清国のような大国でも、それらの兵器や軍隊の前にはひとたまりもなかった。やがて、それはわが国にもむかってくるであろう。兵学の師範としては、当然にこれに対する方法を打ち出しておかなければならない。

まず、敵を知ることであった。江戸に出た松陰が佐久間象山の門に入って、洋学の研究に打ち込むのはまさしくそうしたことである。この頃の彼は、誰にも彼にも洋学を学ぶことを呼びかけていた。もちろん、この洋学は兵器を中心としたものであるが、しかし、それだけではない。

それは、このような兵器を使用する国がどうしてできてきたかという歴史も研究しておかなければならない。そしてそれらの国がアジアにまでその領土を拡げてきて、それらの土地や人民をどのようにして支配しているかということももちろん知っておかなければならないであろう。彼は、そうした種類の本を手あたり次第に読んでいった。もちろん、蘭語や英語に造詣が深くないから、すべて漢訳である。フランス革命やナポレオンのことを知ったのもそうした読書からである。また、ヨーロッパの政治組織・学校の制度・救貧事業などについて考えるようになったのもそのためであった。

もちろん、清国についても十分な認識がなければならない。その国が敗戦の憂目《うきめ》をみるということは、兵器や軍備もさることながら、そうした事態に対処する能力に欠けるものがあったということだ。何が清国をして、その能力を失わしめたのか。また、この敗戦の処理に当っても、それが妥当であるとは思われないふしがある。彼はこれを「漢奸《かんかん》、内より誘引する」といっているが、そのような政治を生み出したものは何か。

松陰は、孟子の性善説を信じている。彼は人間性の善を信ずるにおいては何人《なんぴと》にも負けをとりはしないであろう。彼の囚人や門弟などに対する教育は、全くその人間性の信頼の上に存在していた。武士も足軽も女性も、宮番のような賤視の対象であった者も、すべて彼は人間として対することができたのである。もちろん、清国の人も、ヨーロッパ人も、それが侵略の心をもってせまってこない以上、少しも差別はしていなかった。

とするならば、それらの国々を或《あ》るは興し、或は衰えさせているもの、あるいは侵し、侵させているもの、それはそれらの国々が経過してきた歴史ということになる。彼が、経学よりも歴史に興味をもったことの根本はそこにあるであろう。

ヨーロッパや清国の歴史に対して深い注意を向けるということは、当然にわが国の歴史に対してもなされなければならない。これまで、わが国の学者は、清国やそれをさかのぼる中国の歴史についてはよく勉強もし、理解もしていた。しかし、わが国の歴史となると甚だ不十分なのである。

ただ水戸学や国学が、わが国の古代からの歴史を解こうとした。だが、しかし多くの学者にとっては、それは異端の学であったのだ。それゆえに、毛利家の藩儒山県太華《やまがたたいか》も「世に国学という一種の考え方がある。また、皇国学などといって水戸から出た一派もある。これらの考え方について自分が深くその意を探ってみると、近代において皇朝の御威徳がすっかり衰え、天下の権勢がすべて幕府の手に移ってしまったので、それを深く歎いてどうかして天皇親政の古代の姿に帰したいという意味を含むことがわかった」としているように、極めて危険な考えを蔵しているかに思われていたのだ。

しかし、吉田松陰が、いまやアジアにせまってきつつあるヨーロッパ列強の意図を考え、中国大陸に経過した治乱興亡のあとをかえりみるとき、わが国とはいかなる国であるかということであった。ただ国土があり人民が住んでいるというのでは、守るに値する国とは言い得ない。それが生命を賭けて守られなければならない原理のようなものが必要であるのだ。

さらに言えば、この国をして国たらしめている統一の思想は何かということであった。彼は、それを水戸学に近づくことで学んだのである。ここに、天皇絶対主義ともいうべき考え方が生まれてきた。彼は、「天下は天下の天下なり」という儒教的な考え方に対して「天下は一人の天下にして、天朝の天下なり」という思想を真正面からぶっつけるのである。

すなわち、彼は日本の国を中国やインド、あるいはヨーロッパなどの諸国と異なる原理で把握しようとした。そこに何ものにも易《か》え難い独得の原理があるとした。それは何か。「凡《およ》そ、皇国の皇国たる所以は、天子が最高の威徳をそなえていて、その尊厳が古今を通じて変らない」ということにあるのだというのである。

もちろん、松陰が歴史に眼を向けている以上、そうした歴代の天皇のなかに、徳を失った天皇があることも認めなければならない。後白河《ごしらかわ》や後醍醐《ごだいご》の失政も指摘している。そのことによって兵馬の大権は幕府に移っていったのであった。しかし、松陰が問題にしているのは、そうした歴史的な事実ではなかった。その歴史の根本を流れる倫理や道徳のようなものである。

また、別の言葉でいえば、日本人をして今日にあらしめている根本のものは何かということであった。さきに松陰には人間性に対する深い信頼があるということを言ったが、その人間性を終局においてつなぎとめているようなものである。

これは、水戸学に学びながらも、それよりもさらに突き進んだ考え方であった。松陰はそれを、いわゆる大義名分論で展開しているのではない。彼は「漢土《もろこし》ではそうであろうが、それを以てわが国のことを論ずる必要はない」というようなことをいつも述べている。孟子に対してさえここでは「孟軻《もうか》も言葉のあやをもてあそんで道理を曲げている。真の志のある者は決してごまかされはしないであろう」などということをいう。

松陰は、儒教的な大義名分論や王覇の説から完全に独立するようになっていたのだ。そして、天朝の尊厳を『日本書紀』の「神代巻」に求めたのである。「神代巻」は、いうまでもなく神話の世界だ。

この神話の世界は、近世の初頭、林羅山などの朱子学者によって否定されたところである。もちろん、その流れを汲む朱子学の大家山県太華《やまがたたいか》なども、その合理主義的思考からして、その内容をそのままに許すものではない。太華が松陰の『講孟余話』「梁恵王《りようけいおう》第八章」で述べたことを反論した文章はまことに堂々たるものがある。

松陰が「この大八洲《おおやしま》は、天日の開き給える所」というに対して、太華は「天日とは太陽をいうのであるか、または太祖が天下に臨む姿の威徳を以て太陽になぞらえた言葉であるか、もし太陽を指していうならば太陽は火の精であって、この地球に何倍と数えられる以上の大きさをもっている。また、その高さは地球から何万里といって計算できないほどに遠い。昼夜、天体を一周して平等に万国を照しているのだ。これを以て独りわが一国の祖宗などというのはまことにおかしいではないか、云々」と説くあたり、まさに現代の知性にも通ずるものがある。

しかし松陰は、こうした考え方に対して断乎と反論するのである。「論ずるのもよろしくないが、疑うのは更《さら》によろしくない。皇国の道は悉く神代にもとづいているのだ。この神代の巻は日本人である以上すべて信奉しなければならないのである」と。ここには、すでに理性を超越したものがある。これをそのままうけついで行くならば、それは熱狂的な国家主義に連なってゆくであろう。

しかし、松陰の場合、せまりくる国際的危機に対して、国民統一の原理を打ち出すとしたら、これ以外に道は考えられなかったのである。太華のような合理主義に従えば、それは当然に幕府を肯定する方向にむかう。しかし、幕府の封建制度は、はじめから力と政治による国家の統一であり、その力と政治が崩れつつある現状では、如何なる意味においても全国をうって一丸とする精神の支柱にはなり得ない。

むしろ非合理的なもの、神秘的なものこそが、その中心にこなければならないのである。ヨーロッパならば、キリスト教の神がその中心に座を占めることができた。しかし、わが国では宗教はあまりにみじめにたたきのめされていたのだ。近世の儒教的インテリゲンチャーは、すべて無神論であり、排仏論者であった。人々が頼るべき神々の多くは、ただに世俗の信仰として、大衆のなかに眠っていたのである。

だから、松陰の思想が人々の上に絶対的な統一の原理を探り出そうとすれば、そのような神話であり、天皇の絶対的な信仰であった。また、分権的な封建制度の下にあっては、それのみがよく、国家統一の原理であったこともたしかである。

しかし、松陰は、これを以て人民抑圧の象徴をつくりあげようとしたのではない。むしろ彼は、この象徴の下に、封建制度の下に苦しむ人民の解放の方向を打ち出そうとしていた。それは彼が、具体的に行動し、思惟したものから十分によみとれるであろう。

留魂録

身はたとひ　武蔵の野辺に　朽ちぬとも
　留め置かまし　大和魂

という有名な歌から始まる松陰の遺書ともいうべき文章である。彼は、直接には将軍継嗣問題には関係がなかった。そして、京都に入り込んでいろいろと画策したこともない。もちろん、幽囚中の身であったからである。

しかし、その言動の激しさを早くから幕府に注意されていた松陰は、全く思いもかけないことで江戸に送られることになる。一つは梅田雲浜《うめだうんぴん》と何事を密談したかということ、一つは御所の中にあった捨文が松陰の筆蹟に似ているということである。

そして彼の江戸送りを決めたものは、藩政府の事なかれ主義であった。長井雅楽《ながいうた》がこれをすすめたものと言われている。そして松陰も、それに違いないと思い込んでいた。しかし、あれだけ松陰をかばっていた周布政之助《すふまさのすけ》でさえも目をつぶらなければならない状態である。松陰はついに江戸に護送された。

そして、幕吏の訊問が始まるのである。捨文の件と、梅田の件は、彼に関係がないということに決った。しかし、松陰はそこで、間部要撃策《まなべようげきさく》を口に出してしまうのである。これは幕府の知らない事実であった。そこで、いきなり伝馬町の獄へ入れられることになる。

はじめは遠島くらいに思っていた刑が、いつのまにか死刑というふうに変っていた。井伊直弼《いいなおすけ》が死刑へ一等進めたというのである。松陰は、ここで死を覚悟した。そして、死刑の前日にこの『留魂録《りゅうこんろく》』を書きあげるのである。

死を前にしたこの文章は、実に見事に書かれている。少しも乱れたところがない。あとにつづく同志のためにも、役に立つことはすべて書き残して行くのだ。

身はたとひ武蔵の野辺に朽《く》ちぬとも
留《とど》め置かまし大和魂
十月念五日　　　二十一回猛士(1)

一、余去年已来《いらい》心蹟百変、挙げて数へ難し。就中《なかんづく》、趙《てう》(2)の貫高《くわんかう》を希《こひねが》ひ、楚の(3)屈平《くつへい》を仰《あふ》ぐ、諸知友の知る所なり。故に(4)子遠《しゑん》が送別の句に「燕趙多士一貫高。荊楚深《ク》憂《フ》只屈平」と云ふも此の事なり。然《しか》るに五月十一日関東の行を聞きしよりは、又一の誠字に工夫を付けたり。時に(5)子遠死字を贈る。余是れを用ひず、一白綿布《いっぱくめんぷ》を求めて、孟子の「至誠にして動かざる者は未だ之れ有らざるなり」の一句を書し、手巾《しゆきん》へ縫ひ付け携《たづさ》へて江戸に来り、是れを評定所《ひやうぢやうしよ》に留め置きしも吾が志を表するなり。

去年来の事、恐れ多くも　天朝・幕府の間、誠意相孚《あひふ》せざる所あり。天苟《いやしく》も吾が区々《くく》の悃誠《こんせい》を諒《りやう》し給はば、幕吏必ず吾が説を是《ぜ》とせんと志を立てたれども、(6)蚊虻《ぶんばう》山を負ふの喩《たとへ》、終《つひ》に事をなすこと能《あた》はず、今日に至る、亦吾が徳の菲薄《ひはく》なるによれば、今将《は》た誰れをか尤《とが》め且つ怨まんや。

〈語釈〉

（1）二十一回猛士　松陰の号。「吾れ庚寅の年を以て杉家に生れ、已に長じて吉田家を嗣ぐ。甲寅の年、罪ありて獄に下る。夢に神人あり、与ふるに一刺を以てす。（その）文に曰く、二十一回猛士と。忽ち覚む。因つて思ふに杉の字二十一の象あり、吉田の字も亦二十一回の象あり。吾が名は寅、寅は虎に属す。虎の徳は猛なり」と松陰はその由来を述べている。生涯に二十一回の猛気を振うことを志向したもの。（2）貫高　戦国時代趙の国の宰相。趙王張敖《ちょうごう》の臣として漢の高祖（劉邦）を殺そうとしたが失敗、逆にその憐れみをうけた事を恥じ自殺した。（3）屈平　屈原のこと。戦国時代楚の憂国家。詩人。楚の懐王に仕えたが、讒《ざん》せられ江南に左遷された。よって「懐沙賦《かいさのふ》」を作り汨羅《べきら》江に石を抱いて入水した。（4）子遠　入江杉蔵。松陰に師事したのは安政五年の七月から数日間という、わずかの間であった。しかし晩年の松陰の心を最もよく理解し、忠実にその指示に従った。送別の句とは、松陰の伝馬町送りに際し、門弟たちが編んだ詩歌集のこと。（5）子遠死字を贈る　杉蔵は松陰宛の手紙で死の決意をうながしたが、至誠によって自己の主張を通そうと考えた松陰は、これをうけ入れなかった。（6）蚊虻山を負ふ　絶対に不可能なことをいう。『荘子』秋水篇に「知不レ知二是非之竟一、……是猶レ使《ムルガ》二蚊負《ヒ》レ山《ヲ》商蚷馳レ河也、必不《ズ》レ勝《タヘ》レ任《ニ》矣」とある。

〈現代語訳〉

身はたとい武蔵の野辺に朽ちぬとも
　留めおかまし大和魂

十月二十五日　　　　　　　　　　　　二十一回猛士

一、僕は昨年以来、心のおきどころが幾度となく変わって、いちいちここでは数えきれないほどの気持である。しかし、何よりも僕の心をひきつけて、そのようにあらねばならないと心がけさせたのは、趙《ちょう》の貫高《かんこう》であり、楚《そ》の屈平《くっぺい》であった。このことは、すでに諸君のよく知っていることであろう。だから、子遠《しえん》も僕の心を知っての上で「燕趙に多士なりといえども一人の貫高、荊楚《けいそ》に深く憂うるあれど只に屈平」という送別の句をおくってくれた。しかしながら、五月十一日に関東に呼び出されるという知らせをうけてからは、またひとつ、誠という字をつねに念頭において出処進退を明らかにしなければならないと思うようになったこともたしかである。ちょうどその頃、子遠は死ということについて考えなさいという意味のことをいってきた。しかし、僕はこれを用いなかった。それよりも、自分の心をあらわすものとして、一枚の白布を求め、これに孟子の「至誠にして動かざるものは未だ之れあらざるなり」という一句を記し、手ぬぐいに縫いつけ、それを持って江戸入りをし、これを評定所のなかに留めおいたのもそのためであった。

昨年来のことは、恐れ多くも天朝と幕府とのあいだに、おたがいに誠意が通じ合わないところがあったようだ。僕が何とかしなければならないと一生懸命になったのはそのことである。天に心があって、もし僕の小さな、しかしひたむきの心を知ってくれるならば、幕府の役人もきっと僕の説に耳をかたむけてくれるであろうと思い立っていた。しかし、蚊《か》や虻《あぶ》のような小さな虫でも、それが群っているときは山をも見えなくするという喩《たと》えがあるように、自明と思われることもついに役人の理解するところとはならないで、何事もなすことなく今日に至ってしまった。こうなるのもまた、僕の徳がうすいのであろうから、いまさら誰をとがめ、恨みに思うことがあるだろうか。

一、七月九日、初めて評定所呼出しあり、(1)三奉行《さんぶぎやう》出座、尋鞫《じんきく》の件両条あり。一に曰く、(2)梅田源次郎長門《ながと》下向の節、面会したる由、何の密議をなせしや。二に曰く、御所《ごしよ》内に落文《おとしぶみ》あり、其の手跡《しゆせき》汝に似たりと、源次郎其の外申立《まをした》つる者あり、覚《おぼえ》ありや。此の二条のみ。夫《そ》れ梅田は素《もと》より奸骨《かんこつ》あれば、余与《とも》に志を語ることを欲せざる所なり、何の密議をなさんや。吾が性《せい》公明正大なることを好む、豈《あ》に落文なんどの隠昧《いんまい》の事をなさんや。余、是《ここ》に於て六年間幽囚中の苦心する所を陳じ、終に(3)大原公の西下を請ひ、(4)鯖江侯《さばえ》を要する等の事を自首す。鯖江侯の事に因りて終に下獄とはなれり。

〈語釈〉

(1) 三奉行　寺社奉行松平伯耆守宗秀、勘定奉行池田播磨守頼方、町奉行石谷因幡守穆清。(2) 梅田源次郎　梅田雲浜。若狭小浜藩士、藩政及び海防問題を論難したため士籍を削られた。安政の頃より梁川星巌《やながわせいがん》・頼三樹三郎《らいみきさぶろう》らと交際し志士活動に挺身した。安政の大獄では最初に捕らえられた。(3) 大原公　大原重徳《おおはらしげとみ》。正三位左衛門督のち参議。尊攘倒幕派の公卿。松陰は重徳を長州に迎えて事を挙げようとし、大原西下策を立てた。
(4) 鯖江侯　老中間部詮勝。越前鯖江藩主。松陰は間部暗殺を計画していた。

〈現代語訳〉

一、七月九日、はじめて評定所に呼び出しがあった。三人の奉行が出座、自分に対する訊問の件は二ヵ条である。第一は、雲浜梅田源次郎が長門《ながと》の国に出むいたとき面会したということであるが、そのとき何の密議をこらしたかということ。第二は、御所のなかに落文があった、その字の書き方がお前に似ていると梅田源次郎などもいっているが、覚えがあるだろう、ということ。この二ヵ条にすぎないのだ。そこで僕は、梅田という人物は、平素から一筋縄ではゆかないところがあるとみていたので、これと心を打ちあけて語ることは好まない、なんで彼と密議など致しましょうかと答え、さらに、自分は生まれつき、公明正大なることを好む、どうして落文などということそこそしたことをするであろうかと言明した。そして、自分の所信を明らかにするために、六年間の幽囚生活の中で、いろいろと苦心するところをのべ、ついに、大原公の西下を請い、鯖江侯を要撃する計画のあったことまでを自供してしまった。この鯖江侯のことで、とうとう下獄するということになったのである。

一、吾が性激烈《げきれつ》怒罵《どば》に短し、務《つと》めて時勢に従ひ、人情に適するを主とす。是を以て吏に対して幕府違勅の已《や》むを得ざるを陳じ、然《しか》る後当今的当《てきたう》の処置に及ぶ。其の説常に講究《かうきう》する所にして、具《つぶ》さに対策(1)に載するが如し。是を以て幕吏と雖《いへど》も甚《はなは》だ怒罵すること能《あた》はず、直《ただち》に曰《いは》く、「汝陳白する所悉《ことごと》く的当《てきたう》とも思はれず、且つ卑賤《ひせん》の身にして国家の大事を議すること不届なり」。余亦深く抗《かう》せず、「是《ここ》を以て罪を獲るは万々辞せざる所なり」と云ひて已《や》みぬ。幕府の三尺《さんせき》、布衣《ふい》、国を憂《うれ》ふることを許さず。其の是非、吾れ曾《かつ》て弁争《べんさう》せざるなり。聞く、薩の(2)日下部以三次《くさかべいさうじ》は対吏の日、当今政治の欠失《けつしつ》を歴詆《れきてい》して、「是《か》くの如《ごと》くにては往先《ゆくさき》三五年の無事も保し難し」と云ひて、鞠吏《きくり》を激怒せしめ、乃《すなは》ち曰く、「是を以て死罪を得ると雖《いへど》も悔《く》いざるなり」と。是れ吾れの及ばざる所なり。子遠《しゑん》の死を以て吾れに責《せ》むるも、亦此の意なるべし。唐の(3)段秀実《だんしうじつ》、郭曦《かくぎ》に於ては彼れが如くの誠《せい》悃《こん》、朱泚《しゆせい》に於ては彼れが如くの激烈、然《しか》らば則《すなは》ち英雄自《おのづか》ら時措《じそ》の宜《よろ》しきあり。要は内に省《かへり》みて疚《やま》しからざるにあり。抑ゝ《そもそも》亦人を知り幾《き》を見ることを尊《たふと》ぶ。吾れの得失、当《まさ》に蓋棺《がいくわん》の後を待ちて議すべきのみ。

〈語釈〉

（1）対策　松陰が藩政府に提出した意見書。『対策一道』などをさす。尊皇論の立場から外交策を述べたもの。（2）日下部以三次　薩摩藩士。水戸藩と関係があり、幕政改革の勅諚を水戸藩邸に運んだことから安政の大獄に罪を得、獄死した。（3）段秀実云々　段秀実は唐の徳宗の臣。秀実が高官である郭曦の乱暴を戒め、また朱泚の謀反を非難したため殺された故事をさす。

〈現代語訳〉

一、僕は生まれつき激烈な性質で、怒罵されるとすぐにかっとしてしまうほうだ。だから、つとめて世間の流儀に従って、人情に逆らわないように努力しているのだ。だから、役人に対しても、幕府が朝廷の意志に反した行為をしなければならなかったことを陳べておいてから、現在、幕府がとるべき最も適当な処置は何であるかということに説き及んだ。この説は、僕がつね日頃講究するところであって、くわしく「対策」として書き記したとおりである。そのために、幕吏といえども決して怒罵の声を発することができないで、それに答えて、「お前の述べるところは、全てが的を射ているとは思われない。そのうえ、卑賤の身でありながら勝手に国家の大事を議論するということが不届きなのだ」ときめつけたのだった。しかし僕は、これ以上さらに抗弁することをしないで、「このことで罪になるというのならば止むを得ないことでしょう」といって言葉を閉じた。ああ、幕府は学問のない者や、官位のない者が国を憂えることをさえ許してくれないのか。そのことの是非については、僕はまだ言い争うことをしていない。

聞くところによると、薩藩《さつぱん》の日下部《くさかべ》伊三次《いそうじ》は、役人から訊問のあった日に、幕府政治の欠陥を根本から批判して、「このようなすがたではこれから、三年あるいは五年という短いあいだの無事も保証しがたいであろう」といい、訊問の役人を激怒せしめたが、おもむろに語って、「これで死罪になるのならば、いささかも悔いるところはない」といったそうである。こうした態度は、自分に比べてまことに立派だと思う。子遠が「死を覚悟してお出でなさい」といったのも、またこの意味であるのだろう。唐の段秀実《だんしゅうじつ》、郭曦にあっては、あのように誠実の限りをつくしたし、朱泚にあってはあのように激烈な行ないであった。されば即ち、英雄には自ら時宜に適した行動というものがあるものである。要は、内に省みてやましくないということであろう。そしてまた、人を知り、機を見ることが大切である。僕のやったことの得失は、まさに棺《ひつぎ》を被《おお》って後に、諸君の議論に任せるとしよう。

一、此の回の口書《くちがき》甚だ草々《さうさう》なり。七月九日一通り申立てたる後、九月五日、十月五日、両度《りやうど》の呼出しも差《さし》たる鞠問《きくもん》もなくして、十月十六日に至り、口書読聞《よみきか》せありて、直ちに書判せよとの事なり。余が苦心せし墨使《ぼくし》応接《おうせつ》、航海雄略《かうかいゆうりやく》等の論、一も書載せず。唯だ数個所開港の事を程克《ほどよ》く申し延べて、国力充実の後、御打払《おんうちはら》ひ然《しか》るべくなど、吾が心にも非ざる迂腐《うふ》の論を書付けて口書とす。吾れ言ひて益なきを知る、故《ゆゑ》に敢へて云はず。不満の甚《はなはだ》しきなり。(1)甲寅の歳、航海一条の口書に比する時は雲泥《うんでい》の違と云ふべし。

〈語釈〉

(1) 甲寅の歳　安政元年三月、松陰は下田でアメリカ船に乗り込み、渡航を企てたが失敗。自首し捕縛されたが、その時の罪状口書。この時の取調べの役人は、松陰の気持を理解していたことをいう。

〈現代語訳〉

一、この回の口上書は、まことに簡単なものであった。七月九日、ひととおり陳述を行なったのち、九月五日と十月五日と二度の呼び出しもたいした取調べもなくて、いよいよ十月十六日という日に、口上書の読み聞かせがあり、すぐに署名せよということである。僕が苦心して述べた、墨使《ぼくし》応接《おうせつ》、航海雄略等の論は、ひとつも書記してはいない。ただ、数箇所だけ開港のことを少しばかり申し述べて、国力充実の後、御打払いになったらよろしいであろうなどと、僕の心にもない馬鹿馬鹿しい議論を書きつけて、口上書としているのだ。僕は、いいたてたところで何にもならないと感じた。だから、敢えていわなかったのである。しかし、不満でたまらないのだ。甲寅（安政元）の歳に、海外に出ようとして失敗したときの口上書に比べるならば、あれとこれでは雲泥の差があるというものである。

一、七月九日、一通り大原公の事、鯖江《さばえ》要撃《えうげき》の事等申立てたり。初め意《おも》へらく、是れ等の事、幕《ばく》にも已《すで》に諜知《てふち》すべければ、明白に申立てたる方却《かへ》つて宜《よろ》しきなりと。已《すで》にして逐一《ちくいち》口を開きしに、幕にて一円《いちゑん》知らざるに似たり。因《よ》つて意へらく、幕にて知らぬ所を強《し》ひて申立て多人数に株連蔓延《しゅれんまんえん》せば、善類《ぜんるゐ》を傷《そこな》ふこと少なからず、毛を吹いて瘡《きず》を求むるに斉《ひと》しと。是《ここ》に於て鯖江要撃の事も要諫《えうかん》とは云ひ替へたり。又京師《けいし》往来《わうらい》諸友の姓名、連判諸氏の姓名等成るべき丈けは隠して具白《ぐはく》せず、是れ吾れ後起人の為めにする区々《くく》の婆心《ばしん》なり。而《しかう》して幕裁《ばくさい》果して吾れ一人を罰して、一人も他に連及なきは実《まこと》に大慶《たいけい》と云ふべし。同志の諸友深く考思せよ。

〈現代語訳〉

一、七月九日、ひととおり大原公の事、鯖江侯間部詮勝要撃《さばえこうまなべあきかつようげき》のことなど申し立てたのである。初めに思ったことは、これらのことはすべて幕府側でも探り出して知っているにちがいないから、隠しだてなどしないで明白に申し立てた方がかえってよろしいであろうということだった。そこで、いちいちそのことについて述べたところ、幕府の方では全く知らないことのようであった。そこで考えなおして、幕府で知らない所を強いて申し立て、多人数に問題を広げて連累者《れんるいしゃ》を出すということになれば、これは善類を傷つけることも少なくないであろう、「毛を吹いて傷を求むるに斉《ひと》し」とはこのことだと自重することにした。そこで鯖江侯要撃のことも要諫《ようかん》というふうにいいかえておいたのだった。また、京都で連絡をもっている諸友の姓名や、連判諸氏（鯖江侯要撃のことについて）の姓名なども、なるだけ隠して自白をしないでおいた。これは、後から起ちあがるであろう人たちを思う、自分の区々たる老婆心のようなものである。それがかなえられたのであろうか、幕府の裁決では、はたして僕一人が罰せられて、他に一人の連累者も出さなかったが、これは実に大きな喜びといわなければならない。同志の諸君よ、ここのところを深く考えて貰いたい。

一、要諫《えうかん》一条に付き、事遂《と》げざる時は鯖侯と刺違《さしちが》へて死し、警衛《けいゑい》の者要蔽《えうへい》する時は切払ふべきとの事、実《まこと》に吾が云はざる所なり。然《しか》るに三奉行《さんぶぎやう》強《し》ひて書載して誣服《ふふく》せしめんと欲す。誣服は吾れ肯《うべな》へて受けんや。是を以て十六日書判の席に臨みて、石谷・池田の両奉行と大いに争弁《さうべん》す。吾れ肯《うべな》へて一死を惜しまんや、両奉行の権詐《けんさ》に伏《ふく》せざるなり。

是れより先き九月五日、十月五日両度の吟味《ぎんみ》に、吟味役まで具《つぶ》さに申立てたるに、死を決して要諫《えうかん》す、必ずしも刺違へ・切払ひ等の策あるに非ず。吟味役具さに是れを諾《だく》して、而《しか》も且つ口書《くちがき》に書載するは権詐に非ずや。然《しか》れども事已《すで》に爰《ここ》に至れば、刺違へ・切払ひの両事を受けざるは却《かへ》つて激烈を欠き、同志の諸友亦惜しむなるべし。吾れと雖《いへど》も亦惜しまざるに非ず、然れども反復《はんぷく》是れを思へば、(1)成仁《せいじん》の一死、区々《くく》一言《いちごん》の得失に非ず。今日(2)義卿奸権《ぎきやうかんけん》の為めに死す、天地《てんち》神明照鑑上《しんめいせうかんじやう》にあり、何《なんぞ》惜しむことかあらん。

〈語釈〉

(1) 成仁の一死　『論語』衛の霊公篇にあることば。「子曰く、志士仁人は生を求め、もつて仁を害することなし。身を殺し、もつて仁を成すことあり」。(2) 義卿　松陰の字《あざな》。

〈現代語訳〉

一、要諌一条について、事が成功しなかったときは、鯖江侯と刺違えて死に、警衛の者がこれを守って近づけないときには切払ってもこれを行なうということは、自分では決していわないところだ。しかるに三奉行は、このことを強いて書き記して、僕をだまして承認させようとしている。だまされて承認などすることは、僕は絶対にしはしない。そこで、十六日の書判の席では、石谷・池田の両奉行と大いにいい争った。僕は、あえて一死を惜しむものではない。ただ、両奉行の強権をもった詐《いつわ》りの謀略に服しないということだ。

これよりさき、九月五日、十月五日両度の吟味《ぎんみ》のとき、吟味役までくわしく申し立てたのは、死を決して要諌するということであって、必ずしも刺違えたり、切払ったりする等の策があったわけではない。吟味役も十分にそのことを諒承しておいて、しかもなお、このようなことを口上書に書載せるというのは、これこそ為にするところの詐謀ではないか。しかしながら、事がすべて行くところまで行ってしまった以上、刺違え、切払いの二つのことを否定するのは、かえって激烈さを欠くことになり、同志の諸君も、そのことを惜しむであろう。いや、僕自身がそれを惜しんでいるのだ。しかし、反復してこれを思えば、仁《じん》を成すために死ぬということは、そのような小さな言葉のはしくれにかかわったことではないのである。今日、僕は奸権《かんけん》のために殺されることになった。天地《てんち》神明《しんめい》のあきらかな鏡は上にかがやいている。この一死、何の惜しむところがあろうか。

一、吾れ此の回初め素《もと》より生を謀《はか》らず、又死を必《ひっ》せず。唯だ誠の通塞《つうそく》を以て天命の自然に委したるなり。七月九日に至りては略《ほ》ぼ一死を期す。故《ゆゑ》に其の詩に云ふ、(1)「継盛《けいせい》唯《たダ》当《まさニ》レ甘《ンズ》二市《し》戮《りくニ》一。倉公《さうこう》寧《いづくんゾ》復《タ》望《マンヤ》二生還《せいくわんヲ》一」と。其の後九月五日、十月五日、吟味《ぎんみ》の寛容なるに欺《あざむ》かれ、又必生を期す、亦頗《すこぶ》る慶幸《けいかう》の心あり。此の心吾れ此の身を惜しむ為めに発《はっ》するに非ず。抑〻《そもそも》故あり。(2)去臘大晦、朝議已《すで》に幕府に貸《ゆる》す。今春三月五日、吾が公の駕《が》已に萩府《しうふ》を発す。吾が策是《ここ》に於て尽き果てたれば、死を求むること極めて急なり。六月の末江戸に来るに及んで、夷人《いじん》の情態を見聞し、七月九日獄に来り、天下の形勢を考察し、神国の事猶《な》ほなすべきものあるを悟り、初めて生を幸とするの念勃々《ぼつぼつ》たり。吾れ若《も》し死せずんば勃々たるもの決して汨没《こつぼつ》せざるなり。然《しか》れども十六日の口《くち》書《がき》、三奉行《さんぶぎやう》の権詐《けんさ》、吾れを死地《しち》に措《お》かんとするを知りてより更《さら》に生を幸《ねが》ふの心なし。是れ亦平生《へいぜい》学問の得力《とくりよく》然《しか》るなり。

〈語釈〉

（1）継盛云々の一節　安政六年七月中旬、江戸の獄より高杉晋作に出した手紙の中に書かれた詩の一節。楊継盛は明の世宗の臣で、厳嵩《げんすう》の悪事をあばいて追放された。倉公（淳于意）は漢の太倉の長で、罪をうけて罰せられたが、娘がその罪の身がわりをしようと願い出、その孝により父は許された。（2）去臘大晦　安政五年十二月晦日。朝廷は幕府に条約の調印を許し、公武合体ののち攘夷を決行すべしという勅諚を与えた。

〈現代語訳〉

一、僕はこのたびのことでははじめから生きるための工夫もしなければ、死を必然だとも思っていなかった。唯《た》だ、誠が通じるか通じないかということを以て、天が指示する運命のなりゆきにゆだねたのである。七月九日に至って、ほぼ死ななければならないことを思った。だから、そのときの詩では「継盛は唯だまさに市戮《しりく》に甘んずべし、倉公はむしろ復《ま》た生還を望む」というような文句を書きつけている。其の後九月五日、十月五日、吟味が寛容であることにあざむかれ、また必ず生だと思うようになった。その上、たいへんその幸せを喜ぶ心があった。しかし、この心は、僕がこの身を惜しむためにあらわれたものではないのである。そもそもこれには理由がある。去年の暮大晦日《おおみそか》、朝廷での論議は、すでに幕府のやり方を許してしまっている。そして今春、三月五日、わが公の駕《かご》は、すでに萩城下を出発してゆかれた。僕の策は、ここですべて尽きはてたのであるから、死を求める気持がきわめて急であった。六月の末、江戸にくるに及んで、夷人《いじん》の情態を見聞し、また七月九日、獄に入って、天下の形勢をよくよく考えてみると、今のわが国にはまだまだ為すべきことが残っているのを悟り、ここにはじめて生を幸いとする心が湧いてきた。僕がもし死罪になどならなかったならば、この心にわきでた勃々《ぼつぼつ》たるものは、決して消えうせたりするようなことはないであろう。しかしながら十六日の口上書といい、三奉行の権詐《けんさ》といい、僕を死罪におとしいれようと、はかるのを知ってからは、このうえとも生きたい気持はなくなってしまった。これもまた、僕が平素に学問から得た力がそうさせているのである。

一、今日死を決するの安心《あんじん》は四時《しじ》の順環《じゅんくわん》に於て得る所あり。蓋《けだ》し彼《か》の禾稼《くわか》を見るに、春種《しゅ》し、夏苗《べう》し、秋苅り、冬蔵す。秋冬に至れば人皆其の歳功《さいこう》の成るを悦《よろこ》び、酒を造り醴《れい》を為《つく》り、村野歓声《そんやくわんせい》あり。未《いま》だ曾《かつ》て西成《せいせい》に臨んで歳功の終るを哀《かな》しむものを聞かず。

吾れ行年《かうねん》三十、一事成ることなくして死して禾稼《くわか》の未だ秀でず実《みの》らざるに似たれば惜しむべきに似たり。然《しか》れども義卿の身を以て云へば、是れ亦秀実《しうじつ》の時なり、何ぞ必ずしも哀しまん。何となれば人寿《じんじゅ》は定《さだま》りなし、禾稼の必ず四時を経《ふ》る如きに非ず。十歳にして死する者は十歳中自《おのづか》ら四時あり。二十は自ら二十の四時あり。三十は自ら三十の四時あり。五十、百は自ら五十、百の四時あり。十歳を以て短しとするは蟪蛄《けいこ》をして霊椿《れいちん》たらしめんと欲するなり。百歳を以て長しとするは霊椿をして蟪蛄たらしめんと欲するなり。斉《ひと》しく命に達せずとす。義卿三十、四時已《すで》に備はる、亦秀《ひい》で亦実《みの》る、其の秕《しひな》たると其の粟《ぞく》たると吾が知る所に非ず。若し同志の士其の微衷《びちゅう》を憐《あはれ》み継紹《けいせう》の人あらば、乃《すなは》ち後来の種子未だ絶えず、自ら禾稼《くわか》の有年《いうねん》に恥ぢざるなり。同志其れ是れを考思せよ。

〈現代語訳〉

一、今日死を覚悟して少しも騒がない心は、春夏秋冬の循環において得る所があったのだ。思うてかの農事のことをみるに、春は種をまき、夏は苗を植えつけ、秋に刈り、冬はそれをかこっておく。秋・冬になると人々はみなその年の成功を悦んで、酒をかもし、甘酒をつくって、村野に歓声があふれている。いまだかつて、西成にのぞんで歳功の終るのを悲しむものを聞いたことがない。

僕は年を数えて三十歳になる。一事をもなすことなくして死ぬのは、あたかも農事で稲のまだ成長もせず、実もつかず、という状態に似ているのだから、残念だと思わないではない。しかしいま、義卿《ぎきょう》自身としていうならば、これもまた秀実《しゅうじつ》のときである。必ずしもこの身を悲しむことはいらないだろう。何故なれば、人間の寿命は定めなきものである。農業における収穫の必ず四季を経過しなければならないのとは違っている。十歳で死ぬる者には、おのずから十歳の中の四季がそなわっており、二十歳には二十歳の、三十歳には三十歳のおのずからなる四季があるのだ。五十、百になれば、また五十、百の四季があり、十歳では短かすぎるというのは、数日しか生きない夏蟬の運命をして、百年も千年も経過した椿の木の寿命にひきのばそうというものである。また百歳を以て長いというのは、その長寿の椿を、短命の夏蟬にしようとすることなのだ。どちらも、天命に達しないというべきであろう。義卿は三十、四季はもう備わっている。成長もし、また実りもした。それがしいらであるか十分に実の入った穂であるかは僕の知るところではない。もし同志の士に、僕の微衷を憐れんで、それを受けついでやろうという人があるならば、そのときこそ後に蒔くことのできる種子がまだ絶えなかったということで、おのずから収穫のあった年に恥じないということになろう。同志諸君よ、このことを考えていただきたい。

一、東口揚屋《ひがしぐちあがりや》に居《を》る水戸の郷士堀江克之《よしの》助《すけ》(1)、余未だ一面なしと雖《いへど》も真《まこと》に知己《ちき》なり、真に益友《えきいう》なり。余に謂《い》つて曰《いは》く、「昔、矢部《やべ》(2)駿州《すんしう》は桑名侯へ御預けの日より絶食して敵讐《てきしう》を詛《のろ》ひて死し、果して敵讐を退けたり。今足下《そくか》も自《みづか》ら一死を期するからは祈念《きねん》を籠めて内外の敵を払はれよ、一心を残し置きて給はれよ」と丁寧に告戒《こくかい》せり。吾れ誠に此の言に感服す。又鮎沢伊太夫(3)は水藩《すゐはん》の士にして堀江と同居す。余に告げて曰く、「今足下の御沙汰《ごさた》も未だ測《はか》られず、小子《せうし》(4)は海外に赴《おもむ》けば、天下の事総《す》べて天命に付せんのみ、但し天下の益となるべき事は同志に托し後輩に残し度きことなり」と。此の言大いに吾が志を得たり。

吾れの祈念を籠むる所は同志の士甲斐《かひ》甲斐《がひ》しく吾が志を継紹《けいせう》して尊攘《そんじやう》の大功を建てよかしなり。吾れ死すとも堀・鮎二子《にし》の如きは海外に在りとも獄中に在りとも、吾が同志たらん者願はくは交《かう》を結べかし。又本所亀沢町《ほんじよかめざはちやう》に山口三輶《やまぐちさんいう》と云ふ医者あり。義を好む人と見えて、堀・鮎二子の事など外間《ぐわいかん》に在りて大いに周旋《しうせん》せり。尤も及ぶべからざるは、未だ一面もなき小林民部[5]の事二子より申し遣はしたれば、小林の為めにも亦大いに周旋せり。此の人想ふに不凡ならん、且つ三子への通路は此の三輪老に托すべし。

〈語釈〉

(1) 堀江克之助　水戸の郷士。勤皇家。藤田東湖《とうこ》、武田耕雲斎《こううんさい》に学んだ。ハリス登城を襲撃しようとして果さず獄に下った。のち再び高輪東禅寺《たかなわとうぜんじ》襲撃に加わり再獄。(2) 矢部駿州　矢部定謙《さだのり》。堺町奉行、大坂町奉行を経て勘定奉行についた。名吏の聞え高かった。庶政革新に意を用いたが罪におとされ、獄中絶食してはてた。(3) 鮎沢伊太夫　水戸藩の勤皇家。水戸に密勅が下った時諸藩にも伝達すべきだと主張したが入れられなかった。戊辰戦争《ぼしんせんそう》で戦死。(4) 小子は海外に赴けば　鮎沢は密勅返還に反対したため流罪の判決をうけていた。(5) 小林民部　小林良典。鷹司《たかつかさ》家に仕えた。日下部伊三次、鵜飼吉左衛門らと計り、幕府非難の密勅が水戸藩にくだるように画策、これにより遠島の刑をうけたが伝馬町で獄死した。

〈現代語訳〉

一、東口の揚屋（留置所）にいる水戸の郷士《ごうし》堀江《ほりえ》克之助《よしのすけ》は、僕はまだ一度も顔を合わせたことはないが、真の知己であり、真の益友である。僕に言葉をつたえて、「昔、矢部《やべ》駿州《すんしゅう》は桑名侯へ御預けになったその日から絶食して敵讐をのろって死に、ついに敵讐を退けることが敵を払って下さい。今、あなたも自ら一死を期しておられるのであれば、祈念をこめて内外の敵を払って下さい。そしてそうした魂を後の世にも残しておいて下さい」と丁寧に戒めてくれたのであった。僕は、この言葉にすっかり感激した。又、鮎沢伊太夫《あゆさわいだゆう》は水戸藩の士で、堀江と同居している。僕に告げて曰く、「今、あなたの判決はまだどうなるかわからない。私は流刑になるので、天下のことはすべて天命に委ねるだけだ。しかし、天下の益《えき》となるようなことは、すべてこれを同志に託して、後輩の者たちに残しておいてやりたいと思います」といっていた。この言葉は、大へん僕の心をひいたのである。

僕が祈念をこめるところは、同志の諸君がかいがいしく僕の志をついで、尊攘《そんじよう》の大功をたてて貰いたいということなのだ。僕は、ここで死ぬけれども、堀江・鮎沢のような人物とは、たとえ彼らが遠い島にあろうと、また獄中につながれていようと、僕の同志たろうとする者は、願わくは交を結んで欲しい。また本所亀沢町に山口三輶《やまぐちさんゆう》という医者がいる。義を好む人と見えて、堀江・鮎沢二君のことなど、獄外からいろいろと周旋している。とても普通の人ではできないと思うことは、まだ彼にとって一面識もない小林民部《みんぶ》のことを、かの二君から頼んでやると、小林の為にも同じように周旋してやったことだ。僕の考えるところ、この人は、きっと非凡の人物であると思う。ところで、堀江・鮎沢・小林の三君への連絡は、この三輶氏に頼んだらよいであろう。

一、堀江常に神道《しんたう》を崇《あが》め、天皇を尊《たふと》び、大道《たいだう》を天下に明白にし、異端邪説《いたんじやせつ》を排せんと欲す。謂《い》へらく、天朝《てんてう》より教書《けうしよ》は開板《かいはん》して天下に頒示《はんじ》するに如《し》かずと。余謂へらく、教書を開板するに一策なかるべからず。京師《けいし》に於て大学校を興《おこ》し、上　天朝の御学風《ごがくふう》を天下に示し、又天下の奇材異能《きさいいのう》を京師に貢《こう》し、然る後天下古今《てんかこきん》の正論確議《せいろんかくぎ》を輯集《しふしふ》して書となし、天朝御教習《てんてうごけうしふ》の余を天下に分つ時は、天下の人心自《おのづか》ら一定すべしと。因《よ》つて平生子遠と密議する所の尊攘堂《そんじやうだう》の議と合せ堀江に謀《はか》り、（1）是れを子遠に任ずることに決す。子遠若《も》し能《よ》く同志と謀り、内外志を協《かな》へ、此の事をして少しく端緒《たんしよ》あらしめば、吾れの志とする所も亦荒せずと云ふべし。去年勅諚綸旨《ちよくぢやうりんし》等の事一跌《いつてつ》すと雖《いへど》も、尊皇攘夷《そんわうじやうい》苟《いやしく》も已《やむ》べきに非ざれば、又善術を設《まう》け前緒《ぜんしよ》を継紹《けいせう》せずんばあるべからず。京師学校の論亦奇ならずや。

〈語釈〉

（1）是れを子遠に云々　尊攘堂建設の委託をうけた入江杉蔵・久坂玄瑞は、不幸にも元治元年の禁門の変にたおれ、これを果せなかった。のち品川弥二郎が引き継ぎ、明治二十年、京都に尊攘堂を建設し、志士の遺品を収集した。

〈現代語訳〉

一、堀江は常に神道を崇拝して、天皇を尊び、大道を天下に明白にし、異端・邪説を許さない気持をもっている。彼が言うには、天朝から教書を作製し出版して、これを天下にわかち示すことが一番よろしいと。しかし、僕が考えるには、教書を作製し出版するというからには、必ず一つの方法を持たなければならない。まず、京都において大学校を興《おこ》し、そこで至上なる天朝の御学風を天下に示し、さらに天下の卓抜な才能を有する学者たちを京都に呼びよせて、その力をかり、天下古今の正論や確たる議論を編集して書物につくり、これを天朝で御教習になって、その余録ということでこれを天下に分かつならば、天下の人心は自然に一定するであろうということだ。

そこで、常日頃、子遠と内々で話し合っていた尊攘堂の議とあわせて堀江に相談し、これを子遠が実現するように動いて貰うということに決めた。もし、子遠がよく同志の人たちと相談して、内外の志を統一し、このことについて少しでも実現の糸口をつけてくれたならば、この僕の志とするところもまた無駄にはならなかったということになろう。昨年、非常の手段として勅諚《ちょくじょう》・綸旨《りんし》をくだしてまで行なわんとしたことが、全くつまずいてしまったとはいうものの、尊皇・攘夷ということは、かりそめにも中止してよいというものではないから、また善い方法をみつけて、以前にやろうとしたことを受けついで展開してゆかなければならないと思う。京都に学校を興すという議論は、たいへん面白いではないか。

一、小林民部云ふ、京師の学習院[1]は定日《ていじつ》ありて百姓町人に至るまで出席して講釈《かうしやく》を聴聞《ちやうもん》することを許さる。講日《かうじつ》には公卿方出座《しゆつざ》にて、講師菅家《くわんけ》[2]・清家《せいけ》及び地下《ぢげ》の儒者相混《こん》ずるなり。然らば此の基に因りて更に斟酌《しんしやく》を加へば幾等も妙策あるべし。又懐徳堂《くわいとくだう》[3]には霊元上皇《れいげんじやうくわう》宸筆《しんぴつ》の勅額《ちよくがく》あり、此の基に因り更に一堂《いちだう》を興《おこ》すも亦妙なりと小林云へり。

小林は鷹司家《たかつかさけ》の諸大夫《しよたいふ》にて、此の度遠島《ゑんたう》の罪科《ざいくわ》に処せらる。京師諸人中罪責《ざいせき》極めて重し。其の人多材多芸《たざいたげい》、唯だ文学に深からず、処事《しよじ》の才ある人と見ゆ。西奥揚屋《あがりや》にて余と同居す、後《のち》東口に移る。京師にて吉田の鈴鹿《すずか》[4]石州《せきしう》・同《おなじく》筑州《ちくしう》別して知己《ちき》の由。亦山口三輶《やまぐちさんいう》も小林の為めに大いに周旋《しうせん》したれば、鈴鹿か山口かの手を以て海外までも吾が同志の士通信をなすべし。京師の事に就《つ》いては後来《こうらい》必ず力を得る所あらん。

〈語釈〉

（1）学習院　光格天皇（在位、一七七九〜一八一六）の時設けられ、仁孝天皇を経て、孝明天皇に至り講堂が建てられた。これら天皇が、公卿の学識を高めるため、その子弟教養のために建てられた。（2）菅家・清家　菅原家。清原家。大学頭・東宮学士・文章博士などに任じられ、世々文学の家として重きをなした。大少外記となり、公卿中の儒者の家柄。（3）懐徳堂　将軍吉宗の内意により享保十一年、中井甃庵《なかいしゆうあん》が大坂に建てた。学生には庶民が多く参加し、また富永仲基《とみながなかもと》、山片蟠桃《やまがたばんとう》といった逸材が出た。（4）鈴鹿石州・筑州　吉田神社の神官。

〈現代語訳〉

一、小林民部がいうには、京都の学習院は、定日があって、その日には農民や町人に至るまで希望者は出席してその講釈をきくことを許されている。一般に、講義のある日は公卿方が出席されて、講師には昔からの菅家《かんけ》と清家《せいけ》の二つの流れのほかに、地下の儒者が混じることになっている。とすれば、これを基礎にして、さらに工夫を加えるならばいくらでも妙策がでてくるであろう。又、懐徳堂には、霊元上皇の宸筆《しんぴつ》の勅額がある。これを基礎として、さらに一堂を興しても面白いではないか、と、かように小林は話しているのだ。

小林は鷹司家に仕える諸大夫であるが、このたびのことで罪が遠島ときまった。京都関係の人たちのなかでは、その罪科は最も重い方である。この君は、多才多芸であるが、ただひとつ文学方面のことはあまり深くない。事務的才能がある人だと見える。はじめ西奥の揚屋で僕と同居していたが、のちに東口の方に移された。京都では、吉田神社の鈴鹿石州、同筑州と特別に懇意ということである。また山口三輔も、小林のためにおおいに奔走していたから、僕と志を同じくする諸君は、かの鈴鹿か山口の手をかりて、流刑地の離島にいる小林との連絡をとったらよいだろう。京都で何かをやるとすれば、きっと役に立つことがあると思う。

一、讃の高松の藩士長谷川《はせがは》宗右衛門《そうゑもん》(1)、年来主君を諫《いさ》め、宗藩水家《そうはんすゐけ》と親睦《しんぼく》の事に付きて苦心せし人なり、東奥揚屋《あがりや》にあり。其の子速水《そくすゐ》、余と西奥に同居す。此の父子の罪科《ざいくわ》何如《いかが》未だ知るべからず。同志の諸友切《せつ》に記念《きねん》せよ。予初めて長谷川翁《はせがはをう》を一見せしとき、獄吏《ごくり》左右に林立《りんりつ》す、法、隻語《せきご》を交《まじ》ふることを得ず。翁《をう》独語するものの如くして曰く、「寧《むし》ろ玉となりて砕《くだ》くるとも、瓦《ぐわ》となりて全《まった》かるなかれ」と。吾れ甚《はなは》だ其の意に感ず。同志其れ之れを察せよ。

〈語釈〉

(1) 長谷川宗右衛門　高松藩士。宗藩の水戸家勤皇派と交わり、変名して京都に亡命、梁川・梅田らと交わり大いに活躍、のち大坂藩邸に自首、江戸送りとなった。

〈現代語訳〉

一、讃岐《さぬき》高松の藩士長谷川宗右衛門《はせがわそうえもん》は、常日頃から主君を諫めて、かの藩とは本家筋にあたる水戸家と仲よくゆくように苦心してきた人である。この人は、いま東奥の揚屋にいる。その子の速水《はやみ》は、僕と西奥の方に同居している。この父子の罪科は、どのようなところに落着するかまだ決まってはいない。しかし、同志の諸君よ、このことは覚えておいてもらいたい。僕が初めて長谷川翁と出会ったときのことだ。このとき、僕たちの左右には、獄吏が立ち並んでいた。しかも法の禁ずるところで、囚人同士の対話は絶対に許されていない。だが、翁は独語するように自分の意志をつたえてきたのだ。「むしろ玉となりて砕くるとも、瓦となりて全かるなかれ」と。僕には、それが痛いほどによくわかった。同志諸君、この気持を忘れないで欲しいのだ。

一、右数条《みぎすうでう》、余徒《いたづ》らに書するに非ず。天下の事を成すは天下有志の士と志を通ずるに非ざれば得ず。而《しか》して右数人、余此の回《くわい》新たに得る所の人なるを以て、是れを同志に告示するなり。又(1)勝野保三郎早や已《すで》に出牢す、就《つ》きて其の詳《しやう》を問知《もんち》すべし。勝野の父豊作今潜伏《せんぷく》すと雖《いへど》も有志の士と聞けり。他日事平《たひら》ぐを待ちて物色すべし。今日の事、同志の諸士、戦敗の余、傷残《しやうざん》の同士を問訊《もんじん》する如《ごと》くすべし。一敗乃《すなは》ち挫折《ざせつ》する、豈《あ》に勇士の事ならんや。切《せつ》に嘱す、切に嘱す。

〈語釈〉

（1）勝野保三郎　勝野豊作の子。父豊作は尊皇攘夷運動に身を投じ、保三郎をつれ京都に潜入し志士と交わった。水戸密勅降下に活躍、保三郎は投獄されたが父の所在を自白しなかった。

〈現代語訳〉

一、右の数条は、僕がただ漫然と書きとめたものではない。天下の大事を成功させようと思うならば、それは天下有志の士とたがいに志を通じておかなければできないことだ。そして、右にかかげた数人の士は、僕がこのたびの下獄で新しく知己となった人たちなので、これを同志の諸君に紹介しておこうというのである。また、勝野保三郎のことであるが、彼はすでに出牢したという。彼と連絡をとって、いろいろと詳しいことを聞いたがよかろう。勝野の父の豊作は、いまも潜伏中であるというが、まことに有志の人と聞いている。他日、事件が片づいたときをまって彼を探し出し、連絡をとるがよかろう。今日の僕のことについては、同志の諸君よ、きびしくその敗北を追求してくれ。一度敗けたくらいですぐに挫けるのは、決して勇士のなすことではなかろう。頼むぞ、心の底から頼むぞ。

一、越前の(1)橋本左内《はしもとさない》、二十六歳にして誅《ちゅう》せらる、実に十月七日なり。左内東奥に坐する五六日のみ。勝保同居せり。後、勝保西奥に来り予と同居す。予、勝保の談を聞きて益ゝ《ますます》左内と半面なきを嘆《たん》ず、左内幽囚邸居中《いうしうていきよちゆう》、(2)資治通鑑《しぢつがん》を読み、註を作り漢紀《かんき》を終《をへ》る。又獄中教学工作《けうがくこうさく》等の事を論ぜし由、勝保予が為めに是れを語る。獄の論大いに吾が意を得たり。予益ゝ左内を起《おこ》して一議を発せんことを思ふ。嗟夫《ああ》。

〈語釈〉

（１）橋本左内　福井藩士。号は景岳《けいがく》。はじめ大坂で緒方洪庵《おがたこうあん》に医学・洋学を学び、のち江戸で杉田成卿《すぎたせいけい》の門に入った。藩主松平慶永《まつだいらよしなが》に認められ、藩政改革に着手し手腕を振った。一橋慶喜の将軍擁立に尽力し、統一国家構想をもって幕府改革を考えた。安政の大獄により斬罪。（２）資治通鑑　周の威烈王の二十三年から、五代後周の世宗の顕徳六年までの、歴代の君臣の事跡を、編年体で書いたもの。宋の司馬光が撰集した。

〈現代語訳〉

一、越前の橋本左内《はしもとさない》、彼は二十六歳で斬首に処せられた。実に十月七日という日だ。左内が東奥に坐っていたのはわずかに五、六日である。このとき勝野保三郎が同室していた。勝野は、その後で西奥に移されて僕と同室になったのである。僕は、勝野から左内の話を聞いて、ますます彼との交際がなかったことを悔んだ。左内は、幽囚されて家のなかに閉じ込められているとき、『資治通鑑《しじつがん》』を読み、注をつくり、『漢紀』を読み終えたという。そして、獄中での教学工作などのことも論じたということだ。勝野は、とくに僕に対してこの話をしてくれた。その獄の論は、おおいにわが意を得たものである。僕は、それでいよいよ左内をその死からよびさまして、ひと議論もしてみたいと思うのだ。しかし彼は、今や亡《な》し。ああ。

一、(1)清狂《せいきやう》の護国論《ごこくろん》及び吟稿《ぎんかう》、(2)口羽《くちばね》の詩稿《しかう》、天下同志の士に寄示《きじ》したし。故《ゆゑ》に余是れを水人《すゐじん》鮎沢伊太夫に贈ることを許す。同志其れ吾れに代りて此の言を践《ふ》まば幸甚《かうじん》なり。

〈語釈〉

（1）清狂　周防（山口県）遠崎妙円寺の住職。僧月性の号。尊皇攘夷の論をおおいに起こしたが詩名も高かった。（2）口羽　口羽徳祐。長州藩士、寺社奉行を勤めた。松陰は「口羽病死何共悲慟に堪不ㇾ申、清狂も死ぬ口羽も死ぬ。両人皆有ㇾ一無ㇾ二之士」と書いている。口羽の詩稿とは、明治十六年に上板された『把山遺稿』のこと。

〈現代語訳〉

一、清狂（月性《げっしょう》）の護国論と吟稿、それに口羽の詩稿、ともに天下同志の士に見てもらった。そこで僕は、これらの詩や文章を水戸藩士鮎沢伊太夫が乞うままに、贈るといってしまった。同志諸君、どうかこの僕の約束を実行して欲しい。

一、同志諸友の内、小田村(1)・中谷(2)・久保(3)・久坂・子遠兄弟等の事、鮎沢・堀江・長谷川・小林・勝野等へ告知し置きぬ。村塾の事、須《す》佐《さ》(4)・阿《あ》月《つき》(5)等の事も告げ置けり。飯田(6)・尾寺(7)・高杉及び利輔(8)の事も諸人に告げ置きしなり。是れ皆吾が苟《いやしく》も是れをなすに非ず。

〈語釈〉

（1）小田村　小田村伊之助。のち楫取素彦《かとりもとひこ》と改める。松陰の妹寿の夫。松陰投獄後、松下村塾生の指導にあたった。（2）中谷　中谷正亮《なかたにしょうすけ》。藩校明倫館教授。（3）久保　久保清太郎。名は久清。（4）須佐　家老益田弾正の領地でその人を指す。（5）阿月　家老浦靭負《うらゆきえ》の領地でその人を指す。（6）飯田　飯田正伯《いいだしょうはく》。寺社組医師。松陰の死体を受け取り、旧回向院に葬った。（7）尾寺　尾寺新之丞。松陰の江戸送りののち、よく奔走した。遺体埋葬に飯田らとともに尽力。（8）利輔　のちの伊藤博文。

〈現代語訳〉

一、同志諸友のうち、小田村・中谷・久保・久坂・子遠兄弟等のことは、鮎沢・堀江・長谷川・小林・勝野等へよく紹介しておいた。村塾の事、益田・浦などのこともみな、よく話しておいた。飯田・尾寺・高杉、それに利輔のことも、諸人に話しておいた。こうした紹介はすべて、僕が軽い気持でやっているのではないのである。

かきつけ終りて後

心なることの種々《くさぐさ》かき置きぬ
　思ひ残せることなかりけり
呼びだしの声まつ外に今の世に
　待つべき事のなかりけるかな

討たれたる吾れをあはれと見ん人は
君を崇めて夷払《ゑびすはら》へよ
愚かなる吾れをも友とめづ人は
わがとも友《ども》とめでよ人々
七たびも生きかへりつつ夷をぞ
攘《はら》はんこころ吾れ忘れめや
十月二十六日黄昏書す

二十一回猛士

〈現代語訳〉
かきつけて後に
心なることの種々かき置きぬ
思い残せることなかりけり
呼びだしの声まつ外に今の世に
待つべきことのなかりけるかな
討たれたる吾れをあはれと見ん人は
君を崇めて夷払えよ

愚かなる吾れをも友とめず人は
　わがとも友とめでよ人々
七たびも生きかえりつつ夷をぞ
　攘わんこころ吾れ忘れめや
十月二十六日夕暮に書す

二十一回猛士

要駕策主意

『要駕策主意《ようがさくしゆい》』上・下は、松陰が三十歳の時に書かれたもので、日附は二月二十七日と三月十九日の二つになっている。二月二十七日と言えば、井伊直弼《いいなおすけ》が大老に就任して、将軍継嗣《けいし》問題で動いた水戸・尾張・越前・土佐・薩摩・肥前等の諸侯を弾圧し、一挙に日米通商条約の調印をやってのけた直ぐ後のことだ。

これまで幕府は、日米通商条約調印のことについては、諸侯の意見も聞き、朝廷の賛成も得るという態度を保っていたが、情勢の切迫がそれを許さなくなったことと、朝廷が頑冥《がんめい》な攘夷派に握られていることからして見通しが立たないことを考え、あえてこの挙に出たのである。

これは多くの志士の怒りを買った。水戸や越前の志士たちのあいだでは井伊大老を斬るべしという意見まで出てきたのである。松陰もそれにならって、今一人の奸物とみた間部下総守《まなべしもうさのかみ》を斬る計画を立てた。しかし、これは多くの人々の同意を得ることができなかったのである。

次に立てたのが、この大原公《おおはらこう》要駕策なのだ。彼は、このとき毛利敬親《もうりたかちか》を擁して、京都に正しい議論の中心をつくりあげようとした。それには、まず毛利敬親が京都に入らなければならないのである。然し、今の自分がそれを言ってもとりあげる者はいない。

そこで、このことを京都朝廷では最も気骨のある公卿として知られた大原重徳《おおはらしげとみ》に依頼しようとしたのだ。即ち、この年毛利公が参覲交代に伏見を通るから、これを大原卿が自ら伏見まで出かけていって、京都に入るように説得してくれというのである。

この計画も、門弟の多くは反対した。しかし入江杉蔵（九一）・和作の兄弟だけが賛成したので、彼はそれを兄の杉蔵に託した。ところが兄の杉蔵は、いざ出発という時に、貧乏な唯一人の母を見捨てるにしのびずためらったので、弟の和作がこの密書を持って出奔《しゆつぽん》することになった。だが、佐世八十郎などからこの企てが洩れていたので、和作の密書はついに京都に達しなかった。そのことについて述べたものである。

要駕策主意　上　（二月二十七日）

諸友皆云ふ、「(1)要駕策《えうがさく》は不可」と、百方《ひやくぱう》之れを沮《はば》む。余断然《だんぜん》以て可と為す。子遠《しゑん》金を装《よそほ》ふや二月十五日に成る、而《しか》して念《ねん》四日に至り、和作始めて能《よ》く子遠に代りて脱走す。稽延《けいえん》十日、坐して事機《じき》を失す、惜《を》しむべし、惜しむべし。嗚呼《ああ》、是れ諸友の罪なり。諸友皆云ふ、「政府人なし、故に駕《が》を要《えう》するも益《えき》なし」と。余が意は則《すなは》ち然らず、政府人あらば何ぞ必ずしも駕を要せん、唯だ其れ人なし、ここを以て駕を要す。已《すで》に之れを要すと謂《い》ふ、之れを劫逼《けふひつ》するなり。是れ一国の大不韙《だいふゐ》を犯《をか》して、天下の大正議《だいせいぎ》を伸ばすなり、縄趨尺歩《じようすうせきほ》の士の能く預《あづか》り知る所に非ず。吾れ試みに之れを言はん。

〈語釈〉

(1) 要駕策　松陰が気脈を通じていた京都の公卿大原重徳を使い、参覲交代で途上中の藩主を伏見で待ち受け、勤皇の大義を説かそうとしたもの。

〈現代語訳〉

すべての諸君は「要駕策《ようがさく》はいけません」といって、あらゆる方法でこれを止めさせようとする。僕は断然、これを行なうべしとする。入江杉蔵が走り廻って二月十五日に、ようやく金策ができたので、二十四日になって弟の和作が杉蔵の代りに脱走した。その間、いたずらに躊躇《ちゅうちょ》して日を送ること十日、ために時機を失してしまった。残念だ、実に残念である。ああ、こうなったのもついに諸君の妨害のなせるわざだ。諸君たちは、皆口をそろえて「いまの藩府には人物はいません、だから、藩主の駕《かご》を途中に待ち伏せしても無益なことです」という。僕の意見はそうではない。藩府に人物が揃っておれば、どうしてこのような待ち伏せなどする必要があろう、人物がいないからこそ、この策を強行するのである。いまやこれを待ち伏せるといっている。いう意味は、これを以て劫《おびや》かし逼《せま》ってゆくのだ。この事は、一国の大不正を叩きつけて、天下の大正義を伸ばそうとすることで、こそこそ歩きの小人がわかろうとしてわかる問題ではない。いま仮りに僕が言って聞かせよう。

朝旨《てうし》は必ずしも言はず、幕謀《ばくぼう》も必ずしも言はず、吾が公は則《すなは》ち尊攘《そんじやう》の人なり。吾が公已《すで》に尊攘に志あり、凡《おほよ》そ臣子《しんし》たる者、固《もと》より当《まさ》に承順《しょうじゅん》に之れ暇《いとま》あらざるべし。今は則ち然らず、公旨《し》を屈《くつ》して、幕府に媚《こ》び朝廷《てうてい》に違《たが》ふ。是れ誰れか其の謀に主たる者ぞ。政府の諸君、寧《いづく》んぞ其の責を免《まぬ》かるることを得んや。向《さき》に吾れ堀田を憎み間部を悪《にく》みて、以て奸賊《かんぞく》と為し、其の肉を食《くら》はざりしを恨《うら》む。今は則ち憎悪《ぞうを》転じて政府の諸君に在り。故に要駕《えうが》の挙《きよ》、政府従はずんば刀を挙《あ》げて之れを誅《ちゅう》し、直ちに君公に白《はく》して以て(1)晋陽《しんやう》の甲となるべく、以て(2)鬻拳《いくけん》の諫《かん》を為すべし。鎌足《かまたり》の入鹿《いるか》を誅し、重盛《しげもり》の清《きよ》盛《もり》を諫《いさ》むる、已《や》むを得ざるの大権《たいけん》なり。唯だ藩士精忠仁厚《せいちゆうじんこう》の士十数名を得、布《し》いて其の党中に在らしめば、則《すなは》ち事甚《はなはだ》しくは残忍少恩《ざんにんせうおん》ならずして以て国体《こくたい》を存すべし。諸友之れを沮《はば》む、誠に惜《を》しむべしと為す。

〈語釈〉

（1）晋陽の甲　唐の太宗李世民《たいそうりせいみん》が、父高祖李淵《こうそりえん》にすすめて兵を晋陽《しんよう》に挙げさせ、遂に天下を統一したことをいう。（2）鬻拳の諫　鬻拳は春秋時代、楚の大夫。文王を強く諫めたが聴き入れられず、遂に兵力によって従わせた。

〈現代語訳〉

朝廷の意図が何であるか、幕府の計画がどうなっているか、そのことはさておいて、まず吾が藩主は尊皇攘夷の志の厚い人である。主君に尊攘の志が厚ければ、その臣下たる者は当然に、これをうけてそれに順《したが》うことを常に心がけていなければなるまい。ところが今はそうではなくて、主君の志を曲げて、幕府に媚《こ》び、朝廷に背いている。こうした謀《はかりごと》を行なっている張本人は誰なのか。藩府の諸君は、決してその責めを免れることはできないであろう。以前、僕は堀田を憎み間部を憎んで、彼らに奸賊という言葉をたたきつけたが、なおその上に、彼らの肉体にまで及ぶ痛撃を与えなかったことを残念に思っている。いまは、その憎しみは広く及んで藩府の当局者全般にわたっている。だから要駕の策とは、もし藩府がこの意見に従わない場合は、刀をふるってこれを殺害し、すぐに主君に申しあげて、晋陽の義挙にならって義兵をあげ、その武力をかざして楚《そ》の鬻拳《いくけん》がしたように幕府にせまって、諫《いさ》めを聞かせるという手段を講じなければならぬ。藤原鎌足《ふじわらのかまたり》が蘇我入鹿《そがのいるか》を斬り、平重盛《たいらのしげもり》が父清盛《きよもり》を諫めたということは、切羽《せっぱ》つまったときに発動された天子のための義挙であった。僕が思うのは、藩士のなかで忠義の心の厚い士を十数名得て同志とし、広く及ぼして彼らをそれぞれの党の中に置いておくならば、それほど残酷できびしい行動を起こさなくても藩の体面を保つことができたのだ。諸君はこれを妨害したのだ、誠に残念であるといわなければならぬ。

墨使《ぼくし》の言、一々従ふべからず。余已《すで》に逐件《ちくけん》を弁駁《べんぱく》して以て(1)一書を為《つく》る、未だ備《そな》はらずと雖《いへど》も、以て夷情《いじやう》を観《み》るに足らん。夷情彼れが如し、而《しか》も征夷《せいい》疑《うたが》はず、諸侯諫《いさ》めず。或は之れを諫むる者も、徒《た》だ具文《ぐぶん》を以て責を塞《ふさ》ぐのみ。天子《てんし》叡聖《えいせい》、赫然《かくぜん》震怒《しんど》したまひ、明かに征夷に詔す。征夷奉ぜず諸侯遵《したが》はず、是れ天地《てんち》反覆《はんぷく》し、陰陽《いんやう》倒置《たうち》するものにして、綱常《かうじやう》の絶滅なり。凡《おほよ》そ神州《しんしう》に在る者、豈《あ》に傍観坐視するの時ならんや。然《しか》れども英雄の事を謀《はか》るや、機を相《み》るを要と為《な》す。機の方《まさ》に会《くわい》する、駕《が》を要するに如《し》くはなし。大原公と(2)大高・平島と深くここに察す、則《すなは》ち神州の興隆《こうりゆう》、実《まこと》に此の一挙《いっきよ》に在るなり。吾れ心《こころ》に試みに之れを策《さく》す。大原公以下、公駕《こうが》を伏見に要せば、先づ説くに京に過《よぎ》らんことを以てす。公已《すで》に京に過らば、又説くに京に留《とど》まらんことを以てす。因《よ》つて正議の公卿《くぎやう》と反覆国事《はんぷくこくじ》を商議《しやうぎ》し、又草莽《さうまう》の志士を引見して問ふに時務《じむ》を以てせば、一月を出でずして、四方の士必ず争《あらそ》ひて京師《けいし》に集まり、大計《たいけい》定むべきなり。此の時に方《あた》り、政府に梗《さまたげ》を為す者あらば、従つて誅戮《ちゆうりく》を加《くは》ふ、二三人を殺すに過ぎずして、異議消ゆべし。此の意吾れ実《まこと》に之れを和作に語る。和作果して能《よ》く大原公以下をして一《いつ》に此の説に帰せしむるや否や。

〈語釈〉

（1）一書　安政六年（一八五九）二月に著わした『近著墨使申立の趣論駁条件』を指す。（2）大高・平島　播州の志士大高又次郎及び備中の志士平島武次郎。両人共に来萩し、義挙を企てたが失敗。松陰に要駕策を説いて去る。大高はのち池田屋事件に倒れた。

〈現代語訳〉

アメリカ使節の言葉は、一つ一つ従う必要はない。僕はすでにそれを一々の条項にわたって反駁《はんばく》した文章を書いた。まだ十分に尽くしているとはいえないが、それでも外国人の様子を知ることができるだろう。外国人の様子はあの通りだが将軍は少しも疑惑を抱かないようであり、諸侯もこれを諫める者がない。たとえこれを諫める者があっても、ただ具申書のよ英明《えいめい》にわたらせられる天子は、外夷《がいい》の言に激怒され、公《おおや》けに将軍に詔勅《しょうちょく》を下された。しかし将軍はこれを受けようともせず、諸侯もこれに従おうとはしない。これは天地が逆様《さかさま》になることであり、陰陽《いんよう》がその性質を反対にするものであって、天下の道理が絶滅することなのだ。すべて我国に生まれた者は、これを他人事のように考えてすむ時であろうか。しかしながら、英雄が大事を起こすときには、その時機を考えるのが眼目だといっている。まさしくその時機がぴったりとしているのは、いま駕を要することである。大原重徳公と大高又次郎《おおたかまたじろう》・平島武次郎《ひらしまたけじろう》は深くこのことを理解している。すなわち、我国の盛衰は、実に此の一挙にかかっているのだ。大原公以下の人々が、毛利公の参覲を伏見で待ち受けたならば、まず京都に立寄ってもらいたいと説き伏せる。毛利公が京都に立寄れば、そこでさらに京都に留って欲しいと説得する。そうして正しい意見を持つ公卿たちと、幾度でも国事についての計画を練り、又、民間の志士をも呼び出して、今の時機になすべき急務などを聞いてやれば、一ヵ月を過ぎない間に、四方の志士が我れ先にと京都に集ってきて、大きなはかりごとの方向が定まるのである。この時がきてもなお、藩府に妨害をする者があるならば、その妨害をする者から次々にこれを殺害すればよい。二、三人も殺害したら、後は反対をとなえる者はいなくなるだろう。この意見を僕は和作に話したのだ。和作ははたして大原公以下の人々にこの説に賛成してもらうことができるだろうか。

此の策成るに潰《と》げずんば、啻《ただ》に吾が藩復《ま》た尊攘《そんじやう》の望なきのみならず、神州《しんしう》の興隆《こうりゆう》亦一大機会を失ふなり。而《しか》して諸友之れを沮《はば》むは、啻に吾が藩の罪人たるのみならず、実に神州の罪人なり。吾れ更に之れを論ぜん。方今《まさにいま》天子《てんし》聖明《せいめい》、輔《たす》くるに（1）青蓮王《しやうれんわう》及び賢公卿《けんくぎやう》を以てす。是れ千秋《せんしう》の希遇《きぐう》なり。然れども朝廷《てうてい》亦已《すで》に庸鈍《ようどん》無恥《むち》の人あり、暗《あん》に墨夷《ぼくい》の内応を為す。是れ天朝《てんてう》亦艱難《かんなん》なり。幕府壊《くづ》ると雖《いへど》も、宗親猶《な》ほ尾・水・越・橋の賢ありて、天下之れを仰《あふ》ぐ。是れ幕府と雖も未だ必ずしも正人君士《せいじんくんし》なきにあらざるなり。且つ吾が藩を以て之れを言へば、上已に明君《めいくん》あり、下安《いづく》んぞ賢佐《けんさ》なからんや。之れを要《えう》するに、天下一君子あるも衆《おほく》小人之れを拘《こう》し、一正人あるも衆《おほく》邪人之れを抑《おさ》ふ。上は天朝より下は幕府列藩に至るまで、皆然《しか》らざるはなし。かくのごときの天下を以て興隆を望み恢復《くわいふく》を謀《はか》るは、猶《な》ほ河清《かせい》を待つがごときのみ。ここを以て草莽《さうまう》の崛《くつ》起《き》に非ずんば、何を以て快を取らん。然れども、聖天子《せいてんし》あり、賢諸侯《けんしよこう》あり、草莽の士何《なん》ぞ遽《には》かに自《みづか》ら取らんや。況《いはん》や吾が藩の士親しく吾が公の明旨《めいし》を知る者は、最《もつと》も草莽是れ従ふべからずとすること固《もと》よりなるをや。唯だ其れ草莽の力を仮《か》りて、小人《せうじん》を除き邪人を去り、正人君子をして其の所を得しめよ。是れ善《よ》く神州《しんしう》に報《むく》ゆと為《な》し、是れ善く吾が藩に酬《むく》ゆと為す。噫《ああ》、其れ誰《だ》れか之れを知らん。

〈語釈〉

（1）青蓮王　中川宮朝彦《あさひこ》親王。幕末、僧月照らと共に国事に奔走、一時相国寺に幽閉された。

〈現代語訳〉

この策が成功しないならば、ただ我藩を尊攘の行動に向かわせる望みがないだけでなく、我国の興隆もまた、一大飛躍の機会を失うことになる。それなのに諸君がこれを妨げるのは、ただわが一藩の罪人となるばかりではなく、実に我国全体の罪人となるのだ。僕は、さらにこのことについて論じてみよう。今、上には英明なる天子がおられ、これを輔佐して、名高い青蓮院宮や、賢明な公卿たちがいる。このように人材の揃った時期は稀なことだ。もちろん、朝廷にも頭の働きがにぶくて恥を知らない人物もいる。彼らは秘かにアメリカ人に心持ちを通じている。これはまた天朝の苦しいところだ。いま幕府の権威は落ちたといっても、徳川の一族には尾張・水戸・越前、それに一橋という賢明のほまれ高い諸公がいて、天下の人々はこれを尊敬している。これは幕府といえども、まだ決して正人君子がないということではない。それにわが藩についてこれをいえば、申すまでもなく上には明君があり、下にも賢明な輔佐がついているではないか。これを要約していうならば、天下に一人の君子があるとするも、多くのつまらぬ人間どもがこれを拘束し、一人の正義の士がありとするも、多くの心よこしまな人間どもがこれを抑圧してしまうということだ。上は天朝より下は幕府・列藩に至るまで、すべて事情は同じである。このような天下に対して、それが興隆を望み、恢復の手段をはかろうとするのは、あたかも百年河清を待つようなものである。そこで民間有志の士の急激な立ち上りに期待がもてないならば、この世に楽しみはないではないか。しかしながら、今はともかく聖天子もおられることだ、また賢明な諸侯もいることだ、民間有志の士が急激に立ち上って行動することもなかろう。ましてわが藩の士で、親しく藩公の確かな胸の中を知っている者は、そうした民間有志の士を引きつれて進むことに初めから賛成していないという事情もある。ここでは、僕はただ民間有志の士の力をかりて、小人を除き邪人を追い、正人君子がその任務を立派に遂行できるようにしようというだけだ。これこそが国恩に報いる道であり、これこそが藩恩に報いる道である。ああ、誰もこのことを知ってくれる人はないのか。

右数条《みぎすうでう》、以て吾が志を観るに足る。唯だ吾が友和作、実《まこと》に此の意を領《りやう》す。大抵両人《たいていりやうにん》の意見は政府の諸君を以て国を誤る奸賊《かんぞく》と為し、必ずや之れを誅《ちゆう》し之れを戮《りく》し、然《しか》る後心に慊《あきた》ると為す。吾れ君公の明旨に感ずること甚《はなは》だ深し。若《も》し政府の為めに籠絡《ろうらく》せられ、生を斯《こ》の世に偸《ぬす》まば、公に背《そむ》いて私に徇《したが》ふと為す。公に背いて私に徇ふこと、吾れ万死《ばんし》すとも能《あた》はざるなり。諸友は則ち然らず、俯仰阿諛《ふぎやうあゆ》、政府に順《したが》ふを知りて、而《しか》も公旨《こうし》を奉ずるを知らず。是れ諸友は則ち政府の奴隷なり。吾れ若し絶交せずんば、亦公に背《そむ》いて私に徇ふと為すなり。和作(1)伏見に死せば則ち已《や》まんも、捕に就《つ》きて帰るが如きことあらば、決して政府の誅《ちゆう》を免《まぬ》かれざらん。夫《そ》れ政府吾が両人を誅せずんば、吾が両人必ず政府を誅せん、勢《いきほひ》、天地の間に両立せざるなり。諸友は皆政府の奴隷なり、政府の決を助け、急に吾が両人を誅せよ。便《すなは》ち和作の兄子遠《しえん》は要駕策《えうがさく》を以て余と合すと雖《いへど》も、余未だ嘗《かつ》て語るに此の義を以てせず、況《いはん》や彼れ発するに臨みて其の母に忍びず、和作慨然《がいぜん》として代《かは》りて往《ゆ》けるをや。則ち子遠は吾れ其の罪すべきを見ざるなり。吾れと和作とに至りては、誅せられずんば何を以て天地に立たんや。二月二十七夜、二十一回猛士書す。

〈語釈〉

（1）和作　野村和作。後の野村靖、入江杉蔵の弟、要駕策実行に尽力。失敗し一時岩倉獄に投ぜられる。その後国事に奔走、のち明治の政界で重きをなした。

〈現代語訳〉

右の数条で、僕の志はわかるであろう。ただ僕の友の和作だけが、この意味をよくわかってくれている。大体において、二人の意見は藩府の諸君を国を誤る奸賊《かんぞく》とみて、あくまでこれを殺しこれを首切って、そこでようやく気持がおさまるものと思っている。僕は、殿様の確かな胸の中《うち》を知って、心に深い感銘をうけている。もしも藩府のために捕らえられて獄につながれるようなことになり、なおも生命をながらえてこの世にあるようであれば、それは主君に背いてただ私の勝手な行動をしたのみだということになる。主君に背いて勝手な行動をしたというのでは、僕は如何なる死を与えられても心は許されない。だが諸君はそうではない。下を向き上を向き、ただへつらいの心だけで、藩府の意に順うことばかり知って、主君の意図を実行することができない。諸君はまさに藩府の奴隷というべきだ。だから僕がもし諸君たちと絶交しないでいたら、これも主君に背いて勝手な行動をすることになる。もし和作が伏見で死ぬようなことがあればそれですむが、捕らわれの身となって帰るようなことがあれば、きっと藩府から死を命ぜられるであろう。そのとき藩府がわれら両人を殺さない場合は、われら両人の方で必ず藩府の役人を斬ってしまう。時の勢は、共に天を戴かないという所にまできているのだ。諸君はすべて藩府の奴隷である。藩府の決定を重んじてわれら両人を殺し給え。そこで和作の兄杉蔵の事であるが、杉蔵は要駕策のことで僕と意見が一致していたが、僕はまだ彼にはこの行動のことを話してはいない。まして彼は、出発する間際のとき、母を見捨てて行くに忍びず、それを憤った弟の和作が代っていったという事情もある。そこで僕は、杉蔵には罪をうける理由はないと思う。だが、僕と和作の方は、殺されないでただ生きているということは許されないのだ。二月二十七日夜、二十一回猛士書す。

要駕策主意　下　（三月十九日）

諸友或《あるひ》は言ふ、「吾が公尊攘《そんじやう》の旨、或は已《すで》に折《くじ》くるに似たり、公旨已に折く、臣子《しんし》何をか為さん」と。噫《ああ》、是れ何の言ぞや。古《いにしへ》云へらく、(1)「吾が君能《あた》はずとする、之れを賊《ぞく》と謂《い》ふ」と。平生の所謂《いはゆる》同志、今は乃《すなは》ち国賊なり。悲しいかな、悲しいかな。吾が公、封《ほう》を襲《つ》ぎてより二十三年、用ふる所の臣僚《しんれう》、賢《けん》あり愚《ぐ》あり、忠《ちゆう》あり佞《ねい》あり、刑賞の節目《ふしめ》、時に随《したが》つて或は弛張《しちやう》あり。然れども文武勤倹《ぶんぶきんけん》、身に行ひ政に発するものに至りては、始初《ししよ》より今日に至るまで未《いま》だ嘗《かつ》て一日も少しの敬怠《けいたい》あらず。試みに之れを当今の列侯に観《み》、恭《うやうや》しく之れを本藩の先公に稽《かんが》ふるに、英卓雄偉《えいたくゆうゐ》、或は其の人あるも、庸徳恒《ようとくつね》あるもの、孰《た》れか吾が公の十の一を望む者あらんや。若《も》し吾が公の如き者をして、之れを異代《いよ》と他邦《たはう》とに得しむれば、将に欽仰《きんぎやう》に之れ暇《いとま》あらざらんとす。今親しく教養の中に生長して、而《しか》も吾が公の徳たるを知る能《あた》はずんば、何を以て有心《うしん》の人と為さんや。況《いはん》や吾が公尊皇《そんわう》の深衷隠然として言動の微に発露《はつろ》するもの、草莽《さうまう》に伏在《ふくざい》し岸獄《がんごく》に拘坐せらるる臣等が如き者と雖も猶《な》ほ能く竊《ひそ》かに察して之れを黙識《もくし》することを得るをや、至誠の掩《おほ》ふべからざる、ここに至れるなり。君を得ること吾が公の如くにして、猶ほ不可と曰はば、人臣終《つひ》に奉公の時なし。且つ公旨已《すで》に折《くじ》くと云ふもの、其の説果して孰《た》れに出づるか。吾れ曾《かつ》て聞く、君側政府の方《まさ》に柄用《へいよう》を得たる者妄《みだ》りに此の言を造りて士論を抑《おさ》へ、己《おのれ》が奸を掩《おほ》へるなりと。嗚呼《ああ》、柄用者にして一たび公旨の折《くじ》くるを見ば、何ぞ以て諫《いさ》めざる。諫めて聴かれずんば、何ぞ之れを去らざる。蓋《けだ》し曰はん、「諫め且つ去るは、是れ君の過《あやまち》を顕《あら》はすなり、如《し》かず己れを屈して君に徇《したが》ひ、以て大体《だいたい》を全《まつた》うせんには」と。古より忠臣の心を用ふる、嘗《かつ》て是《か》くの如きものあらんや。況《いはん》や面従後言《めんじゆうこうげん》、以て士論を抑ふ、奸《かん》其れ掩《おほ》ふべけんや。当今《たうこん》君側政府、人々皆是れなり。君公明旨ありと雖《いへど》も、沮《はば》む者千百群《せんひやくぐん》を成し、曾《かつ》て一人の之れが承順を為すなし。疏遠の小臣、城を仰《あふ》ぎて号泣《がうきふ》し、駕を望みて流涕《りうてい》する者、曾て一言の左右に達するなく、徒《いたづ》らに君公をして髀《ひ》を拊《な》でて餐に対し、臣僚の才なきを嘆ぜしむ。奸臣の肉を臠《れん》して之れを食《くら》ふに非ずんば、何を以て臣子の憤を慰めんや。而るに同志の者反《かへ》つて和して之れを倡《とな》ふ。吾れ之れを国賊と謂ふ、豈《あ》に其れ理に非ずと為さんや。噫《ああ》、夫《そ》れ今茲《ことし》の参府は天下の大義と吾が藩の栄辱《えいじよく》とに関係す、豈に其れ細故《さいこ》ならんや。而るに官に在りて一人の諫《いさ》め且つ止むる者なく、下《しも》に在りて一人の罪せられ且つ死する者なし。之れを問へば則ち曰く、「公旨已《すで》に折《くじ》く、臣子何をか為さん」と。然らば則ち要駕《えうが》の挙、万済《な》らざるを知ると雖《いへど》も、万為《な》さざるべからず。堂々たる防長八十万の衆、独《ひと》り一和作ありて深く此の義を知る。彼れ区々《くく》たる軽卒《けいそつ》にして、志を為すこと此《か》くの如し。吾れ嘉尚《かしやう》に勝《た》へず、而して奸臣国賊《かんしんこくぞく》は従つて之れを短《そし》る。世道名《せだうめい》教《けう》、吾れ深く之れを悲しむ。

〈語釈〉

（1）吾が君云々　『孟子』離婁章句《りろうしょうく》上篇首章にある一節。

〈現代語訳〉

諸君たちは「わが藩公の尊皇攘夷《そんのうじょうい》の意志は、もはやくじけてしまったも同じことだ。このように藩公の意志がくじけた以上、臣下である我々に、いったい何が出来ようか」という。ああ、まったくなんということを口にするのだろう。孟子《もうし》は「わが主君には出来ないことだ、といってそのままに放っておくものを賊《ぞく》という」といっている。だから今まで同志としてつき合っていた諸君らは、国賊というわけだ。悲しいことだ。全く悲嘆の極みだ。わが藩主が、これまで二十三年間の治政中に用いた臣下や役人には、もちろん賢《かしこ》い者、愚《おろ》かな者、あるいは忠義な者、不忠なものなどがいた。また刑罰や褒賞《ほうしょう》なども、時によってそれぞれ厳しく決められたりゆるやかであったりした。しかし文武《ぶんぶ》の道に励まれ、倹約に努め、自分の身に照らしてみていろいろ政治をされるということについては、そのはじめより今日まで、未だかつて一日としてなまけたりされたことはなかった。たとえば今、現在の諸大名をよく観察し、それからまたわが藩の先代などと比較すると、人に卓越した英雄・偉人は多くあるとはいうものの、平常の徳というものの高かったという点では、まずわが藩主をおいて他にはない。だからもし、わが藩主のような人物が、現在ではなく他の時代に、また他の国に現われていたのであれば、全くうらやましい限りであったろう。今、われわれがいろいろと教養を受けて成長していながら、このわが藩主の徳を知ることが出来ないのであれば、どうして心ある人間と呼ぶことが出来ようか。ましてわが藩主の尊皇の深いお考えが、それとなくそのお言葉の端々に現われているのが、在野にあって時節の到来を待ち、獄につながれている僕らのような者にでも、この藩主の秘められている意志を知ることが出来るのである。止《や》むに止まれぬ忠誠の気持さえあれば、それは当然のことである。もし主君を得るのに、わが藩主のような人物で、まだ不足というのであれば、その者は遂に生涯臣下として奉公する機会を得ないで終るだろう。それに藩主の意志はもはやくじけてしまったという者がいるが、いったい何処《どこ》からそのような意見が出て来たのであろうか。僕はかつて、君側政府の権力を握った者が、みだりにこのことを吹聴して廻り、藩士たちの議論を封じてしまい、自分の悪がしこさをうまくごまかしていると聞いたことがある。ああ、政府の権力者で、藩主の意見がくじけたのを知れば、どうしておいさめしなかったのか。いさめて聴き入れられないのであれば、どうしてその藩主のもとを去らなかったのか。もちろん彼らは、「諫《いさ》めて、聴き入れられなかったといってそのもとを去れば、これは藩主の過《あやまち》を暴露するようなものである。それよりも自分を殺し、藩主に従って、それによって全てをうまく運ぶのが一番よい」というだろう。それよりも自分を殺し、藩主に従って、それによって全てをうまく運ぶのが一番よい」というだろう。しかし昔より、忠臣と呼ばれた者たちで、このような心の配り方をしたものがあっただろうか。ましてや表向きは藩主に従っているようでいながら、そのうしろではあれこれ反対のことをいって、藩士たちの意見を抑えている。この悪がしこさを、このまま隠しておいていいものだろうか。現在の君側政府の面々は皆こういったものたちばかりである。藩主がどれほど賢明で、立派なお考えを持っておられても、それをはばむ者が何千となく群をなし、だれ一人として藩主の御意見に従う者はいないのだ。藩主のお側から遠くへだたった身分の低い臣下たちは、このため城を仰いで号泣し、藩主の駕を遠くから望んでは涙を流している。しかもこの者たちの言葉は藩主のもとに一言も達しない有様なのである。だから藩主もただいたずらになす事もなく日を過ごし、家臣たちの無能で才のないのを嘆かれるだけなのだ。心邪《よこ》しまな家臣の肉を切って、それを食べてしまわなければ、どうして下級藩士たちの憤懣《ふんまん》がいやされよう。ところが同志の者たちは、この奸臣《かんしん》たちと仲良くし一緒になってわいわい楽しんでいる。だから僕は国賊だというのである。この考えが道理にはずれているとでもいえるか。ああ、今年の藩主の江戸参府は、天下の大義と、わが長州藩の栄誉《えいよ》と恥《ち》辱《じょく》とに関係している。見過ごされて良い細事ではない。ところが政府の役人の誰一人として、藩主を諫め、これを止めようとする者はいない。また下士の者であえて罪をうけてでも諫言しようとする決死の者はいない。これを責め、問いかけると、「藩主の意志がすでにくじけてしまったので、臣下の者としてはどうすることも出来ない」と答える。それならばこそ要駕のこと、万一の成功の見通しはないとわかっていても、これだけは絶対に実行しなければならないのである。堂々たる防長《ぼうちょう》八十万の人間の中で、ただ一人野村和作だけがこの意義を知っていた。彼はとるに足りない軽卒だが、その志はかくも立派なものなのである。僕はそれを思うと喜びにたえない。心邪しまな家臣の者や国賊どもは、かえって和作をそしっている。正義や聖人の教えはどこへいったのか。僕はこの現状を非常に悲しいことだと思う。

強弱由《きやうじやくよし》あり、盛衰故《せいすゐゆゑ》あり、国家の事、豈に其れ偶然ならんや。然《しか》れども世人知る者あるなし、則ち深計遠慮《しんけいゑんりよ》に疑を有《も》つこと固より宜《むべ》なり。今人恒《つね》に言ふあり、曰く、「吾れ死を避《さ》くるに非ず、死するも益《えき》なきなり。吾れ諫《いさ》むる能《あた》はざるに非ず、諫《いさ》めて聴かれざるは、諫めざるに如《し》かざるなり」と。嗚呼《ああ》、諫《いさめ》も亦難《かた》し、況《いはん》や死をや。一人能《よ》く諫《いさ》むれば十人亦諫め、百人千人亦諫む。諫めて千百に至らば、安《いづく》んぞ其の一聴なきを保せんや。一人能く死せば十人亦死し、百人千人亦死す。死して千百に至らば、亦安んぞ其の一益なきを保せんや。且つ朝《てう》に諫臣《かんしん》あらば、国故《ゆゑ》を以て盛んなり、野《や》に死士あらば、軍由《よ》つて強《きやう》なるべし。漸《やうやく》なれば則ち風となり、久しければ則ち俗となる。風俗已《すで》に成らば、盛強期《き》すべきなり。且つ神州豈に弱国ならんや、唯だ衰微あるのみ。ここを以て墨使(1)一たび来るや大言横縦し、幕府畏《おそ》れて之れを聴き、諸侯慴《おそ》れて之れに従ふ。豈に是れ有志の士、聴かれずと言ひて諫《いさ》めず、益なしと言ひて死せざるの時ならんや。要駕《えうが》策《さく》、和作且つ諫め且つ死するの志、吾れ深く之れに与《くみ》す。衆交〻《こもごも》聴かれず益なきを以て之れを議す、然れども他日観感《くわんかん》して起《おこ》る者あらば、人始めて其の深計遠慮たるを信ぜん。勤王《きんわう》の議興《おこ》りてより、吾が藩未だ一人の之れに死する者あらず。今和作果《はた》して死せば、所謂《いはゆる》奸臣《かんしん》国賊《こくぞく》、将《まさ》に賊名を以て反つて和作に加へんとす。噫、是れ吾れの死時なり。盛衰の由、強弱の故、姑《しばら》く之れを後日に期すと云ふ。

〈語釈〉

(1) 墨使一たび来るや云々　嘉永六年（一八五三）六月三日、ペリーが軍艦四隻を率い浦賀沖に来航。和親条約の締結を迫る。翌安政元年三月、幕府は日米和親条約に調印、下田・箱館二港を開く。

〈現代語訳〉

強弱《きようじやく》盛衰《せいすい》には、その当然の理由があるものだ。国家の事も、どうして偶然のものであろうか。しかし世の中の人でこのことを十分理解している者はいない。だから彼らが国家としての深いはかりごとや遠い配慮というものに疑問を抱くのも当然のことなのである。人々はいつも「わたしは死を避けているのではない。死んでも無益だと思うだけである。わたしは藩主を諫めることが出来ないわけではない。ただ諫めて聞かれないのならば、諫めを口にしないに越したことはないからだ」という。ああ、藩主を諫めることは困難なことである。まして死に至ってはいうまでもあるまい。だれか一人がよく諫めることが出来れば、十人の者がまた諫め、百人、千人にも及ぶ、諫める者が何千人という数にのぼれば、どうしてその一つでも聞き入れられないということがあろうか。だれか一人が死を以て示せば、それに続いて百人、千人という決死の者があらわれる。何千人もの人間が死んで、いったいなんの説得力も持たないということがあろうか。それに諫臣《かんしん》がお側にいれば、国は盛んになり、野に死士があれば、軍隊はますます強勢になるという。少しずつでも、それが長く行なわれていればいつか習慣となり風俗となって定着する。こうした風習が一般化すれば、国はますます強勢なものとなるだろう。それにこの神州日本は、どうして弱国だといえようか。今はただ衰えているだけなのだ。だからこの時にアメリカの使節が来るや、日本をあなどり大言し、自由勝手にふるまい、幕府は恐れて、ただそのいいなりになり、諸大名も恐れて幕府と同じような態度をとっている。このような事態であるのに、どうして有志の士が、聞き入れられないといって諫めもせず、無駄だといって死を逃がれていていいのであろうか。要駕策、これは和作が藩主を諫め、そして死ぬ覚悟で決行したものである。僕はこの計画に深く関係している。人々は誰も耳を傾けようとはせず、無益だという。しかしいつの日か、だれかが発奮して立ち上れば、人ははじめてこの計りごとの深く、遠い所にまで心が及ぼされていたのを信じることだろう。勤皇のことが問題になってから、まだわが藩にはこれに関係して死んだものはない。今もし和作が死ねば、いわゆる奸臣、国賊というべき輩が、反対に和作に賊名を着せるであろう。ああ、この時は僕の死に時でもある。彼らは国の盛衰や強弱の問題については、いましばらくは放っておいて後日に取りあげようというのである。

右三月十九日書す。恭《うやうや》しく吾が公の行程《かうてい》を計《かぞ》ふるに、今夕、駕当《まさ》に伏見に宿したまふべし。或ひと曰《いは》く、「奸臣已《すで》に要駕《えうが》の挙を知る、故《ゆゑ》に行程を改め、将に伏見に留まらずして過ぎんとす」と。其の果して何如《いかん》を知らずと雖《いへど》も、駕の伏見に過《よぎ》る、要《えう》は当《まさ》に今明日の間《かん》に在るべし。吾れ岸獄《がんごく》に坐して終日思念するに　天照、霊あり、先公、神あり、今日の事必ず聞くべきものあらん。若《も》し乃《すなは》ち寂然《じやくぜん》として聞くことなくんば、則ち吾れの精誠遂《せいせいつひ》に　天照と先公とを動かすに足《た》らざりしなり。然れども此の挙成敗《せいばい》となく、公駕《こうが》を動揺《どうえう》すること尠《すくな》からず。ここを以て深く憂へて切に惧《おそ》れ、和作発するの明日、余輙《すなは》ち厳に酒肉を絶ち菜蔬を減じ、口に言笑を少なくし、目に書史を読み、以て誠意を積みて一報の聞くことあるを待ちしのみ。初め和作の発するや、交友皆知る者あるなし。(1)佐世八十、偶〻《たまたま》之れを漏れ聞く。八十、崎に往く、別れに臨みて之れを(2)岡部子楫《をかべししふ》に告ぐ。子楫之れを小田村士毅《をだむらしき》に語り、士毅即《すなは》ち之れを政府に白《まう》す。政府遂《つひ》に和作を追捕《つゐぶ》し、其の兄子遠を逮《とら》へて之れを揚屋《あがりや》に降《くだ》す。是れより先き余の獄に降るや、士毅余に代りて村塾を幹《かん》し、且つ勤王の事を主張す。然れども士毅の持《ぢ》重《ちよう》、余が粗暴の見と往々《わうわう》異同あり、要駕策に至りて遂に全く枘鑿《ぜいさく》す。子遠兄弟は見る所素《もと》より余と同じ。但だ其の父早く没し、蠱《こ》を幹《よ》くするに人なし、家に又老母あり、故に忠孝を分《わか》ちて各〻家国に任《にん》ぜんと欲す。因《よ》つて謀《はかりごと》余に及ぶ。余、兄往きて弟住《とど》まることを勧《すす》め、兄弟《けいてい》之れに従ふ。已《すで》にして士毅と諸友と、反復子遠を沮抑《そよく》し、子遠遅疑《ちぎ》す。和作慨然《がいぜん》として代りて往かんことを請ひ、子遠之れを許す。已《すで》にして子遠も亦揚屋の厄あり、両《ふた》つながら母の憂を詒《のこ》す。政府の忠孝に報ゆる、亦太《はなは》だ深しと謂《い》ふべし。且つ和作を追へる者は荘四(3)なり。荘四向《さき》に京に在り、伝輔(4)・和作と大原公を迎へ帰らんことを謀《はか》る、事決するの日、密かに邸守に白し、二人を陥れて一己《ひとりおのれ》を保せし者なり。政府の売友《ばいいう》を奨する、亦太《はなは》だ栄なりと謂ふべし。八十・子楫、亦皆預《あらかじ》め要駕策《えうがさく》を知る、初め余の策を是《ぜ》とせしも、終《つひ》に士毅に与《くみ》す。是非の心、人各〻之れあり、何ぞ必ずしも人の異を強ひて之れを己れに同じうせんや。然れども政府に告発するは、則ち太甚《はなはだしき》に非ずや。荘四は反覆《はんぷく》の小人なり、吾れ固《もと》より之れを数中に措《お》かざるも、士毅ら三人に至りては君子人なり。君子人にして小人の行を為すは、吾れ之れを憎むこと小人に過ぐ。又無窮(5)《むきゆう》なる者あり、吾れ素《もと》より亦君子を以て之れを待つ。和作の去るや、余に託するに赤根武人の事を以てす。余之れを無窮に任ぜしに、無窮受けずして且つ曰く、「和作脱去《だつきょ》す、憎むべし、憎むべし」と。此の八字、吾れ骨に銘《めい》し髄《ずゐ》に徹し、忿恨《ふんこん》姑《しばら》くも忘るる能《あた》はず。其の後子《し》楫《しふ》及び福原又四（郎）の書来る。余各ゝ要駕《えうが》の事を論じて之れに答ふ。二子皆回音なし。嗚呼、吾が道果して非ならば、諸友の容《い》るる所とならざるも固《もと》より当れり。吾が道非ならずんば、吾れ復た諸友を容《ゆる》す能《あた》はず。是の両間唯《た》だ一絶あるのみ。是れ吾れの徒《いたづ》らに自ら処《を》るに非ず、又和作に答ふる所以の微意《びい》なり。独《ひと》り子大《しだい》・無咎《むきう》・思父《しふ》は穉弱《ちじやく》にして為すことある能はずと雖も、心に吾が説を是《ぜ》として和作の志を悲しみ、吾れをして絶つに忍びざらしむ。又聞く、思父頗《すこぶ》る子遠の為めに周旋《しうせん》すと。亦善く古人の事を行ふと謂ふべし。黙然孤坐《もくぜんこざ》、意、筆と謀《はか》り、文に条理《でうり》なし、以てこれを野山に蔵すと云ふ。

〈語釈〉

（1）佐世八十　佐世八十郎。のちの前原一誠、長州藩士。松下村塾に学び討幕運動に参加。参議を経て兵部大輔となる。のち不平士族の指導者となり萩の乱を起こし、処刑。（2）岡部子楫　富太郎。はじめ明倫館で学び、のち松陰の門下となる。松陰投獄の際、罪名論で藩の重臣に迫った八人組の一人。（3）荘四　田原荘四郎。長州藩軽卒。松陰の命で和作と共に上京。大原要駕策に奔走するが、決行の直前に藩邸へ密告。また脱走した和作の追捕にあたる。（4）伝輔　伊藤伝之輔。大原要駕策で和作上京中、彼に協力し、ために投獄された。出獄後国事に奔走。のち奇兵隊運送方を勤める。（5）無窮　松浦松洞。萩の商家に生まれ、松下村塾に学ぶ。文久二年（一八六二）、上京し、長井雅楽暗殺を狙うも失敗。粟田山中で切腹。

〈現代語訳〉

右三月十九日に書く。わが藩主の行程を調べてみると、今日の夕方、駕は伏見に泊ることになっている。ある者が「心邪しまな家臣たちはもはやすでに要駕のことについては知っている。だから行程を変更して、伏見にはとどまらないで通過しようとしている」といった。はたしてこれが真実かどうかはわからないが、ともかく駕は伏見を通過するのである。要するに、今日・明日のうちが大切なのである。僕は牢獄につながれ、一日中考えているのであるが、天照大神には霊力があり、先代の藩主には神通力がある。だから今日の事についても、必ず聞き届けて下さるものがいるはずである。もしただひっそりと構えて、聞き入れられないのであれば、それは僕の誠心誠意が、ついに天照大神と先代藩主とを動かすには不十分だったということになる。しかしこの企ては、成功しても失敗しても、藩主に与える影響は少なくない。だから、この一点だけが非常に心配で、和作が出発した翌日から僕は一切の酒肉を絶ち、野菜の量を減らし、口からは出来るだけ言葉や笑いをもらさないようにし、ただ読書に専心し、こうして誠意を積んで、和作からの一報が届くのを待っているだけなのである。はじめ和作が出発したのを、友達の誰も知らなかった。佐世八十郎がたまたまこのことを誰からか漏れ聞いたのである。彼は崎に行って、そこを離れる時に際してこのことを岡部子楫《ししゅう》に告げた。すると子楫はこれを小田村士毅（伊之助）に話し、その士毅がつまり藩府に告発したのである。そこで藩府は遂に和作を追って捕らえ、その兄の入江杉蔵を逮捕し、揚屋に入れた。これより以前、僕が獄につながれた時、この士毅は僕に代って村塾の運営にあたり、また勤皇のことを主張していた。しかし彼の自重主義は僕の粗暴な意見とは折り合わず、いつも意見の対立をしていた。そしてこの要駕策に至って、ついにまったく氷炭相容れない決裂を示したのである。杉蔵ら兄弟の意見は、いうまでもなく僕と同じものだった。ただその父親が早く没し事にあたろうにもその人間がいなかった。まして家には老母がいたのである。だから兄弟で忠孝を分けて、それぞれ家や国に役立つ仕事をしようと決めたのである。だから僕はこの計画を聞いた時、兄が決行し、弟が家にとどまることをすすめた。兄弟はこの僕の考えに従った。ところが士毅と諸君たちが、くり返しくり返し杉蔵をおしとどめ、また彼もそのためこのことについて疑いためらっていた。そのため和作が決然と勇気を振るい起こし、兄に代って行くことを願い出、兄の杉蔵はこれを許したのである。そのため杉蔵もまた揚屋入りの災難に会った。二人とも母に心配をかけることになった。藩府がこれら忠孝の者に報いる仕方というものは、深い因縁につきまとわれている。和作を追ったのは田原荘四郎である。荘四郎は、さきに京都に出ていたとき、伊藤伝之輔や和作らと、大原公を長州に連れて帰ろうと謀った。計画が決った日、伝之輔は密かに藩邸の守衛にこれを告発し、二人を陥し入れ、自分の身を守ったのである。藩府が友達を売ることをすすめているのは、まったく大したものである。八十郎・子楫、彼らもまた皆要駕策についてあらかじめ知っていた。はじめ僕の考えに賛成していた者も、最後にはみな士毅に従うようになった。善悪の心は、人それぞれによって異なっている。だから必ずしも意見をちがえている者を、むりに自分の考えに引き入れる必要はないのである。しかし藩府に告発するのは、まったく言語道断の悪ではないだろうか。荘四郎は裏切者の小人である。だから僕ははじめから彼などは数の中に入れていなかった。しかし士毅ら三人の者は君子ともいうべき人物である。君子たる人間が、小人と同じ行為をするのであるから、僕は小人以上に、彼らが憎く思える。また無窮松浦松洞という人物がいる。僕はもちろん彼を君子として待遇していた。和作は長州を去る時、赤根武人のことを僕によろしく頼むといっていった。そこで僕は武人のことを松浦に頼んだところ、彼は引き受けてくれず「和作は逃げ去った。憎むべきだ、憎むべき奴だ」といった。この言葉は僕の骨髄にしみ渡り、この恨みつらみは決して忘れることの出来ないものなのである。その後、子楫および福原又四郎の書状が来た。僕はそれぞれに要駕のことについて論じ、それを返書とした。すると二人とも何の音沙汰もなくなった。ああ、もし僕の踏み行なう道が誤っているのならば、諸君たちは、僕の考えを取り入れなくてもそれはよかろう。だが僕の方法が誤っていないならば、僕は諸君たちの考えに同調するわけにはいかない。ここにはただ一つの隔りがあるだけだ。これはなにも、ただいたずらに自分の考えに固執しているのではない。和作の心に少しでも応えたいという気持からだけなのだ。ただひとり作間忠三郎・増野徳民・品川弥二郎らは、まだ幼く弱々しいので何も出来ないとはいうものの、心中、僕の意見に賛成し、和作の志を悲しんでいる。僕は彼らとは絶交するに耐え得ない気持でいる。また聞くところによれば、弥二郎は子遠のため大変に心を使ったということだ。古人の行なった立派な行為を彼もまた同じように果したということが出来る。

黙って孤り坐り、心のおもむくままに筆を取った。もとより文章に条理が通っていない。だからこれは野山獄に収蔵しておくつもりである。

跋

今日の事、和作著々《ちゃくちゃく》志を得ば、吾れ復た何をか言はん。和作、事に伏見に死せば、則ち吾れ一筆、姦《かん》を誅《ちゅう》し、再筆、忠を賞し、然る後政府に自首して吾が罪を定めんことを請はん。万々不幸にして、和作捕に就《つ》きて帰るが若《ごと》きことあらば、政府に自首し、両人の罪を請はん、亦以て奸賊《かんぞく》の胆《たん》を破るべし。嗚呼、事予め観《み》るべからず、而《しか》れども其の決するは近く十日の内に在り。預《あらかじ》め三策を画《くわく》せるは、事に臨みて驚かざらんことを欲すればなり。十九日夜、二十一回猛士跋《ばつ》す。

〈現代語訳〉

今日のこと、和作がこれから先も着々とその志を得るのであれば、僕はもう何もいうことはない。もし和作が、この事で伏見で死ぬようなことがあれば、その時は僕はまず筆をとって、姦物《かんぶつ》をこらしめ、ついで和作の忠義を賞《ほ》め、そののち藩府に自首し、僕の罪を決めてもらおうと思う。万一不幸にも、和作が捕らえられて帰るようなことがあれば、藩府に自首し、僕ら二人の罪を確定してもらい、それによって奸臣国賊どもの胆《たん》を破ってやりたいと思う。ああ、何事も予測は不可能である。しかしわずか十日以内に事は決着する。前もって三つの策を立てたのは、その場に臨んで驚くようなことをしたくないからである。十九日夜、二十一回猛士跋す。

幽囚録

『幽囚録《ゆうしゅうろく》』は、松陰の著作のなかでは最も重要なものの一つである。彼は、安政元年（一八五四）三月、下田沖に停泊していたアメリカの軍艦に依頼して、国外への密航を企てて失敗した。そして、従者の金子重輔《かねこじゅうすけ》とともに役人に自首して出て伝馬町《てんまちょう》の獄につながれ、やがて萩《はぎ》送りとなるのである。

この下田の密航事件に関して佐久間象山《さくまぞうざん》もまた捕らえられた。松陰の持物のなかに象山が彼の壮途を祝した詩があったからである。松陰は、師にまで罪が及んだことを悲しんだが、象山はかえって彼を激励するところがあった。

そして松陰が萩に送り返されるとき、送別の言葉として、必ずその目的としたことを書き記しておけと人を介してことづけたのである。

松陰としても、この目的、即《すなわ》ち海外の文明をとり入れて、わが国の窮境を救おうとする深謀遠慮がどこからきているか、その根源を明らかにしたかった。単なる思いつきではないということだ。彼はこの書のなかで、ヨーロッパの大勢《たいせい》を述べ、わが国の現状を憂《うれ》えながら、鎖国ということがわが国本来の国是《こくぜ》でなかったことを述べている。そして航海通商こそが国を盛んにするゆえんであるともいう。

この書が出来上ったのは、安政元年の暮に近い十一月であるが、彼はこれからの世の中では、海外に留学してその国の文明をとり入れてくることがますます必要になってくるだろうということをいっている。松陰は、これを書きあげると、すぐに佐久間象山のところに送った。象山は当時、松代《まつしろ》に閉門中であったが、ひそかにこれをうけとって、自ら添削を施したといわれている。

文章は如何《いか》にも簡潔で、力強い。とくに師象山を意識して書いた文章であるが、世に与える警告の書でもあった。

自序

国朝《こくてう》の変、蓋《けだ》し三あり。古昔《こせき》は臣たらざる所あれば、海の内外を問はず、東征西伐し、必ず強梗《きやうかう》を鋤《のぞ》きて止む、其の勢極《きは》めて盛んなり。其の後蕃夷《ばんい》(1)悍然《かんぜん》来り侵す、而《しか》して我れ兵を発して殲鏖《せんあう》す、古《いにしへ》に非ずと雖《いへど》も亦《また》盛んなり。今は則ち膝を屈し首を低《た》れ、夷の為す所に任《まか》す。国の衰へたる、古より未だ曾《かつ》て有らざるなり。之れを太陽に譬《たと》へんに、始めは赫々耀々《かくかくえうえう》として物能《よ》く之れに抗することなし。已《すで》にして月之れに抗して克《か》たず、適ゝ《たまたま》自ら蝕欠《しよくけつ》を取るのみ。終りや遂《つひ》に月の蝕する所となり、自ら照らすこと能《あた》はず。是れ至変なり。

嗚呼、世愈ゝ《いよいよ》降り、国愈ゝ衰ふ。衰《すゐ》にして已《や》まずんば、滅びずして何をか待たん。蓋《けだ》し一治一乱《いつちいちらん》は政の免《まぬ》かれざる所、一盛一衰《いつせいいつすゐ》は国の必ずある所にして、衰極まりて復《ま》た盛んに、乱極まりて又治まるは則《すなは》ち物の常なり。況《いはん》や皇国《くわうこく》は四方に君臨し、天日《てんじつ》の嗣《し》の永く天壌《てんじやう》と極りなきもの、安《いづく》んぞ一たび衰へて復た盛んならざることあらんや。

近年来、魯西亜《ロシア》・米利堅《メリケン》、駸々《しんしん》として来り逼《せま》る、而も官吏苟且《くわんりこうしよ》にして権宜《けんぎ》もて処分す。是れ豈《あ》に永世《えいせい》変ずることなからんや。皇天《くわうてん》、吾が邦《はう》を眷祐《けんいう》す、必ず将《まさ》に英主哲辟《えいしゆてつぺき》を生じ、一変して古の盛に復するものあらん。

是の時に方《あた》りて、万国の情態形勢を察観し、之れが規画経緯《きくわくけいゐ》を為すに、図《づ》を按《あん》じ筆《ふで》を弄《ろう》して空論高議《くうろんかうぎ》する者、固《もと》より此《ここ》に与《とも》にすることを得ざるなり。吾れ微賤《びせん》なりと雖も、亦皇国《くわうこく》の民なり。深く理勢の然《しか》る所以《ゆゑん》を知る、義として身家を顧惜《こせき》し、黙然坐視《もくぜんざし》して皇恩《くわうおん》に報ぜんことを思はざるに忍びざるなり。然らば則ち吾れの(2)海に航《かう》せしこと、豈《あ》に已《や》むを得んや。

今、事蹶《つまづ》き計敗《けいやぶ》れ、退《ひ》きて図を按じ筆を弄して空論高議する者と流《りう》を同じうす、何の羞恥《しうち》かこれに尚《くは》へん。昔吾れ史を読みて、(3)敏達帝日羅《びたつていにちら》を召還《せうくわん》したまふに至る、欣躍《きんやく》して謂《おも》へらく、国復た盛んならんと。其の賊に害せらるるに及んで、覚えず慟哭《どうこく》す。後の此の文を読む者、安《いづく》んぞ其の欣躍慟哭、吾れの日羅に於けるが如きことなきを知らんや。

甲寅冬　　二十一回猛士藤寅撰

〈語釈〉

(1) 蕃夷悍然来り侵す　文永十一年（一二七四）および弘安四年（一二八一）の二度にわたり、蒙古が日本をおそったこと。(2) 海に航せしこと　安政元年（一八五四）三月、松陰は同志金子重輔と共に、下田に停泊中の米艦に乗り込み、海外渡航を企て失敗した。(3) 敏達帝日羅を云々　敏達帝は第三十代天皇。欽明天皇の第二子、聖徳太子の伯父。敏達十二年百済王に重用されていた日羅を召還した。日羅は国政にたずさわり活躍。百済討滅を主張したため同行の百済使に殺害された。

〈現代語訳〉

考えてみれば、わが国の歴史の移り変りには、強勢《きようせい》・中勢《ちゆうせい》・衰亡《すいぼう》という、三つの変動があった。遠い昔は、臣下が臣下として不都合なところがあれば、天皇は国の内外を問わず、東に征《せい》し西に伐《う》ち、必ずその者を根絶するまで戦われた。だから国家として、その勢力は極めて強盛なものだったのである。ずっと時代が下ってから、突如蒙古軍《もうこぐん》が嵐のように襲って来たことがあるが、わが軍もこれを迎え討ち、彼らを潰滅《かいめつ》させている。このように古代でなくとも、わが国は少しも衰えを見せてはいなかった。ところが今の日本は、ただ外国人の前にひざまずき、首を垂れてその言いなりになっている。国威がこれほどまでに衰えたということは、古代以来、未だかつてなかったことである。この様子は太陽にたとえる事が出来るだろう。初めは燦然《さんぜん》と光り輝き、いかなるものもこの輝きには勝つことが出来ず、月の光りなども全く問題ではない。ところが、たまたま日蝕《につしよく》になると、月にむしばまれて、遂には完全に月におおわれ、もはや自分では何も照らすことが出来なくなるのである。これは物の変化の行きつく所といえよう。

ああ、どんどんと時代が下るにつれて、日本はいよいよ衰えていく。この衰退がいつまでも続くならば、もはや滅亡以外に道は無い。しかし国の政治で一治一乱が起こり、国家が一盛一衰を繰り返すのは、避けることの出来ない事実である。衰退が極まればまた隆盛になり、乱が極まればまた平和になるのは、いわば物事の常道といえよう。まして日本は四方に君臨し、皇統は永遠に尽きるものではないから、一度衰えても、再び盛んにならないということがいったいあるだろうか。

最近、ロシア・アメリカなどが、次から次へとやって来るが、役人たちは全くなおざりで、場当りな処分ですませている。これでどうしていつまでも太平無事でいられようか。しかし天の神は、日本を愛し、いつも見守っていて下さるから、必ず英明なる君主がお生まれになり、一変して日本を昔の盛時に返されるに違いない。

この非常時に、世界の情勢をよく調べ、いろいろと対策を考え、善処しなければならないというのに、少しも真剣な態度を取らず、無意味な議論ばかりしている者たちは、もちろん行動をともにすることは出来ない。僕は卑しい身分の者であるが、しかしまた皇国の民である。日本が、なぜこのような状態になったかということを、よく理解している。だから自分の身を惜しんだり、ただ黙って傍観しているわけにはいかない。なんとか、国に報いたいと、ただそればかりを考えている。だから僕が、下田でアメリカの軍艦に乗り込み、外国へ行こうとしたことは、どうにも仕方のなかったことなのである。

今はそれにも失敗し、計画も破れ、ただ引きさがってじっとしている。無駄なことを言って、意味のない議論に明け暮れしている者たちと、全く変らない立場になってしまった。これ以上に恥ずかしいことがあるだろうか。昔、僕は、『日本書紀』を読んでいて、敏達《びたつ》天皇が日羅《にちら》を韓国から召還されるという所まで至ったとき、これで再び日本は隆盛になるに違いないと、躍りあがらんばかりに嬉しく思ったことがある。ところがその日羅が賊に殺害された時には、思わず声を出して泣いてしまった。

後世の人で、この『幽囚録』を読む人が、僕が日羅のときに感じたように、躍りあがって喜んだり、声を出して泣いたりしないとは、誰がいえるだろうか。

安政元年（一八五四）冬　　二十一回猛士藤寅撰

外寇《ぐわいこう》の患《くわん》は古《いにしへ》より之れあり。而れども代々《よよ》能将《のうしやう》あり、機に応じて掃蕩《さうたう》し、大害を為すに至らざりき。近時に至り、西洋の諸夷更〻《こもごも》来り通信通市《つうしんつうし》を求む、亦未だ大害を為す能《あた》はざりき。嘉永癸丑《みづのとうし》六月、合衆国の船四隻浦賀に来り、国書を幕府に呈し切に要求する所あり、大要《たいえう》亦通信通市の二事に在り。故事《こじ》、長崎を除くの外、夷舶《いはく》の来《らい》泊《はく》を許さず。浦賀奉行諭《さと》すに国法《こくはふ》を以てせしに、夷の曰《いは》く、「我れ吾が国の命を奉ずるを知るのみ、何《なん》ぞ日本の国法を知らんや」と、倨傲《きよがう》益〻甚《はなはだ》し。(1)執政《しつせい》、過激変を生ぜんことを慮り、奉行に命じて仮《かり》に其の書を受けしむ。夷、報を求むること甚だ迫《せま》る。遂《つひ》に明年更に来らんことを約し、慰喩《ゐゆ》して去らしむ。

〈語釈〉

（1）執政　時の幕府老中阿部正弘。備後福山藩主。弘化二年、老中首座。米使来航に際し、外交事情を朝廷

に奏聞。開国を決意し和親条約を締結した。

〈現代語訳〉

外国人が日本に攻め寄せてくるという患《わずら》いは、遠い昔からあるが、いつも有能な大将が現われ、そのつど外敵を掃蕩し、大した被害もこうむらずに済んで来た。最近になって西洋の諸外国人が、互いに入れ替り立ち替りやって来て、和親・通商を求めているが、まだ今の所大きな害を日本に与えてはいない。嘉永《かえい》六年(一八五三)六月、合衆国の船四隻が浦賀にやって来て、国書を幕府に差し出し和親・通商の二つの事を熱心に要求して来た。しかし徳川幕府は、旧来から国の規則として、長崎以外の港に外国船の来航・停泊を許可していなかった。そこで浦賀奉行は、この国法をもってアメリカ人に説得したが、彼らは「我々はわが国の命令を守るだけである。どうして日本の国法など知っておろうか」と言い、その驕《おご》りたかぶった態度はことに甚《はなはだ》しいものであった。老中阿部正弘《あべまさひろ》は、過激な処置をとって、悶着《もんちゃく》が生じることを恐れ、奉行に命じて、一時仮りにその国書を受け取らせた。外国人はその返書を強く要求して来たが、幕府は翌年再び来るようにとの約束によってなんとか彼らをなだめすかして去らせた。

是れより先き三五年、合衆(国)の夷人脚船《きやくせん》に乗りて蝦夷《えぞ》に来り、陸地を徘徊《はいくわい》す。松前侯《まつまへこう》之れを長崎に檻送《かんそう》す。是《か》くの如きもの凡《おほよ》そ二たびなり。浦賀に来り、長崎に来り、漂民を送還し、薪水《しんすゐ》を丐求《かつきう》すること又数〻《しばしば》なり。其の我れを間諜《かんてふ》すること、蓋《けだ》し一日に非ず。去年に及び、蘭夷《らんい》、合衆国来航の事を報ず。官深く之れを秘し、敢《あ》へて中外《ちゆうぐわい》に宣視《せんし》せず。是《ここ》に至りて事倉卒《さうそつ》に出で、衆情《しゆうじやう》甚だ騒がし。

是の時、(1)先将軍薨《こう》じ、新将軍初めて立ち、(2)水戸老公を起して防寇《ばうこう》の議に参与《さんよ》せしむ。而るに小人比周《ひしう》し公議行はれず、公連《しき》りに罷《や》めんことを請《こ》ふ。

幕府大いに武備《ぶび》を修め、先づ(3)大船の禁を除き、蘭夷に命じて軍艦・火輪船《くわりんはく》を致《いた》さしめ、浦賀与力《うらがよりき》中島三郎助に命じて洋書に依りて軍艦を打造せしめ、礮台《はうだい》を品海《ひんかい》に築き、巨礮《きよはう》を桜　埒《さくらかこひ》に鋳、韮山《にらやま》代官(4)江川太郎左衛門を擢用《てきよう》し、(5)高島四郎太夫の禁錮《きんこ》を免じ、土佐の漂民(6)万次郎を召し、皆之れを江川に属せしめ、特に夷書を列侯群吏《れつこうぐんり》に下して以て復答《ふくたふ》する所を議す。

時に天下久しく治安に慣れ、朝野に苟且《こうしよ》の論多く、群議《ぐんぎ》或は戦を言ひ、或は和を言ふも、而も身を抜きんでて責に任ずる者なし。某侯奮然復書《ぼうこうふんぜんふくしよ》を持ちて夷国に到らんことを請《こ》ふ、報《むく》いられず。論者、(7)諸葛亮《しよかつりやう》の後出師表《ごすゐしのへう》を引きて時事《じじ》を痛惜《つうせき》すと云ふ。

〈語釈〉

(1) 先将軍薨じ云々　十二代将軍家慶。嘉永六年六月二十二日死亡。家慶四男家定が新将軍となった。家定は生来虚弱な体質で、子供なくのちに将軍継嗣問題を引きおこした。（2）水戸老公　水戸藩主徳川斉昭。藤田東湖など人材を登用し藩政改革に努力した。その尊攘的行動は幕府のきらうところとなり謹慎を命じられた。ペリー来航に際し許され幕政に参与。（3）大船の禁　寛永十二年（一六三五）鎖国政策を徹底させるため、家光は五百石積以上の大船の建造を禁じた。（4）江川太郎左衛門　名は英竜。坦庵と号した。西洋流兵学者。砲術を高島秋帆に学ぶ。民政の改革と海防の充実に力を尽くす。門下に佐久間象山・橋本左内・木戸孝允らがいる。（5）高島四郎太夫　秋帆と号した。長崎の人。アヘン戦争の結末を知り、幕府に洋式砲術の採用を建議した。はじめ幕府は彼を危険視し禁錮に処したがのち講武所砲術指南役・具足奉行に取りたてた。（6）万次郎　中浜万次郎。土佐の漁師。天保十二年（一八四一）、操業中嵐にあい遭難。アメリカ船に救助されその地で教育をうけた。嘉永四年（一八五一）帰国、のち幕府の翻訳方・軍艦操練所教授などを勤めた。（7）諸葛亮　中国三国時代、蜀の劉備に仕えた宰相。魏を討伐すべきだとして、劉備の没後その子劉禅に前後二回にわたって上奏文を出した。これが『出師表』で、二回目のものは、情況の不利・有利を問わず戦うべき事を主張し、その内容が激烈であることで有名。

〈現代語訳〉

これよりも先三十五年前に、合衆国の人間がボートに乗って北海道にやって来たことがある。そして勝手に陸をあちらこちらと歩き廻った。松前《まつまえ》藩主はこの外国人を捕らえ檻《おり》に入れて長崎に送った。こうしたことが、およそ二度ほどあった。また他にも浦賀に来航したり、長崎に来航したり、ある時は漂流民を送還して来たり、薪《まき》や水を求めたりすることも、しばしばのことであった。このように外国人らが、わが国をスパイしていたことは、考えてみれば一日やそこらのことではなかったのである。去年になって、オランダ国王は合衆国人が日本に来航する事を知らせて来た。ところが役人たちはこの事実を秘密にして、あえて内外に公表することをしなかった。だから、浦賀に黒船がやってくるに至ってはじめてこの事態が持ち上り、人々の動揺も激しく甚だ騒がしいこととなったのである。

ちょうどこの時、将軍家慶《いえよし》が亡くなられ、新しい将軍に家定《いえさだ》がつき、それまで蟄居《ちっきょ》を命ぜられていた水戸の老公斉昭《なりあき》は幕府に出仕し海防について論じることを許された。ところがつまらない人間どもが集まり、派閥を作って無駄な争いごとをするばかりで、公平な議論はいっこうに行なわれなかった。だから斉昭は、この役目を罷《や》めることを、しきりと願い出るということになった。

もっとも幕府も軍備に大いに力を入れ、まず、家光《いえみつ》が諸侯に出した大船建造の禁止令を解除し、オランダ人に命じて軍艦・蒸気船を造らせ、浦賀の与力《よりき》中島三郎助《なかじまさぶろうすけ》に、洋書を参考に軍艦を建造することを命じた。また砲台を品川の海岸に築かせ、巨砲を江戸小石川《こいしかわ》の桜馬場で鋳造させた。それから伊豆にある幕府の直轄地韮山《にらやま》の代官、江川太郎左衛門を特別に取り立て、近代砲術の先駆者高島秋帆《たかしましゅうはん》の禁錮《きんこ》を免じ、土佐の国の漁師で漂流して長くアメリカに滞在していた中浜万次郎《なかはままんじろう》を召し抱え、これらの者たちを皆江川の輩下につけて働かせた。特に外国がもたらした書簡を列侯や多くの役人に見せて、幕府の回答を討議させるようにもなった。

時に、日本は永く平和な時代が続き、皆がこれに慣れてしまって、朝廷でも民間でも、いいかげんでなおざりな意見ばかりが横行していた。皆が集まって議論をすれば、あるいは戦争だと言い、またあるいは和平だと言うが、本当に身を捨て、この責務にあたろうとする者は一人もいない有様だった。ある大名が、奮然として、返書を持って外国に行くことを願い出たが、聞き入れられなかった。中国の三国時代の名将、諸葛孔明《しょかつこうめい》の二回目の「出師表《すいしのひょう》」の故事を引き合いに出して、今の日本の状態を遺憾に思うと論じている者もいるということである。

是の歳、魯西亜《ロシア》も亦長崎に来りて国書を呈し、北地の境界を議せんことを請ふ。官（1）吏西下（2）して夷将と商議す、而《しか》れども委任専《もは》らならず、能《よ》く其の議を決することなし。夷、再来を約して去る。明年正月、合衆国の舶九隻浦賀の海関《かいくわん》に闌入《らんにふ》し、直ちに横浜に来りて前報を求む。而るに軍艦・礮台《はうだい》一として成れるものなし。幕府専ら変を生ぜんことを懼《おそ》れ、寛縦《くわんじゆう》もて夷を待す、夷 肆《ほしいまま》に不法の事を為せども、官兵少しも禁訶《きんか》せず。人皆切歯《せつし》す。

応接廠《おうせつしやう》を横浜に起す、構造甚《はなは》だ粗なり。官吏便服《べんぷく》して饗待《きやうたい》す。論者或は謂《い》へらく、夷人を待つには当《まさ》に示すに荘重を以てすべし、或は之れを上野に引き、或は之れを大城に引き、兵を厳にして之れに備へ、宗室《そうしつ》・大臣《たいしん》法服して出でて接すれば、則《すなは》ち夷も亦畏憚《ゐたん》して怠慢玩弄《たいまんぐわんろう》の態《てい》あること能《あた》はざらん、是れ夷人を重んずるに非ず、乃《すなは》ち（吾が）国体を重んずるなりと。

三月の半ばに及んで、夷船横浜を去り下田に至る、市街山野、徘徊《はいくわい》遍《あまね》からざるなし。六月に至りて去る。事甚だ隠秘《いんぴ》にして、世其の故《ゆゑ》を識《し》るものなし。或は謂《い》へらく、通信通市一に夷の求むる所の如くし、定むるに下田を以て互市場《ごしぢやう》と為し、夷人に縦《ゆる》して館を置くの所を相度《あひはか》らしめしなりと。

〈語釈〉

（1）官吏　幕府大目付筒井政憲・勘定奉行兼海防掛川路聖謨ら。（2）夷将　ロシア海軍提督プチャーチン。

〈現代語訳〉

この年（嘉永六年）、ロシアもまた長崎にやって来て、国書を幕府に差し出し、日本の北境について討議したいと申し出た。筒井政憲《つついまさのり》・川路聖謨《かわじとしあきら》らの役人は長崎に行き、プチャーチンと交渉をはじめたが、全権を委《ゆだ》ねられていなかったので、十分その取り決めをすることは出来なかった。プチャーチンは再びやって来ることを約束して日本を去っていった。明くる年の正月、合衆国の船が九隻、浦賀に許可もなく来航し、すぐさま横浜にやって来て、前に差し出した国書の返事を求めてきた。ところが幕府には、軍艦も砲台も、それまでに一つとして完成したものはなかった。幕府はただアメリカとの事態が悪化することを恐れ、外国人の言いなりになり、彼らがほしいままに不法な振舞いをしても、幕府の役人は少しもとどめ罰しようとはしなかった。日本人はみな歯ぎしりをする思いでこれをくやしがった。

アメリカ人との応接場所を横浜に設けたが、はなはだ粗末なものであった。役人は私服で応対した。むしろ外国人を接待するには、荘重にやるべきであって、彼らを上野の寛永寺《かんえいじ》か、あるいは江戸城に案内し、守備兵に厳重にかためさせ、また幕府の親藩《しんぱん》大名や老中、それに大臣《たいしん》たちは正式な衣服を着て応接すれば、外国人も畏《おそ》れはばかって、なまはんかな態度は取れなかったに違いない。これはなにも外国人を重んずるのではない、つまりわが国体を重んずるのである、と論じる者もいる。

三月の半ば頃になって、外国船は横浜を去り下田に至った。町中はおろか野や山の中まで、彼らが歩き廻らない場所は、どこもないという有様《ありさま》だった。彼らは六月になってようやく去った。この間の事情はまったくもって秘密にされ、民間人でその子細を知っている者はほとんどいなかった。しかしなかには和親通商に関しては、外国人の要求通りにことが取り決められ、下田を開港して外国人に館を置くことを認めたというものもあった。

初め(1)平象山《たひらのざうざん》は松代《まつしろ》の藩臣なり、軍議官となり、藩の軍に従ひて横浜に塁《るゐ》す。下田の議定まると聞き、謂《おも》へらく、下田は我が邦の喜望峰にして船舶必ず由《よ》るの港、今夷の占拠《せんきょ》する所とならば則《すなは》ち海路梗塞《かうそく》せん。伊豆の地は山峻《たか》く道岨《けは》しく、下田は其の最南斗出《としゅつ》の処たり。一旦《いったん》事起り、陸路もて兵を出さば、則ち峻岨《しゅんそ》に阻《はば》まれ、而《しか》も海路は則ち我れに堅艦《けんかん》の相敵《あひてき》するものなし。且つ夷船をして常に(2)金川《かながは》に在らしめば、江戸を去ること甚《はなは》だ近く、自《おのづか》ら都人をして胆《たん》を嘗《な》め薪《しん》に坐《ざ》せしめん。今下田に退くときは則ち人心必ず弛《ゆる》み、寇寝《こうや》や遠ざかれりと謂《おも》はん。殊《た》えて知らず、夷舶《いはく》の迅速《じんそく》なる、金川に在ると下田に退くと、其の江戸の憂《いう》たるや則ち一《いつ》なるを。横浜を以て直《ただ》ちに互市場と為《し》すに如かざるなりと。

〈語釈〉

（1）平象山　佐久間象山。通称修理。信濃松代藩士。兵学者。佐藤一斎に朱子学を学び、のち蘭学・兵学を修めた。開国論のため攘夷派に暗殺された。門下に松陰・勝海舟・坂本竜馬などがいる。（2）金川　神奈川。

〈現代語訳〉

佐久間《さくま》象山《ぞうざん》は、松代《まつしろ》の藩臣である。軍議官となって、藩の軍隊に従って横浜に駐屯することになった。下田の開港が決定されたと聞き、象山は、「考えてみれば下田はわが国の喜望《きぼう》峰《ほう》のようなもので、船舶は必ず寄港する港であるから、今もし外国人が占拠すれば、海路はまったくふさがれたも同じになる。伊豆という土地は、山は高く、道はけわしい。下田はその伊豆の、最も南端に突き出た所である。いったん戦争がはじまり、陸路を通って兵を出せば、その険しさにはばまれ、しかも海路を行くとしても、わが軍には、あの軍艦にかなうようなものはない。だから外国船を常に神奈川に停泊させておけば、江戸とも近いことであるから、自然と江戸市民も警戒を怠らず、苦しみに耐え、いつか復讐《ふくしゅう》をしようと闘志を燃やすに違いない。ところが、下田に外国船が引きさがっているならば、必ず人々の心に油断が出来、これでどうやら外敵も遠ざかったと思うに違いない。一般の人たちは外国船がとても迅速に走るということを、全然わかってはいない。外国の軍艦が神奈川にいようと、下田に引きさがっていようと、江戸が危険であるということに変りはないのである。横浜を開港するのが、なによりも最良の策である」と主張した。

謂《おも》へらく下田はより互市場（と為すに如《し》かざる）なりに至るまで、象山改むること左の如し

謂へらく、下田は我が邦の喜望峰にして東西の船舶必ず由《よ》るの港たり。今夷の占拠《せんきょ》する所とならば、其の害言ふべからず。且つ大城江戸に在りて人口衆多《しゅうた》なり、米穀布帛《べいこくふはく》皆これを海運に資《と》る。不幸にして変あらば、海路梗塞《かうそく》し、江戸首《しゅ》として其の禍を受けけん。伊豆の州たる、天城《あまぎ》の険、其の南北を隔絶《かくぜつ》し、而して下田は其の最南斗出《としゅつ》の処に在り。一旦事起り、陸路もて兵を出さば、砲隊は険に阻《はば》まれて以て行くべからず、而も海路は則ち我れに堅艦《けんかん》なし。他日縦《たと》ひ造作《ざうさく》するを得とも、夷には海陸の形勝《けいしょう》ありて我れは反《かへ》つて之れを喪《うしな》ひ、主客位を易《か》ふ、計に非ざるなり。夫《そ》の善く事を制する者は常に其の利を我れに在らし

め、其の害を彼れに在らしむ。今已《や》むを得ずして敵人に地を仮《か》さば、宜《よろ》しく他日の計を為し海陸とも兵を進むるを得るの処を択《えら》ぶべし。竊《ひそ》かに横浜の地勢を覧《み》るに甚だ之れに称《かな》ふ。且つ夷舶をして常に玆《ここ》に在らしむるときは、江戸を去ること甚だ近ければ、則ち人々胆《たん》を嘗《な》め薪《しん》に坐《ざ》するの念 自《おのづか》ら已《や》むこと能《あた》はず、警衛防禦の方も亦自ら厳《きび》しうせざるを得ず。且つ親しく彼れの長とする所を観《み》、以て速《すみや》かに我れの智巧《ちかう》を進むべし。是れ其の利たる所以《ゆゑん》なり。今下田に退くときは則ち人心必ず弛《ゆる》み、寇較《こうや》や遠ざかれりと謂《おも》はん。殊《た》えて知らず、夷舶の迅疾《じんしつ》なる、横浜に在ると下田に退くと、其の江戸復心の憂たるは則ち間髪《かんはつ》を以てする能はざることを。横浜を以て直ちに互市場《ごしちやう》と為すの愈《まさ》れりと為すに如《し》かざるなりと。

〈現代語訳〉

「考えてみれば下田は……」より「開港するのが、なによりも最良の策である」までの文章を、象山は左のように改めたようである。

考えてみれば下田はわが国の喜望峰であって、東西の船舶は必ず寄港する。今もし外国人が占拠すれば、その被害は数えきれないものがある。その上大きな城が江戸にあり、人口も密集していて、米穀や布などは、みな海運によってもたらされている。不幸にして事変でも起これば、海路は塞《ふさ》がり江戸はまっ先にその被害を受けるだろう。伊豆は天城《あまぎ》の険しい山脈によって南北を隔絶され、そして下田はその最も南に突き出た所にある。いったん事件が起こり、陸路から兵隊を出せば、砲撃隊は険《けわ》しい山にはばまれて進めず、海路で行くにしても、日本には戦うに足るような軍艦はない。将来たとえ軍艦を建造することが出来ても、下田にいては外国人には海陸とも有利であって、かえって日本の方が不利である。主客が入れかわるわけで、これは兵法では取らないものである。常に戦に勝利をおさめる者はいつも自分を有利な条件のもとに置き、不利な条件を相手に取らせるようにする。いまやむを得ず、外国人に土地を貸し与えるのであれば必ず将来の見通しのもとに、海上からも陸上からも兵隊の進めやすい所を選ぶべきである。そこで横浜の地勢を調べると、この条件に非常に適している。そして外国人を常にここに居させれば、江戸にも接近していることなので、市民も警戒を怠《おこた》らずこの苦しみに耐え、いつか復讐をしようと、警衛防禦も自然と厳しくするようになる。また外国人の長所も、よく見ることが出来るから、そのいいものは取り入れて知識・技術も進めることも出来るだろう。それにも都合がいい。これらは横浜に外国人を住まわせた時に考えられる利益である。もし下田に外国人が引きさがれば、必ず人々の心は緊張感がほぐれてゆるみ、遠ざかったから大丈夫だと思うだろう。皆は外国船がとても速く走るということを少しもわかっていない。外国の軍艦が横浜に居ようが、下田に居ようが、江戸の憂は、この動きに対してすぐに対処できないことである。横浜をすぐに開港し通商をする以外に良策はまずない。

急に江戸に帰り、竊《ひそ》かに建白《けんぱく》する所あり。其の門人長岡藩臣小林虎三郎[1]、有志の士なり、師の見る所を聞き深く之れを然りとし（象山注）、師の説を以て執政某侯[2]の臣に語《つ》ぐ。見《まみ》えて以て其の説を進む（象山注）。遂に諸生天下の事を議するの罪を以て藩、国に還《かへ》し就《つ》かしむ。

吾が師平象山《たひらのざうざん》は経術深粋《けいじゆつしんすゐ》なり、尤《もつと》も心を時務《じむ》に留む。十年前、藩侯執政たりし(3)とき、外寇の議を上《たてまつ》り、船匠《せんしやう》・礮工《はうこう》・舟師《しうし》・技士《ぎし》を海外より傭《やと》ひ、艦《かん》を造《つく》り礮《はう》を鋳《い》、水戦を操し礮陣《はうぢん》を習はんことを論ず。謂《おも》へらく、然らずんば以て外夷を拒絶《きよぜつ》し国威を震耀《しんえう》するに足《た》らずと。其の後遍《あまね》く洋書を講究し、専ら礮学《はうがく》を修め、事に遇《あ》へば輙《すなは》ち論説する所あり、或は之れを声詩《せいし》に発す。話聖東《ワシントン》の事起り、蘭夷の報ずる所を聞けば則ち曰《いは》く、「未だ見ず礮台海潯《はうだいかいじん》を環《めぐ》らすを、南風四月甚だ心に関る」。礮台を品海《ひんかい》に築けば則ち曰く、「疇昔《ちうせき》の戯談《ぎだん》呆堞《はうてふ》に憑《たよ》る、当今の急務元戎《げんじゆう》に在り」。象山《ざうざん》又復書を持ちて夷国に到らんと欲す、則ち曰く、「微臣《びしん》別に謀《ぼう》を伐《う》つの策あり、安《いづ》くにか風船を得て聖東に下らん」と。

蘭夷に命じて軍艦を致さしむと聞きては大いに喜びて謂《い》へらく、徒《た》だ之れを蘭夷に託するは未だ善を尽《つく》さず、宜《よろ》しく俊才巧思《しゆんさいかうし》の士数十名を撰び、蘭船に付して海外に出し、其れらをして便宜事《べんぎこと》に従ひ以て艦を購《あがな》はしむべし、則ち往返《わうへん》の間、海勢《かいせい》を識《し》り、操舟《さうしう》に熟し、且つ万国の情形を知るを得ん、其の益たるや大なりと。因って竊《ひそ》かに建白《けんぱく》する所あり。然れども官能《よ》く之れを断行することなし。予が航海の志、実に此《ここ》に決す。

〈語釈〉

（1）小林虎三郎　越後長岡藩士。窮理・経世の学に通じ、松陰と並び象山門下の両虎と称された。（2）執政某侯　長岡藩主牧野忠雅。老中。（3）藩侯　松代藩主真田幸貫。松平定信の次男で、英明とされた。この時老中として水野忠邦を助け、幕政改革にのり出した。

〈現代語訳〉

そこで象山は急いで江戸に帰り、幕府に自分の意見を、ひそかに申し出た。その門人の長岡藩臣小林虎三郎《こばやしとらさぶろう》（なかなか志のある人間で、象山の考えを聞いて、深くこれに同感した）は、象山の意見を、老中であった長岡藩主牧野忠雅《まきのただまさ》の家臣に語った（家臣に会ってその意見をすすめた）。ところが藩主は儒学者たちが、天下国家について論じるのを喜ばなかったため、ついに彼らを罰し、それぞれの藩や国に帰らせた。

僕の先生である佐久間象山は、経学については奥深く学んでおられ、また時事問題に一番心を留めておられた。十年前、松代藩の藩主が老中であったとき、海防及び時務策について意見書を差し出し、船大工・砲工・船員・技士を海外より傭い、軍艦を造り、大砲を鋳造し、海戦を演習し、砲陣を学ぶべきだということを論じた。もしそれが駄目ならば、日本は外国の侵略を阻止し、国威をいっそう高め輝きわたらせることは出来ないと考えたのである。その後も広く洋書を読み、専ら砲学について勉強し、事あるごとに人々にその重要性を説いてまわった。あるいはこのことを詩に書き、朗読をもした。アメリカ艦隊の日本来航という事が企てられ、そのことがオランダからの知らせによって日本にもたらされると、「未だ見ず砲台海潯《かいじん》を環《めぐ》らすを、南風四月甚だ心に関る」という詩を作り、砲台が品川に築かれると「疇昔《ちゅうせき》の戯談呆«ほうちょう»喋に憑《たよ》る、当今の急務元戎《げんじゅう》に在り」とうたった。

　象山は、またアメリカへ返書を持って行こうとし、「微臣別に謀を伐つの策あり、安《いず》くにか風船を得て聖東に下らん」と詩に託した。

　幕府がオランダに軍艦建造を命じたと聞いて大いに喜び、まだオランダに頼むだけでは十分ではない、秀れた人物を数十名選出し、オランダ船で海外に行かせ、彼らにその時の情況で軍艦を購入させればよい。海外への往復の間に海の様子をよく識ることが出来、艦の操縦にも熟達し、また世界情勢をも知ることが出来る。だからこの利益は大きいと考え、そこでこの意見書を上呈したのである。しかし幕府の官吏は、この意見を実行に移そうとはしなかった。僕が航海のことを決意したのも、実はここに原因があったのである。

　合衆国の舶金川《かながは》横浜（象山注）に来るに及んで、松代《まつしろ》・小倉《こくら》の二藩、応接警衛の命を受け、象山軍議官を以て軍に従《したが》ふ。喜びて曰く、「亦以て少しく国威を示すべし」と。已《すで》にして幕府の吏と陣を設くるの処《ところ》を議し、論累《しき》りに合はず。蓋《けだ》し幕府の二藩の兵を用ふるは、夷輩《いはい》が非を為すを禁訶《きんか》するに非ず、実に夷輩の為めに非常を警衛するのみ。

象山常《つね》に春秋《しゅんじゅう》の義を引き、城下の盟《ちかひ》を以て国の大恥《だいち》と為す。下田の議を聞き、愈〻《いよいよ》益〻《ますます》憂憤《いうふん》す。予が事に坐して獄《ごく》に下るに及び、詩を作りて曰く、「城下盟《ちかひ》を為すの恥を思はず、却《かへ》つて忠貞《ちゅうてい》を把《と》らへて忌疑《きぎ》を抱く。伯映《ペートル》彊《さかひ》を議す長崎の港、聖東《ワシントン》地を仮《か》る下田の湄《はま》。異時敵を軽《かろ》んず已に計に非ず、今日の折衝《せっしょう》知る是れ誰れなるかを。幽憤《いうふん》胸に満ちて泄《も》らす所なく、獄中《ごくちゅう》血を灑《そそ》いで玆《こ》の詩を録す」と。

〈現代語訳〉

合衆国の船が神奈川（横浜）に来るにいたって、松代・小倉の二藩が、応接及び警備の係を命ぜられ、象山は軍議官だったので、軍隊と共に横浜に駐屯した。象山は喜んで「ここでまた少し国の威力を外国人に示してやろう」と言った。そこで幕府の役人と陣地を設営する場所について討議したが、意見はなかなか合わなかった。というのは、幕府がこの二藩に出兵を命じたのは、外国人の非法行為を防止するためではなく、実は外国人のために、事件が発生しないように警備するためだったのである。

象山はいつも『春秋《しゅんじゅう》』に出ている事例を引き合いにして、城下の盟《ちか》いを国のとるべき行為の中でも最も恥ずかしいものとした。象山は下田での幕府の弱腰を聞いて、ますます憂《うれ》いいきどおり、また僕がペリーの軍艦に乗り込んで外国に行こうとして失敗し、獄舎につながれた時、象山も連坐して獄に入れられたが、その時彼は詩を作ってその怒りをあらわした。「城下盟《ちかい》を為すの恥を思わず、却って忠貞を把《と》らえて忌疑《きぎ》を抱く。伯昳《ペートル》彊《さかい》を議す長崎の港、聖東地を仮《か》る下田の湄《はま》。異時敵を軽んず已に計に非ず、今日の折衝知る是《こ》れ誰れなるかを。幽憤胸に満ちて泄《も》らす所なく、獄中血を灑《そそ》いで玆《こ》の詩を録す」

　癸丑《みづのとうし》六月、夷船の来りしとき、余江戸に遊寓《いうぐう》す。警を聞き馳《は》せて浦賀に至り、親しく陸梁《りくりやう》の状を察し憤激に堪《た》へず。謂《おも》へらく、大いに懲創《ちようさう》を加ふるに非ずんば、則ち以て国威を震耀《しんえう》するに足らずと。江戸に帰るに及んで、同志と反復論弁《はんぷくろんべん》す。是れより先き、余、(1)過《あやまち》ありて籍《せき》を削《けづ》らる、而して官別に恩旨《おんし》あり。深く自ら感奮《かんぷん》して謂《おも》へらく、恩に報ずるの日至れりと。頗《すこぶ》る分を越ゆるの言を作《な》し、先づ(2)将及私言《しやうきふしげん》九篇を著はし竊《ひそ》かに之れを上《たてまつ》り、尋《つ》いで(3)急務条議を上る。又夷人向《さき》に不法の事多かりしを悪《にく》みて(4)接夷私議を作る。

　是の時、幕府夷書を下《くだ》して言路《げんろ》を開く。余、同志と議し、苟《いやしく》も二三の名侯《めいこう》心を協《かな》へ力を戮《あは》せ、正議を発し俗説を排するものあらば、則ち天下の論定まるとし、屢〻《しばしば》之れを政府に言《まを》す。政府、時勢を深観（象山注）察し、謂《い》へらく、天下の大、一藩の能《よ》く救ふ所に非ずと。吾が党の論を以て狂疎事《きやうそこと》に通ぜずと為す。余、平象山に師事し、深く其の持論に服し、事ごとに決を取る。象山も亦善視《ぜんし》し、常に励まして曰く、「士は過《あやまち》なきを貴《たふと》しとせず、過を改むるを貴しと為す。善く過を改むるは固より貴しと為すも、善く過を償《つぐな》ふを尤《もつと》も貴しと為す。国家多事の際、能《よ》く為し難きの事を為し、能く立て難きの功を立つるは、過を償ふの大なるものなり」と。

〈語釈〉

(1)過　嘉永四年(一八五一)十二月、松陰は江戸藩邸を無断で飛び出し、東北遊歴に出かけた。翌年その罪により士籍を削られた。しかし藩主は松陰の才能をおしみ、十年間の諸国遊学の許可を与えた。(2)将及私言　松陰の意見書。嘉永六年六月藩政の改革と軍備の急務について藩主に痛論したもの。(3)急務条議　同じく松陰の意見書。水戸公と交を結ぶべきこと、及び藩の政策・軍備に関する十三条からなる。(4)接夷私議　現存しない。

〈現代語訳〉

嘉永《かえい》六年六月、外国船が来航したとき、僕は江戸に遊学に来ていた。非常の知らせを聞いて、すぐに浦賀へ飛んで行き、つぶさに外国人の横暴な様子を観察し、憤激《ふんげき》にたえなかった。絶対に撃退をしなければ、日本の国威はあがらずに終る、そう思った。江戸に帰るや、同志と何度も何度も議論をした。これに先立って、僕は東北へ藩主の許しもなく勝手に旅行したため士籍を削られていたが、藩主は特別に僕に十年間の、諸国遊学を許して下さっていた。だから自ら深く感じるところがあったので、この時はついに主君の恩に報いる時がやって来たと思ったのである。そこでいささか身分を越えた意見を出し、まず『将及私言《しょうきゅうしげん》』九篇を著わして、藩主に差し出した。ついで『急務条議《きゅうむじょうぎ》』を書いて上呈した。また外国人が、横暴で不法なことの多かったのを、先に見て知っていたので、それを憎く思い『接夷私議《せついしぎ》』をも作った。

ちょうどこの頃、幕府はペリーの親書を公開し、諸侯の意見を求めた。僕は同志のものたちと議論し、いやしくも二、三人の秀れた藩主が、互いに力を合わせて協力し、正当な処置を下して俗説を排したならば、国民の意見も必ず一致するに違いないと藩政府に進言した。政府はこの時勢を深（観）察して、この国家の重大問題は、一つの藩だけで切り抜けることは出来ないと弱言をいった。そして僕たち同志の意見を、気の狂ったおろかなもので、事態がよくわかっていないものだともいった。

僕は佐久間象山に師事し、象山の考えに深く敬服し、問題が起こるたびに裁下を仰いでいた。象山もまた僕に目をかけて下さり、常に激励して「過《あやま》ちをしない人間が立派なのではない、過ちを改める人間が立派なのである。しかし過ちを改めるのはもちろん貴いことだが、その過ちの償《つぐな》いをすることの方が、より大切なことである。国家にとって多事多難なこの時に、なかなか人の出来ないことを進んでやり、立派な功績をあげることが、過ちを償う最良の方策である」といって下さった。

象山に購艦《こうかん》の説あるに及んで、余意《こころ》に期すらく、官或は斯《こ》の挙あらば、自ら請うて役に従ひ、万国の形勢情実を察観《さつくわん》せん、亦過を償ひ恩に報ずるの一端なりと。而して象山の説遂《つひ》に行はれず。

九月十八日、江戸を去り、西のかた長崎に到りしも、事意《ことこころ》の如くなるを得ず、十二月の季《すゑ》に及び、復《ま》た江戸に帰る。明年、夷船の下田に在るや、余、藩人(1)渋木《しぶき》生《せい》と竊《ひそ》かに夷船に駕《が》して海外に航せんことを謀り、事覚《あら》はれて捕《とら》へらる。初め渋木生役《えき》して江邸《かうてい》に在り、余の西遊《せいいう》必ず故あらんと意《おも》ひ、脱走して邸を去り、余を蹤《お》はんと欲す。余の江戸に帰るに及んで、来りて余(2)が寓居に投ず。

生人《せいひと》となり孱々《せんせん》たる小丈夫《せうぢやうぶ》のみ。然れども其の眼彩爛々として不屈の色あり。余固《もと》より之れを異《い》とし、悉《ことごと》く志す所を以て之れに告ぐ。生大いに喜び、是れより事を謀《はか》るや、勇鋭力前《ゆうえいりきぜん》、率《おほむ》ね常に余を起す。

余の西に遊ぶや、象山亦其の意《こころ》を察し、詩(3)を作りて之れを送る。余、捕《ほ》に就《つ》き、官其の行装《かうさう》を収む。装中《さうちゆう》に其の詩あり、因《よ》つて併せて象山をも捕へて獄に下し、余と生と亦江戸に送られて獄に下る。三人並びに吏に対して鞫《きく》せらる。九月十八日、官、三人の罪を裁して曰く、「意《こころ》国の為めにすと曰《い》ふと雖《いへど》も実に重禁を犯す、罪恕《ゆる》すべからず」と。因つて皆国に遣《や》りて禁錮《きんこ》せしむ。嗚呼《ああ》、余去年来謀《はか》りし所、上は国に忠ならず、下は身に名なし、辱《はづか》しめられて囚奴《しうど》となり、人皆之れを笑ふ。士として下才《げさい》を以て斯の世に生る、悲しいかな。

〈語釈〉

（1）渋木生　金子重輔。渋木松太郎は変名。長門の商人の子。才気あふれ地理に通じていた。松陰と共に米艦乗込みに失敗。獄死した。（2）余が寓居　江戸桶町河岸にあった鳥山新三郎宅。新三郎は確斎と号し儒学者であったが、尊攘の志厚く、塾を開き志士の育成に力を入れた。（3）詩　之ノ子霊骨アリ、久シク蹩躠《べっさつ》ノ群ヲ厭フ、衣ヲ奮フ万里ノ道、心事未ダ人ニ語ゲズ、則チ未ダ人ニ語ゲズト雖モ、忖度或ハ因ル有リ、送行シテ郭門ヲ出ヅレバ、孤鶴秋旻ニ横ハル、環海何ヅ茫々タル、五州自ラ隣ヲ為ス、周流形勢ヲ究メヨ、一見ハ百聞ニ超ユ、智者ハ機ニ投ズルヲ貴ブ、帰来須ラク辰ニ及ブベシ、非常ノ功ヲ立テズンバ、身後誰レカ能ク賓セン。

〈現代語訳〉

象山が幕府に軍艦を買い入れるよう建言していると聞いて、僕は心に期することがあった。本当に役人がその意見を採用するならば、進んでその役を買って出、世界情勢をつぶさに観察し、また過ちを償い、藩主の恩に報いることが出来るだろうと考えた。しかし不幸にも象山の意見は通らなかった。

九月十八日、僕は江戸を出発して、海外視察のため、長崎に停泊中のロシアの軍艦に乗り込もうと、遥《はる》か西の方、長崎まで行ったが、ことは思うように運ばなかった。十二月の末になって、再び江戸に帰って来た。翌年、アメリカの軍艦が下田に来るや、僕は同藩の渋木《しぶき》松太郎《まつたろう》（金子重輔《かねこじゆうすけ》）と、ひそかに外国船に乗り込んで、海外渡航を企てたが、これは発覚し、捕らえられた。はじめ渋木は役目で江戸藩邸にいたが、僕が長崎に向かって発《た》ったのは必ず何か理由があることだと思い、藩邸を脱走して、僕のあとを追おうとしたのである。僕が江戸に帰るや、僕の下宿先、桶町の鳥山新三郎の塾へやって来た。

渋木は外見は弱々しく、小柄であるが、その眼はランランとして、不屈な輝きがあった。僕は、彼がただの人間ではないと思っていたので、僕の考えていることは、すべて彼に打ちあけて話した。彼は非常に喜び、それからいろいろ計画を練ったが、いつも勇ましく、積極的で、むしろ僕が彼に発憤させられているようなものだった。

僕が長崎へ行こうとした時、象山は僕の気持を察して、詩を作り送ってくれた。そして僕が捕らえられた時、役人は僕の一切の荷物を取りあげたが、その中にその詩があったため、象山もまた一緒に捕らえられ、獄につながれた。僕と渋木も江戸に送られ獄につながれた。三人とも役人に罪を取り調べられた。九月十八日、役人は僕たち三人の罪を裁いて言った。「国のために止《や》むに止まれずやったとはいうものの、重い国法を犯したのであるから、その罪を許すわけにはいかない」と。よって皆、それぞれの国元に帰され牢に入れられた。ああ、僕が去年から計画していたことは、国のためには忠義とならず、自分自身にとっても名誉なことにはならなかった。辱かしめられて、囚人となり、皆の笑いものとなっている。まったく下らない人物としてこの世に生きている。実に悲しいことだ。

孫子曰く、「率然《そつぜん》は常山の蛇なり。其の首を撃てば則ち尾至り、其の尾を撃てば則ち首至り、其の中を撃てば則ち首尾倶《とも》に至る」と。夫《そ》れ神州は東北は蝦夷に起り、蝘《えん》蜒《えん》委《ゐ》蛇《い》として西南のかた対馬《つしま》・流求《りうきう》に至る、長さ千里に亙《わた》りて広さ百里に過ぎず。是れ常山の蛇に非ずや。首至り尾至る、豈《あ》に其の術なからんや。

蓋《けだ》し畿内《きない》は所謂《いはゆる》六合《りくがふ》の中心にして万国の仰望《ぎやうばう》する所、皇京《くわうけい》の基、万世易《か》はることなし。故に吾れ嘗《かつ》て之れが策を為して曰く、京を去ること近くして地の便と為すもの伏見に若《し》くはなし、宜《よろ》しく大城を起して幕府と為し以て皇京を衛《まも》るべし。西に摂津《せつつ》・和泉《いづみ》あり、之れに備ふるに船艦を以てし、以て山陽・南海・西海《さいかい》を制し、東に伊勢・尾張あり、之れに備ふるに船艦を以てし、以て東海・陸奥《むつ》を制し、北に若狭・越前あり、之れに備ふるに船艦を以てし、以て山陰・北陸・出羽を制す、是に於《ここ》て諸道を制するの本立たん。諸道又備ふるに船艦を以てす、是に於て諸夷《しよい》を制するの具張らん。諸夷、諸道より皇京《くわうけい》に朝《てう》し、而して幕府に覲《きん》す、首至り尾至るも唯《た》だ意《こころ》の欲する所、以て進攻すべく、以て退守《たいしゅ》すべし。夫《か》の武蔵《むさし》の専《もは》ら海を一面に受け三面皆山にして、一たび賊の為めに海を扼《やく》せられなば、海運為めに絶ゆるが若きに非ざるなりと。

近世、輿地《よち》を論ずる者或は曰く、「山東に非ずんば以て天下を制するなし」と。是れ徒《いたづ》らに平・源以還《このかた》衰世《すゐせい》の跡を知れるのみにして、古昔 神聖雄略《しんせいゆうりやく》の由を知らざるなり。古昔 神聖常に雄略を存し、(1)三韓《さんかん》を駆使《くし》し、蝦夷を開墾したまふ、固《もと》より四夷を包括《はうくわつ》し八荒《はつくわう》を幷呑《へいどん》したまふの志あり。是の時に方《あた》りては、六合《りくがふ》の中を卜《ぼく》し京を建て畿《き》を定むるに非ずんば不可なり。衰世は則ち然らず、其の志《こころざし》小に其の略《はかりごと》微なり、僅《わづ》かに六十州を定むるのみ。故に以為《おもへ》らく、山東八州は沃野《よくや》千里、天府の国なり、是れに若《し》くものなしと。噫《ああ》、後世常に見聞に慣れて非常に駭《おどろ》き、率然《そつぜん》の勢を審《つまびら》かにせず、亦何ぞ与《とも》に経国《けいこく》の略を講ずるに足らんや。

〈語釈〉

(1) 三韓　高句麗・百済・新羅を指す。

〈現代語訳〉

『孫子』には、「常山《じょうざん》には率然《そつぜん》という名の蛇がいて、この蛇はもし首を撃たれると尾が立ち上って敵に向かい、尾を撃たれると首が攻撃し、また真中を撃たれると首も尾も両方が敵に向かってゆく」とある。日本は東北方の果は北海道であり、それから曲りくねって蜒々《えんえん》と伸び、西南方の果ては対馬《つしま》、琉球《りゅうきゅう》にまで達している、長さは千里もあり、幅はわずか百里ほどしかない。だからこれは常山の蛇と同じことではないだろうか。首が攻撃したり尾が攻撃したりすることが出来る。どうして打つ手がないといえるのか。

ところで畿内は、いわゆる天地四方の中心であって、日本中の人間が仰ぎみる所であり、皇都《こうと》として、永遠に変ることのない土地である。だから僕はかつて対策案を出したことがある。京都に近く、土地の便にすぐれているのは、伏見《ふしみ》以外にはない。だから大きな城を築き、ここを幕府として京都を守るべきであると。西には摂津《せっつ》・和泉《いずみ》があり、ここに軍艦を配備して、山陽・南海・西海をおさえ、東には伊勢・尾張があるから、ここに軍艦を配備し、東海・陸奥をおさえさせ、北には若狭・越前があるから、ここにも軍艦を配備し、山陰・北陸・出羽を制御させれば、これで諸道を制する基礎が確立するというものである。また諸道に軍艦を配備すれば、これでいかなる外国の侵略にも対抗出来る。諸外国の使節は、諸道より京都に参内し、そしてまた幕府に出勤する。首が攻撃するのも尾が攻撃するのも思うがままになり、進んで攻め、あるいは引きさがって守るべきである。さきに取り上げられた武蔵（江戸）は、一方を海に、他の三方はみな山に囲まれているので、ひとたび外敵のために海を押えられれば、海運がすべて絶えてしまう、という危険がある。しかし近畿ではこの恐れはなくなるといえよう。

最近、地勢を論じている者が、「関東でなければ、日本全国を制することは出来ない」と言ったが、これは、ただいたずらに、平家・源氏が天下を治めて以来の、日本の衰亡の歴史を知っているだけのことで、遠く古代の神聖雄略《ゆうりやく》天皇の治績を知らないものである。この天皇は武雄たかく、三韓を征服し、蝦夷を開墾された。もとより天皇は周囲の諸外国を従えさせ、天下宇宙を自分の手のもとに統治しようと志された。こうした時には、天地四方の中心を選んで都を建設し、天皇の直轄地をその周りに作らなければならないのである。ところが衰亡の時代はそうではない。志は小さく、行なうことも微々たるもので、わずか六十州を統治しているに過ぎない。だから関東八州は、千里に広がる豊かに肥えた土地で、実りも多いから、これ以上の土地はないと簡単に思い込んだりする。ああ、後世の者は、ただ日常の平穏に慣れてしまって、非常事態におどろき、いつ何が起こるかわからないということを確かめようともしない。どうしてこのような者と一緒に国を治めて行く方策を話し合ったりする必要があろうか。

築城の制、稲城《いなぎ》・柵城《さくじやう》は尚《ふる》し。(1)古昔は地を掘《ほり》りて溝と為し、土を堆《うづたか》くして塁《とりで》と為す、其の制甚だ粗なり。平信長安土《あづち》に築くに及んで、西洋の法を参《まじ》へ取り、寖《や》や堅高たり。諸国摸倣し、城制遂に大いに変ず。(2)北条・山鹿(3)の諸家出づるや、更に城郭陰陽の法を論じ、規矩《きく》又大いに備《そな》はれり。然れども時無事に属し、之れを実地に施す者幾《いくば》くもなし。近時、西洋諸国専《もは》ら礮碽《はうこう》を以て攻守を為す。是《ここ》に於て築城の制大いに変革あり。其の書荷蘭《オランダ》より伝はり、鑿々《さくさく》として考ふべし。然れども吾れ謂《おも》へらく、国に異制あり、人に新意あるは固《もと》よりなり、苟《いやしく》も俊才巧思《しゅんさいこうし》の人ありて、諸国を周遊し名城堅砦《けんさい》を歴観《れきくわん》し、又彼の所謂築城家なる者と弁論講究し、必ず至極を求め、然る後に伏見の大城を起し、以て諸道の模範と為し、其れをして稍ゝ《やや》改築せしめば斯《すなは》ち可なり。然らずして徒《いたづ》らに二百年前の遺制を恃《たの》み、以て夫《か》の弾丸雨集の衝《しょう》に当る、亦危ふからずや。

〈語釈〉

(1) 平信長　織田信長。戦国大名。戦国の乱立時代に統一政権の樹立に努力した。偉業半ば、本能寺で明智光秀に暗殺され、豊臣秀吉があとを継いだ。(2) 北条　北条氏長。幼時より兵書を好み、小幡景憲に師事し甲州流軍学の奥義を究め、のち一家をなし北条流とした。(3) 山鹿　山鹿素行。兵学者、儒学者。儒学を林羅山に、兵学を小幡景憲、北条氏長に学んだ。朱子学を批判し古学を興したが、そのため赤穂に流された。

〈現代語訳〉

城を築く方法であるが、稲などを家の周囲に積み重ね、矢や石を防禦《ぼうぎょ》した稲城《いなぎ》や、竹や木を荒く組んで囲った柵城《さくじょう》はずっと古いものである。古代は地面を掘って溝を造り、土をうずたかく積みあげて砦を作ったが、これははなはだ粗末なものであった。織田《おだ》信長《のぶなが》が城を安土に築くにあたって、はじめて西洋の方法を取り入れ、ようやく立派なものが出来るようになった。諸国の大名はこれを模倣し、こうして城の造り方は大変化を遂げた。北条氏長・山鹿素行が現われるに至って、さらに城郭陰陽の法というものを論じて、建築法がおおいに進歩し方式が定まった。しかし平和な時代が続いたため、これを実際に試してみる者は、幾人もいなかった。最近、西洋の諸国は、もっぱら大砲や銃で戦争をする。ここにいたってまた城を築く方法は大きく変った。その書物がオランダより伝わっている。よくよく勉強してみる必要があるようだ。しかし国によって、またそれぞれ異なったやり方があり、人がかわれば、新しいことを考えつくということは当然のことである。だから才能にも恵まれ、思慮深い人間がいて、諸国を周遊し、名城堅砦を一つ一つ見て歩き、またそこの築城家といわれる者たちといろいろ意見を交換し、必ず最高のものを学び取り、その後に伏見に大きな城を築き、他の模範とさせ、場合に応じて少しずつ改築してゆくようにすれば一番よいことである。そうでなくて、ただいたずらに二百年前のやり方に固執して、雨あられと降る外国人の弾丸を受け止めようというのは、まったく危険なことではないだろうか。

大城の下、宜《よろ》しく兵学校を興し、諸道の士を教へ、学校中に操演場を置きて礮銃《はうじゆう》歩騎《ほき》の法を習はし、方言科《はうげんくわ》を立てて荷蘭《オランダ》及び魯西亜《ロシア》・米利堅《メリケン》・英吉利《イギリス》諸国の書を講ずべし。礮銃歩騎は本邦の古法固《もと》より用ふべきものあるも、更に荷蘭《オランダ》諸国の法を求めて、其の未だ備はらざる所のものを補ふべし。荷蘭の学は大いに世に行はるるも、魯西亜・米利堅・英吉利の書に至りては、未だ善く読む者あるを聞かず。見今《げんこん》諸国の舶交ゝ《こもごも》吾が邦に至る。吾が邦の人乃《すなは》ち其の方言を詳《つまびら》かにせずして可ならんや。且つ技芸《ぎげい》の流、器械の制、諸国各ゝ新法妙思あり、荷蘭の訳撰《やくせん》を経て来るものも亦以て其の概《がい》を観《み》るべし。然れども何ぞ各ゝ其の国の書に就きて之れを求むるに若《し》かんや。

今宜しく俊才《しゅんさい》を各国に遣《つか》はして、其の国の書を購《あがな》ひ、其の学術を求めしめ、因つて其の人を立てて学校の師員《しゐん》と為すべし。又漂民の国に帰り、夷人の投化せる者を求めて、亦之れを学校の中に置き、其の聞見知識せる所を問へば、則ち益を広むるの方《はう》なり。

器械技芸は年を逐《お》ひて変革し、思慮に始まりて試験に成ること素《もと》より華夷なし、何ぞ都鄙《とひ》あらん。然れども遠方遐陬《かすう》は往々旧を執り古に泥《なづ》み頑鈍固陋《ぐわんどんころう》なる者あり。故に諸道の侯伯《こうはく》をして万石ごとに才士一人を貢《すす》めて留学三五年ならしめ、又巧思《かうし》を出し新制を創《はじ》むる者あらば、額外に之れを貢めて遍《あまね》く其の伝を広めしむるも亦益を広むるの方《はう》なり。今の急務、安《いづく》んぞ此れに過ぐるものあらんや。

〈現代語訳〉

大城を築けば、その下に兵学校を作り、諸国の武士を教育し、学校の中に練兵場《れんぺいじょう》を作って、砲兵・銃兵・歩兵・騎兵のことについて学ばせ、外国語科を設けて、オランダ・ロシア・アメリカ・イギリス諸国の書物を講義すべきである。砲兵・銃兵・歩兵・騎兵については、日本にも古くからのやり方があり、採用すべきものもあるが、さらにオランダや諸国のやり方を学び、その取り入れるべき所は取り入れなければいけない。オランダの学問は、おおいに日本では行なわれているが、ロシア・アメリカ・イギリスの書物に至っては、まだ十分読める者がいるとは聞いていない。今日、諸外国の船が、かわるがわる日本にやって来ている。日本人が、それら外国人の言葉を知らないでいていいのだろうか。技術の特別の方法や、機械の作り方など、それぞれの国によって、それぞれ新しい工夫がある。もちろんオランダ語に翻訳されたものでその概要を知ることが出来ないでもない。しかしそれぞれの国の書物で、直接に学ぶということ以上に、いい方法があるだろうか。だから優秀な人間を選び、各国に派遣し、その国の書籍を買わせ、その国の学問を修めさせたうえ、その人物に学校の教師をさせるといいのではないだろうか。また日本に帰り着いた漂流民や、日本に帰化した外国人を探し求め、彼らをもまた学校に招待し、いろいろとその見聞して来た知識について訊ねれば、われわれの受ける利益は大きいものと思われる。

機械や技術は年々変化進歩している。これらも初めは頭の中で考えられ、つぎに実際に試してみて、それから実用化されるということは、日本も外国も同じことである。どうして都会や村によって違いがあろうか。しかし遠い田舎《いなか》には、どうしても旧式のやり方に親しみ、保守的になって、頑固《がんこ》でどうにもならないという人間がいるものである。だから諸藩の藩主が、一万石につき一人の才能ある人物を選び、三年ないし五年ほど海外に留学させ、またいろいろ発明工夫をして、新しいものを創り出す者がいれば、さきの一万石に一人という割合の他に、その者を取り立て、広くその新しいものを広めるようにすれば、これもまた藩の利益を高める一つの方策だと思われる。ともかく、今日これ以上の急務はないといっていいだろう。

船艦《せんかん》の海国に於けるは、之れを獣の足あり鳥の翼あるに譬《たと》ふべし。幕府癸丑《みづのとうし》の変に懲《こ》りて大船の禁を除けるは、急務を知ると謂《い》ふべし。然れども西洋の制は未だ遽《はる》かに得易《やす》からず。洋書に依りて之れを制する、形は恰《あたか》も似たりと雖《いへど》も施し用《もち》ふれば則ち違ふ。蘭夷に命じて之れを海外に購《あがな》へるも、蘭夷未だ速《すみや》かに報いず。平象山船匠《たひらのざうざんせんしやう》を海外より傭ふの説あり、人を海外に遣はし便宜事《こと》に従ひ、以て軍艦を購ふの説あり。二説並びに当今の急務にして、未だ施行《しかう》せられず。今或は先づ一才俊《いちさいしゆん》を海外に遣《つか》はし、造船売船の所処《しよしよ》を廉知《れんち》し、然る後に前の二説を行はば、事を挙げて敗墜《はいつゐ》することなきに庶《ちか》からん。

〈現代語訳〉

海国にとって船艦というものは、獣の足や、鳥の翼に匹敵するものである。幕府は嘉永六年のあの事件にこりて、大船建造の禁止令を廃止したということは、ともかくも急務を心得ていたといえる。しかし西洋の技術は、まだそうたやすくは理解出来ない。洋書によっていろいろ学び、実際に試みているが、これも外見や形は似ているが、いざ使用してみるとまったく違っていたりする。オランダに頼んで船艦を海外に求めようとしたが、オランダはまだこれにこたえてくれない。佐久間象山は船大工を海外より傭うべしと主張していた。また別にこちらから秀れた人間を選んで外国へ送り、いい軍艦がうまく手に入れば、それを買わせるべきだとも主張していた。どちらの主張も、とにかく現在日本が急いで行なわねばならないことなのだが、未だに実行の運びになっていない。今はともかく、誰か一人の秀れた人物を海外に派遣し、造船・売船のことをよく学ばせることである。その後に先の二説を実行すれば実際に事を運んだ場合も、失敗せずに済むに違いない。

　諸道の侯伯、京師《けいし》に朝《てう》し幕府に覲《きん》するに皆船艦を用ひて海路よりせば、則《すなは》ち将士《しやうし》は海勢に習ひ、船具は虚套《きよたう》なく、緩急《くわんきふ》も用を為すに足らん。且つ諸道盛んに船艦を造らば、則ち或は尾大掉《ふる》はざるの慮りあらんも、今朝覲《てうきん》の日皆船艦を用ふるときは、東海・陸奥の船は半ば伊勢・尾張の海に在り、山陰・北陸・出羽の船は半ば若狭・越前の海に在り、山陽・南海・西海の船は半ば摂津・和泉の海に在り、以て京師を護《まも》り幕府を衛り、一旦外征には則ち数十の軍艦檄《げき》に応じて立ちどころに艤《よそほひ》し、其の便以て尚《くは》ふるものなし。

或は謂《い》はん、東海・東山の二道は専《もは》ら侯伯往来《わうらい》の利を仰ぐ、今、侯伯皆海路よりせば、駅馬《えきば》逓夫《ていふ》、旅舎《りよしや》市廛《してん》、一旦にして利を失ひ、群起して盗とならずんば、流亡して丐《かつ》とならんと。吾れ謂《おも》へらく、船艦の備は必ず積むに歳月を以てし、固《もと》より一旦にして具《そな》ふべきに非ず。若《も》し二道の民をして漸《ぜん》に其の業を移さしめば、固より盗となり丐となるに至らざるなり。況《いはん》や船艦備はると雖《いへど》も、陸路行を絶つに非ざるをやと。

〈現代語訳〉

諸藩の藩主が、京都の朝廷に参内し、幕府に参覲《さんきん》するのに、皆が船艦を使って海路から行くようにすればよい。そうすれば藩士たちも海の様子についていろいろと学び、船具も実際に役立ち、緩急の用にも間に合うようになる。しかし諸藩が盛んに船艦を造るようになれば、あるいは、幕府の下につくべき諸藩が強くなって、上に立つべき幕府の力が弱まるという恐れもある。しかし今朝廷に参内するのに、皆が船艦を用いれば、東海・陸奥の諸藩の船は、そのほとんどが伊勢・尾張の海に船首を並べることとなり、山陰・北陸・出羽の諸藩の船は、そのほとんどが若狭・越前の海に集まることとなる。また山陽・南海・西海の諸藩の船は、そのほとんどが摂津・和泉の海にあり、それらが京都及び幕府を守護し、またひとたび外征ということになれば、すぐに数十の軍艦が命令一下、戦闘態勢を整え出撃することが出来る。これほど便利なことはまずないであろう。

しかし、東海・東山の二道にある諸藩は、もっぱら他の藩主たちの往来によって、その利益を得ているので、いま藩主たちが皆海路をたどれば、駅馬や人夫や旅館や商店が、忽《たちま》ちのうちに失業ということになる恐れもある。そこで彼らは一群となって盗賊化するか、あるいは流亡して物乞いになるだろうという者もいる。しかし船艦を装備するといっても、しばらくは歳月もいることで、一朝一夕《いっちょういっせき》に出来上るものではない。僕はもしこの二道の人民が、その間に少しずつ職業を変えて行けば、盗賊になったり物乞いになったりすることはないと思う。いわんや船艦が出来たからといって、陸路をまったく通らなくなるというものでもないではないか。

(1)延喜式を按《あん》ずるに、諸道の運漕《うんさう》、畿内《きない》及び東海・東山・山陰三道の諸国は陸路を運び、北陸道の諸国は敦賀津《つるがのつ》に漕《さう》し、敦賀より塩津《しほつ》に運び、塩津より大津に漕し、山陽・南海二道の諸国は与等津《よどのつ》に漕し、太宰府《だざいふ》は難波津《なにはづ》に漕す。

〈語釈〉

(1) 延喜式　藤原時平・忠平らが、醍醐天皇の命により編集した法制書。弘仁・貞観に並ぶ三代式の一つ。五十巻。のちの政治のよりどころとなった。

〈現代語訳〉

延喜式《えんぎしき》を見ると、諸道の荷物運送について、畿内および東海・東山・山陰の三道の諸国は、陸路を通り、北陸道の諸国は敦賀の港に海漕し、その敦賀より、近江国の琵琶湖《びわこ》北岸にある塩津に運び、塩津より大津に運漕したとある。山陽・南海の二道の諸国は、山城国の淀に運び、太宰府《だざいふ》は難波の港に運漕したとある。

皇和《くわうわ》の邦《はう》たる、大海の中に位して、万国之れに拱《こまね》く。凡《おほよ》そ地の勢、其の近きものは害を為すこと切にして、遠きもの之れに次《つ》ぐ。是れ古今の通論《つうろん》なり。古は船艦未だ便ならざれば、海を恃《たの》みて険と為せしも、後世船艦日ゞに巧《たく》みに航海日ゞに広く、古の恃みて以て険と為せし所のもの反つて賊衝《ぞくしよう》となれり。火輪《くわりん》の舶《はく》作らるるに及んで、其の制益ゞ《ますます》巧みに其の行益ゞ広く、海外万里《かいぐわいばんり》も直《ただ》ちに比隣《ひりん》となる。是《ここ》に於てか海を隔《へだ》つるもの患《くわん》を為すこと急にして、陸を接するもの是れに反す。

神州の西を漢土《かんど》と為し、(更に) 海中の諸島及び亜弗利加《アフリカ》の喜望峰と為す。漢土は土地広大、人民衆多《しゅうた》にして、其の海を隔てて近きものなり。近ごろ聞く、英夷(1)の寇あり、(2)明裔《みんえい》の変ありと。若《も》し洋賊をして其の土に蟠踞《ばんきよ》せしめば、患害《くわんがい》勝《あ》げて言ふべからざるものあらん、而《しか》して吾れ未だ其の帰着を詳《つまびら》かにせず、察《さつ》せざるべからざるなり。且つ其れ広東《カントン》の互市《ごし》と諸島・喜望峰とは皆万国の要会《えうくわい》たり、以て四方の新聞を得べし。

神州の東を米利堅《メリケン》と為し、東北を加摸察加《カムサッカ》と為し陝都加《オコック》と為す。神州の以て深患《しんくわん》大害と為す所のものは話聖東《ワシントン》なり、魯西亜《ロシア》なり。而して魯西亜の国都は海外《かいぐわい》 万里《ばんりの》極《きよく》西北の地に在り、其の神州を謀《はか》るに於て勢甚《はなは》だ便ならず。然《しか》れども其の東辺は我れと一《いっ》水《すゐ》を隔《へだ》つるのみ。且つ近ごろ火輪船《くわりんはく》に乗じ、来りて界を議し締交《ていかう》を求む。安《いづく》んぞ之れを遠しと謂《い》ふを得んや。其の無事今日に至りしは、其の地近しと雖《いへど》も荒寒《くわうかん》不毛、兵寡《すくな》く艦少なきを以てのみ。近ごろ聞く、加摸察加・陝都加、稍々《やや》艦を備へ兵を置き、隠然大鎮《だいちん》となると。若し其れをして兵足《た》り艦具《そな》はらしめば、其の禍固《もと》より踵《くびす》を旋《めぐ》らさざらん、而《しか》して吾れ未だ其の要領《えうりやう》を得ず、察せざるべからざるなり。

〈語釈〉

（1）英夷の寇　アヘン戦争。一八四〇年、アヘンをめぐってイギリスと清国に起こった戦争。清国は敗れ、中国の半植民地化の道を開いた。この事件は日本の有識者に大きな衝撃を与えた。（2）明畜の変　太平天国の乱。一八五〇年、洪秀全が引き起こしたもの。アヘン戦争の敗北により衰退した清を倒そうと漢族を率いて起こされた。長髪賊の乱とも呼ばれる。

〈現代語訳〉

日本は大海のなかに位置しているため、世界各国がなんとかこれに手を出そうと考えている。地理的な関係上、やはり近隣の諸国は遠い国よりは侵略することが多い。これは昔も今も同じことで、考えてみれば当然のことである。昔はまだ船艦の利便がよくなかったため、海が大きな要害となっていた。ところが時代が進むにつれて船艦も日に日に立派なものが出来るようになり、その航海範囲もどんどんと広がっていった。昔は大きな要害であった海も、いまではかえって侵入口になってしまっている。蒸気船が作られるようになってからは、ますます装備もよくなり、航海範囲も拡大され、海外万里の彼方へ行くにも、たちまちのうちに隣りへ行くのと同じだという工合になってしまった。このためか、遥か海を隔てた国が侵略を受けることが多くなり、むしろ反対に陸続きの国々ではそういうことがなくなって来ている。

日本の西は中国で、さらにその向こうの洋上には島々があり、そしてアフリカの喜望峰《きぼうほう》にまで至る。中国は土地が広大で、人民も多く、日本と海を隔てている国では、もっとも近いものである。最近イギリス人が侵略し、アヘン戦争が起こり、また洪秀全《こうしゅうぜん》が太平天国《たいへいてんごく》の乱を起こしたという。もし西洋の賊軍がその国を占領すれば、その被害は甚大なものである。まだ僕はアヘン戦争の結着がどうなったか知らないが、このことは無視出来ないことである。それに広東《カントン》の貿易場、南海の諸島及び喜望峰は、すべて世界各国の人間や物資が集まってくる場所であり、そこでいろいろな新しい情報を得る必要がある。

日本の東はアメリカであり、東北はカムチャツカ、オホーツクである。日本にとっての一番患いとなり大敵となるのは、アメリカでありロシアである。しかしロシアの首都は海外万里の彼方、西北の果てにあり、日本を侵略するには、甚だ不便である。とはいうものの日本はそのロシアの東の境と、ただ海一つを隔てるだけなのである。しかも近ごろは蒸気船に乗って訪れ、境界について議論し、国交を求めている。どうしてこれで、ロシアを遠い所にある国だとのんびり構えていられようか。ただ今日まで無事であったのは、東辺は近いといっても荒野が多く寒冷で、不毛なうえに兵隊が少なく、軍艦も数多くなかったからである。ところが最近聞くところによると、カムチャツカ、オホーツクなどにようやく軍艦を配備し、兵隊を置き、一大軍事拠点を作っているということである。もしロシアが、十分に兵隊を集め、軍艦を備えれば、その禍《わざわい》が日本に及ぶのは、時間の問題だろう。それだのに、まだ日本人はそのことをよく理解していない。このままほうっておいて良いことではない。

話聖東《ワシントン》は則ち弥利堅《メリケン》洲中に在りて最も張《は》り、漸《ぜん》に比隣を蚕食《さんしょく》しこれを会盟《くわいめい》に列す。而して其の地は其の洲の東辺に在り、我れと相隔《あひへだ》たること魯西亜《ロシア》より遠し。今や其の会盟に列して其の西辺に在るもの往々《わうわう》にしてあり、葛利火爾尼亜《カリホルニア》の如き正に我れと相対し、海を隔てて近きものなり。数年来亦火輪船に乗じ屢〻《しばしば》来りて吾れに逼《せま》り、吾れ卒《つひ》に地を仮《か》し貢を容《い》るるに至る。然れども其の邦《はう》を造《な》すこと古《ふる》からざれば、吾れ未だ其の詳《しやう》を得ず。且つ其の洲の広大なる、南北極の間に亙《わた》れば、安《いづく》んぞ話聖東の如きもの更《さら》に其の間に出づることなきを知らんや。若し其れをして互《たがひ》に来り迭に侵《をか》し、我が土地を貪《むさぼ》り我が貨財を利せしめば、則ち其の禍将《まさ》に魯西亜に加《まさ》るものあらんとす、察せざるべからざるなり。

濠斯多辣利《オウストラリア》の地は神州の南に在り、其の地海を隔てて甚《はなはだ》しくは遠からず、其の天度《てんど》正《まさ》に中帯《ちゆうたい》に在り。宜《むべ》なり、草木暢茂《さうもくちやうも》し人民繁殷《はんいん》し、人の争ひ取る所となるも。而して英夷開墾《かいこん》して拠《よ》るも僅《わづ》かに其の十の一なり。吾れ常に怪しむ、苟《いやしく》も吾れ先づ之れを得ば、当に大利あるべしと。

朝鮮と満洲とは相連《あひつらな》りて神州の西北に在り、亦皆海を隔てて近きものなり。而して朝鮮の如きは古時我れに臣属《しんぞく》せしも、今は則ち寖《や》や倨《おご》る、最も其の風教《ふうけう》を詳《つまびら》かにして之れを復《かへ》さざるべからざるなり。

〈現代語訳〉

ワシントンはアメリカの諸州の中で一番勢力を持ち、次第次第にその力を拡げ、諸々の州をその会盟下においた。ワシントンはアメリカの東側にあって、日本との距離はロシアよりも遠い。ところが今やアメリカの西側の諸州もワシントンと同盟を結ぶようになった。カリフォルニアなどは、日本とちょうどあい対していて、海一つを隔てるだけの近いものである。ここ数年来、蒸気船に乗って、しばしば日本にやって来て和親通商のことを求め、ついに日本もそれに同意することとなった。しかしアメリカは国となってからまだ新しいので、僕はまだくわしいことについては、よく知らない。しかしアメリカ全土の広大なことは、南極から北極にまで及ぶというのである。だからどうしてワシントンが、これ以上の野望を抱かず、これだけで満足しているということがあるだろうか。もし彼らが侵略して来て、日本の財貨を横奪《おうだつ》すれば、その被害は、ロシアが攻めて来た時以上のものがあるだろう。肝に銘じてこのことは考えてみる必要がある。

オーストラリアは日本の南にあって、海を隔ててはいるが、それほど遠くでもない。その緯度はちょうど地球の真中あたりになっている。だから草木は繁茂し、人民は富み栄え、諸外国が争ってこの地を得ようとするのも当然なのである。ところがイギリスが植民地として開墾しているのは、わずかその十分の一である。僕はいつも、日本がオーストラリアに植民地を設ければ、必ず大きな利益があることだと考えている。

朝鮮と満洲はお互いに陸続きで、日本の西北に位置している。またいずれも海を隔て、しかも近くにある。そして朝鮮などは古い昔、日本に臣属していたが、今やおごり高ぶった所が出ている。何故そうなったかをくわしくしらべ、もとのように臣属するよう戻す必要があろう。

凡《およ》そ万国の我れを環繞《くわんねう》するもの、其の勢正《まさ》に此《か》くの如し。而《しか》して我れ茫然《ぼうぜん》手を拱《こまぬ》きて其の中に立ち、之れを能《よ》く察することなし、亦危《あや》ふからずや。夫《そ》れ欧羅巴《ヨーロッパ》の洲たる、吾れを去ること甚だ遠く、古時我れと相通《あひつう》ぜざりしも、船艦便を得るに及んでは、葡萄牙《ポルトガル》・西班雅《イスパニア》・英吉利《イギリス》・払郎察《フランス》の如き、乃《すなは》ち能《よ》く我れを朶頤《だい》し、我れ亦以て患《くわん》と為す。近時火輪の船、国として之れなきはなく、遠きこと欧羅巴の如きも猶《な》ほ比隣の如し。況《いはん》や前に称《のべ》し所の数者をや。然《しか》りと雖《いへど》も是れ特《た》だ伝聞《でんぶん》の得たる所、文書の記する所然《しか》りと為《な》すのみ。其の果《はた》して然るや否《いな》や、遂《つひ》に未だ知るべからざるなり。安《いづく》んぞ俊才《しゅんさい》を得て海外に遣《つか》はし、親しく其の形勢の沿革、船路の通塞《つうさい》を察するに如《し》かんや。

日升《のぼ》らざれば則ち昃《かたむ》き、月盈《み》たざれば則ち虧《か》け、国隆《さか》んならざれば則ち替《おとろ》ふ。故に善《よ》く国を保つものは徒《ただ》に其の有る所を失ふことなきのみならず、又其の無き所を増すことあり。

今急に武備を修め、艦略《ほ》ぼ具《そな》はり礮《はう》略ぼ足らば、則ち宜《よろ》しく蝦夷を開墾して諸侯を封建し、間《すき》に乗じて加摸察加《カムサツカ》・陝都加《オコツク》を奪ひ、琉球に諭し、朝観会同《てうきんくわいどう》すること内諸侯と比《ひと》しからしめ、朝鮮を責めて質を納れ貢《みつぎ》を奉ること古の盛時の如くならしめ、北は満洲の地を割《さ》き、南は台湾・呂宋《ルソン》の諸島を収め、漸《ざん》に進取《しんしゅ》の勢を示すべし。然る後に民を愛し士を養ひ、慎《つつし》みて辺圉《へんぎよ》を守らば、則《すなは》ち善《よ》く国を保つと謂《い》ふべし。然らずして群夷《ぐんい》争聚《さうしゅう》の中に坐し、能く足を挙げ手を揺《うごか》すことなく、而も国の替へざるもの、其れ幾《いくば》くなるか。

〈現代語訳〉

およそ世界の各国が、日本を取りまいている様子はこのようなものである。しかも日本は茫然としてただ手を組んで、その真中に立っているだけで、この恐るべき事態を十分に理解していない。こんなに危険なことがあるだろうか。ヨーロッパの各州は、日本を遥か遠くに離れ、昔も日本と交流はなかったが、船艦が出来るようになって、ポルトガル・スペイン・イギリス・フランスのような国々は、弱国日本を併合しようとしている。これも又、わが国にとっては憂である。最近では蒸気船を持たない国はなく、ヨーロッパのように離れていても、まるで隣国のようなものなのである。まして先に挙げたアメリカやロシアなどはいうまでもないことである。しかしこれもただ聞き伝えであり、書物に書かれていたことから理解したもので、はたして本当にこれが事実なのかどうか、いまだに確かめることが出来ないでいる。だから秀れた人物を海外に派遣し、実際にその形勢や沿革、それに航路をくわしく調べるという以上に、最良の策があるだろうか。

太陽は昇っていなければ傾き、月は満ちていなければ欠ける。国は盛んでいなければ衰える。だから立派に国を建てていく者は、現在の領土を保持していくばかりでなく、不足と思われるものは補っていかなければならない。

今急いで軍備をなし、そして軍艦や大砲がほぼ備われば、北海道を開墾《かいこん》し、諸藩主に土地を与えて統治させ、隙《すき》に乗じてカムチャツカ、オホーツクを奪い、琉球にもよく言い聞かせて日本の諸藩主と同じように幕府に参観させるべきである。また朝鮮を攻め、古い昔のように日本に従わせ、北は満州から南は台湾・ルソンの諸島まで一手に収め、次第次第に進取の勢を示すべきである。その後に人民を愛し、兵士を育て、辺境の守備をおこたらなければ、立派に国は建っていくといえる。そうでなくて、諸外国の争奪戦の真中に坐り込んで、足や手を動かさずにいるならば、必ず国は亡びてしまうだろう。

(1)孫武《そんぶ》兵《へい》を論ずる、専《もは》ら彼れを知り己れを知るを以て要《えう》と為す。之れを始むるに計を以てして曰《いは》く、「主孰《いづ》れか道ある。将孰れか能《のう》ある。天地孰れか得たる。法令孰れか行はるる。兵衆《へいしゆう》孰れか強き。士卒《しそつ》孰れか練《ね》れたる。賞罰孰れか明かなる」。之れを終《を》ふるに間《かん》を以てして曰く、「明君賢将《めいくんけんしやう》動いて人に勝ち、功を成して衆《しゆう》に出づる所以《ゆゑん》のものは、先づ知ればなり。先づ知るとは、鬼神《きしん》に取るべからず、事に象《かたど》るべからず、度《ど》に験《けん》すべからず。必ず人に取りて敵の情を知るものなり」と。

近年来、諸夷の舶競《はくあらそ》ひて我が邦《はう》に至る。而して其の主《しゆ》果して道あるか、将《しやう》果して能あるか、天地果して得たるか、法令果して行はるるか、兵衆果して強きか、士卒果して練《ね》れたるか、賞罰果して行はるるか、抑〻《そもそも》皆非なるか。先づ知るものあることなし。是れ徒《いたづら》に彼れを知らざるのみならず、亦己れを知らざるの甚《はなは》しきものなり。

癸丑《みづのとうし》の歳、合衆国は彼理《ペルリ》を遣はし、魯西亜《ロシア》は博婼丁《プチヤーチン》を遣はして我が邦に至らしむ。時に江都《かうと》の人或は曰く、「近世海外に三傑あり、而《しか》して彼理《ペルリ》・博婼丁《プチヤーチン》其の二に居り」と。嗚呼、海外の事、茫然《ばうぜん》として弁《わきま》ふることなく、適〻《たまたま》来り間する者あれば錯愕畏縮《さくがくゐしゆく》し、皆傑物なりと謂《い》ふ。慨《なげ》くべきかな、悲しむべきかな。

〈語釈〉

（1）孫武　孫子。中国春秋時代呉の武将。兵法をもって呉に仕えた。『孫子』は彼の著わした兵法書。後世改修され今日に伝わる。

〈現代語訳〉

孫子は、戦いについて、もっぱら敵を知り、己れを知ることが大切であると言う。まず戦いを始めるにあたっては、具体的な状況の判定にあたり、「いずれの君主が正しい政治体制をしているか。大将はいずれの能力が勝っているか。天地の条件はいずれが有利であるか。法令はいずれがよく行なわれているか。兵隊はいずれが強いか。部隊はいずれがよく訓練されているか。賞罰はいずれが厳正に行なわれているか」ということをよく調べる必要があると言い、最後に人情のことについてふれ「明君賢将《めいくんけんしょう》といわれる人たちが、戦えば必ず勝ち、功業を立て衆にぬきんでる理由は、まず事態をよく知るからである。よく知るということは、鬼神にたよるのでもなければ、経験によるのでもなく、また数字にたよるのでもない。必ずその地の人情を見て敵情を知ることなのである」と言っている。

近年来、諸外国の軍艦が争ってわが国にやって来ている。それではその国にははたして正しい政治体制があるのか。大将ははたして才能があるのか。天地の条件ははたして有利なのか。法令ははたして行なわれているのか。兵隊ははたして強いのか。部隊ははたしてよく訓練されているのか。賞罰ははたして厳正に行なわれているのか。それともすべてそうでないのか。日本人でまずこれらのことをくわしく知っている者はいない。これは、ただいたずらに敵を知らないばかりではなく、また自分をも知らないことにおいて甚《はなはだ》しいものである。

嘉永《かえい》六年（一八五三）、合衆国はペリーを遣《つか》わし、ロシアはプチャーチンをわが国に派遣して来た。時に江戸の人間たちは「現在、海外に三人の傑物がいる。ペリー・プチャーチンはそのうちの二人である」と言っていた。ああ、これでもわかるように海外のことについては、ただもう茫然として何一つ正しくは理解しようとしない。たまたま日本にやって来る外国人がおれば、ただただ恐れ畏縮して、誰でも彼でも皆傑物に祭り上げている。嘆くべきことであり、悲しむべきことである。


軍の間《かん》を用ふるは、猶ほ人の耳目あるがごとし。耳なくば何を以て聴かん、目なくば何を以て視ん。軍に間を用ひずんば、何ぞ独《ひと》り視聴のみならんや。我れ固《もと》より之れを用ひ、彼れ亦之れを用ふること、軍の常なり。故に善く戦ふ者は、我れの之れを用ふること至らざるを憂へて、彼れの之れを用ふるを恐れず。今は則ち然《しか》らず。宜《よろ》しく間を彼れに用ふべきに、而《も》も其の国事を洩らさんことを慮《おもんぱか》りて敢《あ》へてせず。彼れ間を我れに用ふ、我れ宜しく留めて以て反間と為すべきに、而も其の国情を窺《うかが》はんことを懼《おそ》れて為さず。噫《ああ》、何ぞ其れ惑へるや。

我れ実《じつ》ならんか、彼れに百の間ありと雖《いへど》も亦吾れを如何せん、却つて其の心を攻め其の謀《はかりごと》を沮《はば》むに足るなり。我れ虚ならんか、彼れに一の間なしと雖も我れ安《いづく》んぞ能《よ》く永く存せんや。我れに在りては然らず。強者、間を用ひざれば、宜しく趨《おもむ》くべき所を知らず、弱者、間を用ひざれば、宜しく避くべき所を知らず。今、人あり、己れの聾瞽《ろうこ》なるを憂へずして人の視聴を恐れなば、人将《は》た之れを何とか謂《い》はん。

〈現代語訳〉

戦争でスパイを使うのは、ちょうど人間に目や耳がありそれを使うのと同じことである。耳がなければ、何で物音を聞くのか。目がなければ、何で物を視るのか。戦争でスパイを使わないということは、ただ物が見えず、聞えない、といった程度の不便では済まされない。味方は勿論スパイを使い、敵もまたスパイを用いるということは、戦争では常識である。だから戦争になれた者は、味方がスパイを放たないのを憂えるが、敵がスパイを放つことには、恐れを抱かない。今の日本はそうではない。スパイを外国に放つべきであるのに、日本の国の事が洩《も》れると心配してそれをしない。外国はスパイを日本に送り込んでいる。それをうまく留めて逆スパイに使うべきだのに、日本のいろいろの事情を知られるのを恐れて、それもしない。ああ、いったいどうしてそんなに違っているのか。

かりに日本は国力が充実しているとする。外国が百人のスパイを送り込んでいるとしても、いったいわれわれをどうすることが出来るのか。かえってこちらが敵国を攻め、そのはかりごとをはばむことが十分に出来るではないか。あるいは、日本は国力が充実していないとする。外国がひとりのスパイを送っていないといっても、どうしていつまでものんびりとしていられようか。日本はそんなことをしてはいられないのである。強国は、スパイを使わなければ、どこを攻めてよいかわからず、弱国は、スパイを使わなければどこに逃れてよいのかわからないものである。今かりに一人の人間がいて、自分が目や耳が不自由なのを悲しく思わず、ただ他の人が物が見えたり聞こえたりするのをねたんでばかりいれば、皆はいったいこれを何というだろうか。

通信通市《つうしんつうし》は古《いにしへ》より之れあり、固より国の秕政《ひせい》に非ず。但だ当今の勢、力《つと》めて其の説を破らざるを得ざるものあり。古の国を建つる者は徒《ただ》に退いて守ることを為すのみならず、又進んで攻むるあり。而《しか》れども国を越えて之れを攻むれば、財力疲弊し国用支《ささ》へ難し。故に必ず糧《りやう》を敵に因《よ》り、償《しやう》を人に取る。是に於て通市の説あり。敵国の人悉《ことごと》くは殺すべからず、降《くだ》る者は之れを納《い》れ、服する者は之れを用ひ、小なる者は侯とし、大なる者は王とし、其れらをして我れに貢《こう》を奉《たてまつ》り賦《ふ》を致《いた》さしむ。是に於て通信《つうしん》の説あり。

神功の征韓以還《このかた》、列聖の為《な》したまふ所、史を按《あん》じて知るべきなり。今は則ち是れに異れり。外夷悍然《かんぜん》として来り逼《せま》り、赫然《かくぜん》として威を作《な》す、吾れ則ち首を俛《た》れ気《いき》を屏《と》め、通信通市唯《た》だ其の求むる所のままにして、敢《あ》へて之れに違《たが》ふことなく、佞《ねい》人《じん》の利口、乃ち或は之れを　列聖の義に附（会）す。是《か》くの如きもの、吾れ豈《あ》に其の邪説を縦《ゆる》すを得んや。夫《そ》れ水の流るるや自《みづか》ら流るるなり、樹《き》の立つや自ら立つなり、国の存するや自ら存するなり。豈に外に待つことあらんや。外に待つことなし。豈に外に制せらるることあらんや。外に制せらるることなし。故に能《よ》く外を制す。

〈現代語訳〉

和親通商ということは、昔にもあったことであり、もとより国家にとって、これを悪政だというのではない。ただ現在の日本の状勢からすれば、止むを得ず悪政としなければならないように思われる。古代、国家をうち建てた者は、ただ退いて自分の国を守るだけではなく、進んで攻撃をしたものである。しかし国境を越えて攻撃すれば、財力は疲弊《ひへい》し、国家財政は立っていかなくなる。だから必ずその糧は戦利品や捕虜《ほりょ》で補った。これを通商といったのである。敵国の人間を皆殺しにしたりはしないで、降参するものはこれを許し、服従するものはこれを用い、勢力の小さな者は侯とし、大きいものは王として存在させ、貢物や年貢を出させた。これを和親といったのである。

神功皇后《じんぐうこうごう》の三韓出兵以来、歴代の天皇のなされたことを、歴史を振りかえり、よく知るべきである。現在は、これとは全く異なっている。外国人は乱暴にも侵略にやって来て、堂々とその軍威を誇り威喝《いかつ》している。日本人は、ただ首をたれ、息を殺している。その和親通商も、ただ外国人の要求通りにして、あえてこれに反対しようともしない。言葉たくみに、のらりくらりと逃げる利口さを、日本人本来の特質として、歴代の天皇の中にもあったとするものもいるが、このような邪説を、どうして僕が許すことが出来ようか。水は自ら流れ、樹は自ら立っている。国が存在するのも、自分の力で存在しているのである。どうして外部に頼ることがあろうか。どうして外国人に規制される必要があるのか。反対に外国を規制しなければならない。

吾が党の事はこれを天下後世の公論に付して可なり。何ぞ以て深く意に寘《お》くに足らんや。今此の録を観《み》るに、間〻忿恨《ふんこん》の言あるを免《まぬ》かれず。少壮鋭烈《せうさうえいれつ》の気の乗ずる所に非ざるを得んや。是れ省《かへり》みざるべからざるなり。

〈現代語訳〉

われわれ同志の意見は、現在の日本や後世のすべての者の意見と照し合せても妥当する。どうして深く心中に止めておくに不足があろうか。今この『幽囚録』を見ると、ところどころ怒りや恨みの言葉があるのが目につく。少壮気鋭のあまり、こうなったのであろうが、少し反省する必要があるようだ。

＊　この段落は、佐久間象山が行間に書き加えた評。

謹《つつし》んで案《あん》ずるに、上世　聖皇《せいくわう》、威は殊方《しゆはう》を慴《おそ》れしめ、恩は異類《いるゐ》を撫《ぶ》したまひ、英《えい》図《と》雄略万世《ゆうりやくばんせい》に炳耀《へいえう》す。而して其の己《おの》れを虚《むな》しうして物を納《い》れ、人の長を採《と》りて己れの短を補《おぎな》ひ、彼れの有《う》を遷《せん》して我れの無《む》を贍《みた》したまふ、曠懐偉度《くわうくわいゐど》蓋《けだ》し亦後世の宜《よろ》しく師法《しはふ》とすべき所なり。余向《さき》に時事に感激し、身家を顧みず、奮《ふる》つて非常の功を為さんと欲す。而して天道《てんだう》の容《い》れざる所、公法の恕《ゆる》さざる所、繋縲《けいるゐ》に辱《はづか》しめられ、岸獄《がんごく》に困《くる》しめられ、特《ただ》に生きて国に益なきのみならず、又将《まさ》に死して身に垢《けがれ》あらんとす、亦悲しむべきのみ。

但だ平生の志磨《ま》せず折《くじ》けず、古史を読むごとに愈〻《いよいよ》益〻《ますます》慷慨《かうがい》す。是《ここ》に於て其の所謂炳耀《へいえう》し師法とすべきものを摘録《てきろく》し、人をして上世　聖皇の為したまふ所是《か》くの如《ごと》く、固《もと》より衰季苟且《すゐきこうしよ》の輪の如きに非ざるを知らしめんと欲す。然れども是れ特《た》だ十一を千百より挙《あ》げしのみ。若《も》し其の詳且つ備はれるものを求めんとせば、史に就《つ》きて之れを考へて可なり。

〈現代語訳〉

考えてみれば、遠い昔、天皇はその武威で諸外国を恐れさせ、その温い心は異邦人たちの心をなだめ、そのすぐれて雄大な計画は、世界中に輝き渡っていたのである。そして謙虚に物事を受け入れ、人の長所は採り入れ、自分の短所は補い、相手が富豊に持っているものを輸入し、自分に不足するものを満たされた。この雄大で偉大な度量というものは、まったく後世の者が学ばなければならない所である。僕は前に、現在の日本の社会の出来事に強い関心を抱き、身分や家庭のことも顧みず、どうにかしてこの非常事態が救えるような、立派な功績をあげようと願った。しかしこの僕の熱意は天の受け入れない所であり、法律に反することだったので、縄目の辱《はずかし》めを受け、牢獄に入れられた。いまとなってはもはや生きながらえても国家のためにもならず、またこのまま死んでも汚名だけが残ろうとしている。そう考えるとまったく悲しい限りである。

ただ平生からの志は忘れることも、くじけることもないので、古い歴史の書物を読むたびに、ますます国事に対する憤りと嘆きはつのるばかりである。だからここに、いわゆる古代の天皇の光り輝く事績を取りあげ、学び取らねばならない点について抜き書きした。そして、人々に天皇のなさったことをよく理解してもらい、僕の言っていることが、衰えた末世の、根拠のない根無し草のような愚かなものではないということをよくわかってもらいたいと思う。しかしこれはその百分の一を列挙したまでで、もっとくわしく知りたいものは、歴史書を読めばよい。

(1)孝安天皇の時、秦《しん》、長生不死の薬を我れに求む。我れ因《よ》つて(2)五帝三皇《ごていさんくわう》の書を彼れに求む。彼れ皆送致《そうち》す。

按《あん》ずるに、此の事　(3)神皇正統記《じんわうしやうとうき》に載す、確拠《かくきよ》なしと雖も、蓋し亦古来の伝説然るなり。而して上世の　聖皇《せいくわう》人より取りて善を為したまふの意は則ち見るべし。

(4)崇神天皇六十五年、任那国《みまなのくに》、蘇那曷叱知《そなかしち》を遣《つか》はして朝貢す。

(5)垂仁天皇二年、蘇那曷叱知還るに因り、絹を其の王に賜ふ。

三年、新羅王《しらぎわう》の子(6)天日槍《あまのひほこ》来り帰す、之れを但馬国《たじまのくに》に置く。

九十年、(7)田道間守《たぢまもり》を遣はして香菓《かぐのこみ》を常世国《とこよのくに》に求めしむ　(8)景行天皇の元年に至りて還る。

蘇那曷叱知《そなかしち》・天日槍《あまのひほこ》・田道間守《たぢまもり》の事を以て之れを推すに、吾が邦《はう》の諸〻《もろもろ》の韓国あるを知れること久し、固より　神功の時に始まるに非ざるなり。

景行天皇四十年、日本武尊《やまとたけるのみこと》をして東夷を伐《う》たしめ、俘《とりこ》にせし所の蝦夷《えぞ》を以て神宮に献じ、後これを畿外《きぐわい》に分ち置きたまふ。是れ播磨・讃岐・伊勢・安芸・阿波の佐伯《さへき》部《べ》の祖なり。

俘虜の夷を諸国に分ち置くこと、古に多く是の事あり。一は以て夷人の情態を得、一は以て戸口《ここう》の繁殖に資し、一挙して両利存す。

(9)仲哀天皇《ちゆうあいてんわう》九年、天皇崩じたまふ。皇后親《みづか》ら新羅(10)を征したまふ。新羅降る。因《よ》つて重《ちやう》宝府庫《はうふこ》を封《ふう》し、図籍文書《づせきぶんしよ》を収め、微叱己知《みしこち》を以て質《しち》と為す。(11)高麗《こま》・百済(12)も亦臣と称し貢《こう》を奉る。因《よ》つて以て内官家《うちつみやけ》を定む。

日本武《やまとたける》は皇子なり、神功は皇后なり。而して師《し》を率《ひき》ゐて遠征したまふこと此《か》くの如し。然れば則ち古の盛強なりし所以《ゆゑん》知るべし。

是の時、図籍文書《づせきぶんしよ》を収む。吾が邦《はう》に書ありしは固《もと》より応神(13)の前に在りしなり。質を納れ貢を奉らしむるは、夷を待つの法なり。

〈語釈〉

(1) **孝安天皇**　孝安天皇は第六代天皇。これは第七代孝霊天皇の誤り。秦は西暦紀元前一世紀から紀元一世紀にかけて存した中国の国名。(2) **五帝三皇**　上代中国の五聖君と伝説上の三天子のこと。誰を指すかは諸説がある。(3) **神皇正統記**　北畠親房（一二九三〜一三五四）の書いた歴史書。神代から天皇の事蹟、歴史の推移を述べ南朝の正統性を主張したもの。(4) **崇神天皇**　第十代天皇。大和朝廷の確立期に活躍した。任那は三〜六世紀に朝鮮半島南部にあった国。日本の勢力下にあった。(5) **垂仁天皇**　第十一代天皇。諸国に多くの池溝を開き、農事を奨励した。百四十歳で崩じたという。(6) **天日槍**　新羅の王子。国王の使として来日、のち日本に帰化した。(7) **田道間守**　田道間守は十年の後非時香菓《ときじくのかぐのこのみ》（橘）を持ち返ったが、すでに垂仁天皇はその前年に死に、彼は天皇の陵で泣き悲しみ、みずから命を絶ったといわれる。(8) **景行天皇**　第十二代天皇。日向の熊襲《くまそ》に親征、皇子日本武尊に熊襲・蝦夷を征伐させた。(9) **仲哀天皇**　第十四代天皇。神功皇后と共に熊襲を討伐したが、まず新羅を討つべしという神の託宣に背いたため没したという。（10）**新羅**　朝鮮半島南部の古代国家。唐と連合し六六八年高句麗を滅ぼし半島を統一した。（11）**高麗**　高句麗をさす。北朝鮮地方の古代国家。四世紀広開土王の時最盛期を迎えた。のち唐・新羅の連合軍に敗れた。（12）**百済**　南朝鮮の古代国家。日本と結んだが、新羅・唐の連合軍に敗れた。百済の文化は日本の古代文化に大きな影響を与えた。（13）**応神**　第十五代天皇。大和朝廷の勢力が、飛躍的な発展をとげた時期にあたる。

〈現代語訳〉

孝霊天皇の時、中国の秦の国は、わが国に不老長寿の薬を求めて来た。そこでわが国は、五帝三皇《ごていさんこう》の書を要求したところ、秦はそれらをことごとく送って来た。

考えてみるに、この事実は『神皇正統記《じんのうしょうとうき》』に載っている。確証がないとはいうものの、古い伝説は皆このことを伝えている。だから、上古の時代も、天皇はただ人の言いなりにならず、見返り物資を得ながら、交際をなさったということを、よく理解すべきである。

崇神《すじん》天皇六十五年、任那《みまな》国より蘇那曷叱知《そなかしち》が貢物を持って、朝廷にやって来た。

垂仁《すいにん》天皇二年、蘇那曷叱知が帰るので絹をその国の王に賜われた。

同三年、新羅《しらぎ》の王子天日槍《あまのひぼこ》が日本に帰化して来た。そこで但馬国に土地を与えられた。

同九十年。田道間守《たぢまもり》を海の彼方の国に派遣し、蜜柑《みかん》を求めさせられた。彼は景行《けいこう》天皇の元年にようやく帰って来た。

蘇那曷叱知・天日槍・田道間守のことを考えてみれば、わが国が、朝鮮にはいろいろな国があったということを知っていたのは、ずいぶんと古い昔からであることがわかる。神功皇后の時に初めて知ったというのは誤りである。景行天皇四十年、日本武尊《やまとたけるのみこと》に東方の蛮族を征伐させ、捕虜にした蛮人を神宮に献じ、またのちにはそれぞれを分けて畿外に住まわせられた。これが播磨・讃岐・伊勢・安芸・阿波の佐伯部《さえきべ》の祖である。

捕虜にした外国人を諸国に分けて住まわすことは、古代では多く行なわれていた。一つは外国人の心情・生活を知ることが出来、一つには人口の増殖となって、一挙両得であるからである。

仲哀《ちゅうあい》天皇九年、天皇がおなくなりになった。皇后が御自身で新羅に遠征を行なわれ、新羅は降参した。このため戦利の宝物は倉庫いっぱいとなり、絵画・書籍・文書も多く手に入り、微叱己知《みしこち》を人質とされた。高句麗《こうくり》・百済《くだら》も日本の臣下であると称して、貢物を朝廷に奉った。よって新羅に天皇の御料地を定められた。

日本武尊は皇子であり、神功は皇后であった。それであるのに軍隊を率いて遠征されたのである。古代には、いかに日本が強盛であったかということがこれでもよくわかる。

この時、絵画・書籍・文書を入手している。しかし日本にもこれ以前に書物があったことは当然で、応神天皇の前にすでにあった。

人質をとり、朝貢をさせるのは、外国人を待ち受ける一つの方法である。

神功皇后の摂政《せつしやう》五年、新羅《しらぎ》、使《つか》を遣はして朝貢《てうこう》す。微叱己知《みしこち》逃れ帰る。葛城襲津彦《かつらぎのそつひこ》、新羅に詣《いた》り草羅城《さはらの》を抜きて還る。是の時俘《とりこ》にせし所は桑原・佐糜《さび》・高宮《たかみや》・忍海《おしうみ》の四邑の漢人《あやひと》が祖なり。

三十九年、使を魏《ぎ》(1)に遣はす。四十年、魏の使来る。四十三年、使を魏に遣はす。

四十六年、斯摩宿禰《しまのすくね》を卓淳国《とくじゆのくに》に遣はす。

四十七年、新羅・百済、使を遣はして来貢す。時に新羅、百済の貢物を奪ひ相易へて献ず。千熊長彦《ちぐまながひこ》を新羅に遣はして之れを責む。

四十九年、荒田別《あらたわけ》・鹿我別《かがわけ》を遣はし、百済・卓淳の兵を以て新羅を討ちて之れを敗り、遂に比自炑《ひじほ》・南加羅《ありひしのから》・喙国《とくのくに》・安羅《あら》・多羅《たら》・卓淳・加羅の七国を平定す。五十年、荒田別・鹿我別及び千熊長彦至る。

六十二年、新羅、朝せず。襲津彦《そつひこ》を遣はして之れを伐つ。

師《し》を興《おこ》して三韓の無礼を討ちし事、冊《さつ》に相望《あひのぞ》む、今悉《ことごと》くは録《ろく》せず。国威の海外に震ふ、何ぞ其れ壮なるや。

応神天皇三年、東蝦夷朝貢す、役《つか》ひて厩坂道《むまやさかのみち》を作る。百済の辰斯《しむし》王、礼を我れに失す。我れ紀角宿禰《きのつぬのすくね》等を遣はして之れを責む。百済、王を殺して之れを謝す、便《すなは》ち阿花《あくわ》を立てて還る。

三韓の王を廃立すること、亦一二ならず。

七年、高麗《こま》・百済・任那《みまな》・新羅の人来朝す。(2)武内宿禰《たけのうちのすくね》に命じ、諸〻の韓人《からひと》を領《ひき》ゐて池を掘らしむ、韓人の池と号す。

十四年、百済、裁縫工女《きぬぬひめ》を貢す。

十五年、百済、阿直岐《あちき》をして馬を貢《こう》せしむ。因《よ》つて之れを飼養《しやう》せしむ。阿直岐善く経典を読む。太子菟道稚郎子《うぢのわきいらつこ》之れを師とす。阿直岐、王仁《わに》を薦《すす》む。十六年、王仁来り、論語《ろんご》十巻、千字文《せんじもん》一巻を献ず。

貢馬《こうば》の使を師とし、経典の教を受く、古の益を求むること亦切なり。

二十年、百済の阿知使主《あちのおみ》、其の子と部下十七県《ひきゐ》を以て来り帰す。

三十一年、新羅、能き匠者《たくみ》を貢す。是れ猪名部《ゐなべ》の祖なり。

三十七年、阿知使主等を呉《ご》に遣《つか》はして工女《ぬひめ》を求めしむ。四十一年、兄媛《えひめ》・弟媛《おとひめ》・呉《くれ》織《はとり》・穴織《あなはとり》の四工女を以て還《ひきゐ》る。

百済の人を用ひて漢土に遣はし、其の善く彼の国事に通知せるものを取れるなり。是《ここ》を以て事を挙げて敗るることなし。

〈語釈〉

（1）魏　中国、三国時代の王朝。呉・蜀と並ぶ。三国中最も勢力があった。（2）武内宿禰　記紀にのっている伝承的人物。景行・成務・仲哀・応神・仁徳の五朝二百四十四年間仕えたという。

〈現代語訳〉

神功皇后の摂政五年、新羅の国は使節を日本に派遣、朝貢した。この時、微叱己知《みしこち》は日本を逃がれ、帰国した。葛城襲津彦《かつらぎのそつひこ》は新羅に行き、草羅城《さわらの》を攻め落として帰った。この時捕虜にした者は、桑原・佐糜《さび》・高宮《たかみや》・忍海《おしうみ》の四村の漢人《あやひと》の祖先である。

同三十九年、使節を魏に派遣。四十年、魏の使節が来る。四十三年使節を魏に遣わす。

同四十六年、斯摩宿禰《しまのすくね》を卓淳国《とくじゅのくに》に派遣する。

同四十七年、新羅・百済、使節をよこし、貢物を届ける。その時新羅は百済の貢物を奪い、交換して献じた。千熊長彦《ちぐまながひこ》を新羅に行かせ、この行為を厳重に抗議した。

同四十九年、荒田別《あらたわけ》・鹿我別《かがわけ》を派遣し、百済・卓淳の兵隊を使って新羅を討ち、ついに比《ひ》自㶱《じほ》・南加羅《ありひしのから》・喙国《どくのくに》・安羅《あら》・多羅・卓淳・加羅の七ヵ国を平定した。五十年、荒田別・鹿我別及び千熊長彦がその地に行った。

同六十二年、新羅が朝貢を行なわなかった。襲津彦を派遣してこれを討伐する。

軍隊を出動させ、三韓の無礼な態度をこらしめたことは、書物に見えているが、今は全ては書きとめない。このように国威が海外に輝きわたっているということは、なんと壮大なことだろう。

応神天皇三年。東北地方の蛮族が朝貢をする。彼らを使役して、厩坂道《うまやさかのみち》を作った。百済の辰斯《しんし》王がわが国に対して、礼を失した行動をした。日本から紀角宿禰《きのつぬのすくね》らを派遣して、この責任を取るよう申し入れた。百済は辰斯王を殺し、謝意を表明した。そこで阿花《あか》を国王に立てて帰った。

こうして三韓の王を廃立したことは、一度や二度のことではなかった。

同七年、高麗・百済・任那・新羅の人間が日本にやって来た。武内宿禰に命じて、韓人たちを率いて池を掘らせた。その池を韓人《からひと》の池と名づけた。

同十四年、百済は裁縫工女《きぬぬいめ》を送ってよこした。

同十五年、百済は阿直岐《あちき》に命じ、わが国に馬を貢物として送ってよこした。そこでこれを飼うことになった。阿直岐は経典がよく読めた。皇太子の菟道稚郎子《うじのわきいらつこ》は彼を先生にした。阿直岐はまた王仁《わに》を推薦した。十六年、王仁がやって来て、『論語』十巻、『千字文《せんじもん》』一巻を献呈した。

貢物の馬を引き連れて来た使いの者を先生とし、経典の教えを受けている。古代の人が進んで新しいものを取り入れようとする態度は、このように真剣なものだったのである。

同二十年、百済の阿知使主《あちのおみ》は、自分の子供と、十七県の部下を率き連れ、日本に帰化した。

同三十一年、新羅は有能な技術者を送って来た。これは猪名部《いなべ》の祖である。

同三十七年、阿知使主などを呉に派遣し、工女《ぬいめ》を求めた。四十一年、兄媛《えひめ》・弟媛《おとひめ》・呉織《くれはとり》・穴織《あなはとり》の四工女を率き連れて帰って来た。

百済の人間を使い、中国に遣わし、そしてよくその国の事に通じている者を引き取ったのである。だからいったん事が起こっても敗れることはなかった。

(1)仁徳天皇十一年、堀江を開き、茨田堤《まむだのつつみ》を築く。是《こ》の歳、新羅の人朝貢《てうこう》す。是の役に労《はたら》かしむ。

　夷人を役《つか》ひて道を作り池を掘り堤を築く、豈《あ》に特《た》だ盛挙《せいきよ》を後代《こうだい》に示すのみならんや。蓋《けだ》し土功《どこう》には法《はふ》あり、異方人の為《つく》る所、亦或は我れに便なるものあり、取りて之れを用ふ、亦可ならずや。

四十一年、紀角宿禰《きのつぬのすくね》を百済に遣はし、其の国郡の疆場《きやうえき》を分ち、土物《くにつもの》を録せしむ。

(2)允恭天皇三年、天皇久しく篤疾《とくしつ》あり、使を新羅に遣はして医《い》を求む。医至りて之れを治す。未だ幾《いくば》くならずして愈《い》えたまふ。

四十二年、天皇崩じたまふ。新羅の人素服《そふく》して殯宮《ひんきゆう》に会す。

(3)雄略天皇五年、百済の王、其の弟軍君《こにきし》を遣はし入りて仕《つか》へしむ。

七年、吉備上道臣田狭《きびのかみつみちのおみたさ》を拝して任那の国司《こくし》と為す。

　任那に吾が管地《くわんち》あり、府を建てて兵を置き、司を任じて之れを鎮《しづ》む。三韓の動静を察して之れを控御《こうぎよ》する所以《ゆゑん》、甚だ其の術を得たり。

八年、身狭村主青《むさのすくりあを》・檜隈民使博徳《ひのくまのたみつかひはかとこ》を遣はし、呉に使せしむ。十年に至り、呉献ずる所の二つの鵝《おほかり》を得て還る。

高麗《こま》、新羅を伐つ。新羅、援《ゑん》を任那の日本府に請《こ》ふ。膳臣斑鳩《かしはでのおみいかるが》等新羅を救ひ、大いに高麗を破る。

十二年、身狭青《むさのあを》・檜隈博徳《ひのくまのはかとこ》を遣はし、呉に使せしむ。十四年に至り、呉の使と其の献ずる所の工女《ぬひめ》を以て還る。

継体天皇六年(4)、百済表《ふみ》して任那国の上哆唎《おこしたり》・下哆唎《あるしたり》・娑陀《さた》・牟婁《むろ》の四県を請ふ。哆《た》唎《り》の国守《こくしゆ》穂積臣押山《ほづみのおみおしやま》奏すらく、四県は保ち難し、之れを賜ふを便《べん》と為すと。大伴大《おほとものおほ》連金村《むらじかなむら》其の議を右《たす》け、遂に之れを賜ふ。或は曰く、二人、百済の賂を受けたりと。

物失ひ易《やす》くして復《ふく》し難し、何ぞ輙《たやす》く挙げて人に与へたる。是の後数年、朝廷百方復せんと欲して得ず、遂《つひ》に官府《くわんぷ》も亦滅ぶるに至る。時勢の然《しか》らしむると雖《いへど》も、抑ゝ《いよいよ》亦二人の罪大なり。

七年、百済、五経博士段楊爾《ごきやうはくしだんやうに》を貢す。十年に至り、高安茂《かうあんも》を遣はし之れに代らしむ。

〈語釈〉

(1) 仁徳天皇　第十六代天皇。難波に都し、農業の奨励、茨田《まんだ》堤などの開拓事業に力を入れ、海外への遣使派遣も多い。大和朝廷最盛期にあたる。（2）允恭天皇　第十九代天皇。大和遠飛鳥宮に遷す。氏姓の混乱を正すために盟神探湯《くがたち》を行なったといわれている。（3）雄略天皇　第二十一代天皇。『宋書』倭国伝に収められている上表文は有名である。（4）継体天皇　第二十六代天皇。在位中、山城・大和への遷都、任那四県の百済への割譲、磐井の反乱、仏教の伝来などがあった。

〈現代語訳〉

仁徳天皇十一年、堀や運河を開き、茨田《まんだ》の堤を築く。この年、朝貢に来た新羅の者を、この工事に使役した。

外国人を使って道を作り、池を掘り、堤を築いたのは、ただ国の勢いの盛んなことを後代に示すためだけではなかった。土木工事には、またいろいろとその方法があるから、外国人のやり方で、わが国に利用出来るものを学び取ろうとしたのである。これも立派なことだった。

同四十一年、紀角宿禰《きのつぬのすくね》を百済に遣わし、百済の国郡の境界を分け、特産物を調べて記録させた。

允恭《いんぎょう》天皇三年、天皇は長い間病気でおられたので、新羅に使いを出し、医者を求めた。医者が日本にやって来て治療にあたり、すぐに回復された。

同四十二年、天皇が亡くなられた。新羅の人間が喪服で、天皇の棺のある御殿に弔《とむら》った。

雄略天皇五年、百済の王は、弟の軍君《こにきし》を日本に遣わし、朝廷に仕えさせた。

同七年、吉備上道臣《きびのかみつみちのおみ》田狭《たさ》を任那の国司とした。

任那には日本の植民地があり、軍事基地を設け、兵隊を置き、司令官を任命して統治させた。三韓の動静を見張らせ、その自由な行動を制御したのであるが、なかなか賢明な策であった。

同八年、身狭村主青《むさのすぐりあお》・檜隈民使博徳《ひのくまのたみつかいはかとこ》を使節として呉《ご》に遣わした。同十年になって、呉がわが国へ献呈した二つの鵝《おおかり》を持って帰って来た。

高句麗、新羅を討つ。新羅は援助を任那の日本府に申し出た。膳臣《かしわでのおみ》斑鳩《いかるが》などが新羅を救い、高句麗に大勝した。

同十二年、身狭青《むさのあお》・檜隈博徳《ひのくまのはかとこ》を使節として呉の国に派遣。同十四年になって、呉の使節と、呉が日本に送った工女を引き連れ帰る。

継体天皇六年、百済は、任那国の上哆唎《おこしたり》・下哆唎《あるしたり》・娑陀《さた》・牟婁《むろ》の四県を割譲してほしいと文書で申し込んで来た。哆唎の国守であった穂積臣押山《ほづみのおみおしやま》が、四県を統治することは非常に困難なので、申し出通り、割譲する方が便利であると言った。大伴大連《おおとものおおむらじ》金村はこの意見に賛成し、ついに百済に四県を与えた。このため、この二人は百済から賄賂を受けたに違いないという噂が立った。

物は失いやすく得難いものであるのに、どうして簡単に人に与えたりしたのであろうか。この後は数年の間、朝廷は百方を回復しようと努力したが出来ず、ついに官府も滅んでしまった。そういった時勢であったとはいうものの、この二人の罪は大きなものである。
同七年、百済は五経博士の段楊爾《だんようじ》を日本に送り届けた。同十年になって高安茂《こうあんも》を派遣し、彼と交替させた。

(1)欽明天皇《きんめいてんわう》元年、秦人《はたひと》・漢人《あやひと》等諸蕃の投化せる者を集《つど》へ、国郡に安置し戸籍《こせき》に編《へん》貫《くわん》す。秦人凡《すべ》て七千五十三戸なり、秦大津父《はたのおほつぢ》を以て秦伴造《はたのとものみやつこ》と為す。

十三年、百済、仏像経論《きやうろん》を献ず。

仏法《ぶつぽふ》の我れを害する、固《もと》より甚《はなはだ》し。然れども経論の若《ごと》きは自《おのづか》ら棄つべからず。独《た》だ当時の議論精《くは》しからず、択取《たくしゆ》審《つまびら》かならざりしを惜《を》しむのみ。若《も》し邪法《じやはふ》の衆を惑はすことを以て、外国と通ずるの過《あやまち》と為さば、則《すなは》ち非なり。

十四年、百済に勅《ちよく》したまふらく、宜《よろ》しく医《い》・易《えき》・暦《れき》の諸博士をして更番《かうばん》に入りて仕へしめ、卜書《ぼくしよ》・暦本・薬物を付送すべしと。

十五年、百済、五経博士王柳貴《わうりうき》・僧曇恵《どんけい》等を遣はして来り代らしめ、又医・易・暦の諸博士及び採薬師《さいやくし》・楽師《がくし》を貢す。

二十三年、新羅、任那を撃ちて我が官府を滅ぼす。新羅を討つ。

三十二年、天皇崩じたまふ。皇太子に遺詔《ゐせう》したまふらく、汝須《すべか》らく新羅を討ちて任那を復すべしと。

(2)敏達天皇《びたつてんわう》六年、百済、還使に付して仏経《ぶつきやう》・僧徒《そうと》・仏工《ぶつこう》・寺工《じこう》を献ず。十二年、日羅《にちら》を百済より召還す。日羅は火葦北国造《ひのあしきたのくにのみやつこ》阿利斯登《ありしと》の子なり。日羅至る。詔《せう》して策を問ひたまふ。日羅曰く、「天下を治めたまふには、要《かなら》ず黎民《れいみん》を護養したまへ、何ぞ遽《には》かに師《し》を興すことを為さんや。宜《よろ》しく食を足《た》し兵を足し、上下富足り、然る後多く船舶《せんぱく》を造りて港津《かうしん》に列《つら》ね置き、蕃客《ばんかく》をして観《み》て以て恐懼《きようく》を生ぜしめ、乃《すなは》ち能《よ》き使を以て百済王若《も》しくは大佐平《たいさへい》を召して罪を問ひたまへ」と。已《すで》にして日羅賊《ぞく》に害せらる。

日羅は久しく韓《から》の地に在り、其の情状を習知《しふち》す。故に特に召して策を問ひたまふ。而《しか》して其の陳《の》ぶる所果して善く時勢《じせい》に適し、事務に切なり。其の説をして当時に行はしめば、任那を復すること必ず難《かた》からじ。不幸にして賊に害せらる、惜《を》しむに勝《た》ふべけんや。

〈語釈〉

(1) 欽明天皇　第二十九代天皇。治世中、仏教受容をめぐっての蘇我・物部両氏の対立、任那日本府の滅亡などがある。(2) 敏達天皇　第三十代天皇。治世中任那の回復をはかったが成功せず、また仏教受容をめぐっての蘇我・物部の対立が深刻化した。

〈現代語訳〉

欽明天皇元年、秦人《はたひと》・漢人《あやひと》ら諸蕃族の日本に帰化した者たちを集め、それぞれ国郡に住まわせ、戸籍の中に登録した。その時の秦人は総計七千五十三戸、秦大津父《はたのおおつじ》を秦 伴 造《はたのとものみやつこ》とした。

同十三年、百済は仏像や経典を日本に献呈した。

　仏教が日本に与えた害には、ずいぶんと大きなものがある。しかし経典などは、もちろん捨てる必要はない。ただ当時の、この仏教受容に関しての反対賛成の両議論が、精しく伝わっていないのが残念である。もし、この邪法が民衆をまどわすということで、外国との交渉も間違ったことであると考えるのならば、それは大きな誤りである。

同十四年、百済に勅書を出され、医学・易学・暦学のそれぞれの博士をかわるがわる交替に仕えさせ、また卜書・暦本・薬物などを送るようにと命じられた。

同十五年、百済は五経博士王柳貴・僧曇恵らを来日させ、また医学・易学・暦学の諸博士および採薬師・楽師などを送り届けた。

同二十三年、新羅は任那を攻撃、日本の官府を滅ぼした。そこで新羅を討った。

同三十二年、天皇がお亡くなりになった。その時、皇太子に遺言され、新羅を討ち取り、任那の日本府を回復するようにと言われた。

敏達天皇六年、百済は返礼使と一緒に、仏経・僧徒・仏工・寺工を送り届けた。

同十二年、日羅を百済より召し帰された。日羅は火葦北国造《ひのあしきたのくにのみやつこ》阿利斯登《ありしと》の子供であった。日羅をお召しになっていろいろ政策について質問されると、「天下を治められるには、必ず零細な民を養護なさって下さい。どうして軍隊が一時に出来上りましょうか。まず食糧を十分にし、兵士を増強し、上下の民が全て富裕になって、はじめて多くの船舶を作り、港々に連ねて浮べ、蛮族たちに威圧感を与え、恐怖の気持を起こさせ、それから有能な使節を遣わし、百済王あるいは、その補佐の人間にその罪を問い正して下さい」と言った。このため日羅は賊に殺害された。

日羅は長い間韓国に住んでいたので、その国の人情や風物に通じていた。だから特に呼ばれて、その意見を聞かれたのである。その意見は、まったく時勢に適したものであり、必要なことがすべて言い尽くされていた。もしこの意見を当時実際に実行していたならば、任那は必ず回復されていたはずである。不幸にも賊に殺害され、実に惜しむべきことである。

(1)推古天皇八年、新羅を討つ。

九年、新羅の諜者《てふしや》迦摩多《かまた》、対馬《つしま》に到る、捕へて之れを上野《かみつけ》に流す。

外国の諜者は殺さず、返さず。上世の事法《のつと》るべきなり。

十年、百済の僧観勒《くわんろく》来り、暦本及び天文地理・遁甲《とんかふ》・方術の書を貢す。書生三人を選びて学ばしむ。皆学びて以て業を成せり。

十五年、(2)小野臣妹子《をののおみいもこ》を隋に遣はす。十六年、還る。隋、裴世清《はいせいせい》をして之れを送らしむ。世清の還るや、復た妹子をして之れを送らしむ。時に学生《がくしやう》八人を遣はす。

十八年、高麗、僧曇徴《どんちよう》を貢す。曇徴は五経《ごきやう》を知り且つ彩色《さいしき》及び紙墨《しぼく》を作り、幷《あは》せて碾磑《みづうす》を造る。

二十四年、掖玖《やく》の人三十口帰化す、之れを朴井《えのゐ》に置く。

二十六年、高麗、隋の虜二人及び鼓《つづみ》・吹《ふえ》・弩《おほゆみ》・抛石《いしはじき》の類十物《とくさ》並びに土物《くにつもの》駱駝《らくだ》を献ず。

易・暦・医薬・縫織の工、工匠《こうしやう》の流より鼓・吹・弩弓・抛石・彩色・紙墨・碾磑(3)の類《たぐひ》に至るまで皆用に益あり。之れを蕃夷《ばんい》に取り会聚《くわいしゆう》して用に供するは、中国の体《たい》なり。

(4)舒明天皇元年、田部連《たべのむらじ》を掖玖《やく》に遣はす。

二年、三田耜《みたすき》等を唐に遣はす。四年、還る。唐、高表仁《かうへうじん》をして之れを送らしめ、学問僧等従ひ帰る。

十二年、学問僧・学生、百済・新羅の使に従ひて還る。

(5)皇極天皇元年、百済の質達率《たつそつ》・長福《ちやうふく》等に冠位《くわんゐ》を授く。越《こし》の蝦夷内附《ないふ》す。之れを朝に饗《きやう》す。

冠位を授け、饗宴《きやうえん》を蕃夷人《ばんいじん》に賜ふこと、古多く之れあり。蓋《けだ》し皇化《くわうくわ》を弘《ひろ》め遠人を懐《なつ》くる所以《ゆゑん》なり。

孝徳天皇(6)の白雉《はくち》二年、新羅の貢調使知万沙飡《ちまさそん》等唐の服を着て筑紫《つくし》に来る。朝廷《てうてい》、其の恣《ほしいまま》に俗を移すを悪《にく》み、訶責《かしやく》して追ひ還す。

五年、遣唐使吉士長丹《きしながに》還る。其の多く文書《ぶんしよ》宝物を得たるを賞す。

国朝《こくてう》の漢学に於ける、初めや百済をして博士・書籍を貢せしめ、已《すで》にして隋・唐に通じ、使聘《しへい》往来し、又書生を遣はして留学せしむ。其の間諸〻《もろもろ》の韓人《からひと》帰化する者も亦皆之れを納《い》れて拒《こば》まず。其の善く彼の文に通じ、彼の学に明かなりしも亦宜《むべ》ならずや。

〈語釈〉
(1) 推古天皇 第三十三代天皇。敏達天皇の皇后。聖徳太子を皇太子、摂政とし政治を行なう。文化史上飛鳥時代と呼ばれる一時期を現出した。**(2) 小野臣妹子** 近江滋賀郡小野の豪族。**(3) 中国** 日本のこと。**(4) 舒明天皇** 第三十四代天皇。治世中蘇我蝦夷及びその子入鹿の勢力が飛躍的にのびた。**(5) 皇極天皇** 第三十五代天皇。蘇我氏の専横はなはだしかったが、中大兄皇子らにより滅ぼされると、天皇は皇位を孝徳天皇に譲った。孝徳天皇の死後、重祚して第三十七代斉明天皇と称した。**(6) 孝徳天皇** 第三十六代天皇。中大兄皇子・中臣鎌足らと共に大化改新を行なう。難波長柄豊碕宮を作り、そこに没した。

〈現代語訳〉

推古天皇八年、新羅を討つ。

同九年、新羅のスパイ迦摩多《かまた》が対馬にやって来た。捕らえ、上野《かみつけ》に流した。

外国のスパイは殺さず、返さずという上古のこの処置は、現在も引き継ぐべきである。

同十年、百済の僧、観勒《かんろく》が来日し、暦本および天文地理・遁甲《とんこう》・方術《ほうじゅつ》の書物を貢物とした。書生三人を選び、それらを学ばした。皆よく学び、それぞれ業績をあげた。

同十五年、小野臣妹子《おののおみいもこ》を隋《ずい》に派遣した。十六年に日本に帰る。隋は、裴世清《はいせいせい》に彼を送らせた。世清が隋に帰る時、また妹子に彼を送らせ、同時に学生八人を派遣した。

同十八年、高麗は僧曇徴《どんちょう》を送ってよこした。曇徴は五経にくわしく、かつ彩色及び紙墨を作り、また碾《ひ》き臼を造った。

同二十四年、屋久島《やくしま》のもの三十人が帰化した。朴井《えのい》に住まわせた。

同二十六年、高麗は隋の捕虜二人及び鼓《つづみ》・吹《ふえ》・弩《おおゆみ》・抛石《いしはじき》の類など十種類及びその地に住む駱駝を献呈した。

易学《えきがく》・暦学・医薬・縫織の工人、工匠および鼓・吹・弩弓・抛石・彩色・紙墨・碾き臼の類にいたるまで、すべて用いて便利で益のあるものである。このように、蛮族のものを取り入れ、実用化するのは、日本古来のやり方であった。

舒明天皇元年、田《た》部連《べのむらじ》を屋久島に遣わす。

同二年、犬上三田《いぬがみのみた》耜《すき》らを唐《とう》に派遣した。四年に日本に帰って来た。唐は高表仁《こうひょうじん》に三田耜らを日本まで送らせた。その時学問僧などが一緒にこれに従って帰国した。

同十二年、学問僧・学生《がくしよう》らが、百済・新羅の使節に従って帰国した。

皇極天皇元年、百済の人質達率《たつそつ》・長福《ちようふく》などに冠位を授けられた。

越《こし》（北陸道）の蛮族が服従したので、朝廷で饗応《きようおう》した。

　冠位を授け、饗宴を蛮族らのために催されたという例は、古代には数多くある。天皇の勢力が拡がり、遠くの人々が天皇をお慕いする原因になっている。

孝徳天皇の白雉《はくち》二年、新羅の貢調使知万沙湌《ちまさそん》らは、唐の衣服を着て筑紫にやって来た。朝廷は彼らが勝手にその風俗を変えたので怒り、厳しく叱り、追い帰された。

同五年、遣唐使の吉士長丹《きしながに》が帰国した。文書・宝物を沢山持ち帰ったので、彼を賞された。

わが国は、漢学に関しては、はじめ百済から博士や書籍を送り届けさせ、それから隋や唐と交流するようになり、使節の交換を行なわれ、また書生を派遣して留学させられた。その間にも、いろいろな韓人の帰化する者も現われ、彼らを拒まず、日本に住まわせた。だから外国の文に通じ、学問に精通していたのも当然のことではないだろうか。

令《りやう》

雅楽寮《うたれう》　唐楽師《たうがくのし》・高麗楽師・百済楽師・新羅楽師・呉楽師あり、各〻楽生《がくしやう》あり。

玄蕃寮《げんばれう》　頭《かみ》の掌《つかさど》る所に蕃客《ばんかく》の辞見《じけん》・讌饗《えんきやう》・送迎《そうげい》あり、又京《けい》に在る夷狄《いてき》のため当館《たうくわん》舎《しや》の事を監す。館舎とは鴻臚館[1]なり。

大蔵省《おほくらしやう》　百済の手《しゆ》部は雑縫作の事を掌り、内蔵寮にも亦百済の手部あり、掌る所之れに同じ、狛《こま》部は雑革の染作の事を掌る。

大宰府《だざいふ》　帥《そつ》の掌《つかさど》る所に蕃客の帰化饗讌《きくわきやうえん》の事あり、壱岐《いき》・対馬《つしま》・日向・薩摩・大隅等の国守も亦蕃客帰化の事を知《ち》す。

戸令《こりやう》　凡《およ》そ外蕃《ぐわいばん》に没落して還《かへ》るを得たるもの、及び化外《けぐわい》の人の帰化する者には、所在の国郡衣糧《いりやう》を給し、状《じやう》を具《ぐ》し飛駅《ひえき》を発して申奏《しんそう》せよ。化外の人は寛《ゆた》かなる国に貫《くわん》を附《ふ》して安置せよ。没落せし人は旧貫《きうくわん》に依《よ》れ。旧貫なきものは任《ほしいまま》に近親に於て貫に附かしめよ。並《なら》びに粮《りやう》を給して逓送《ていそう》し、前《さき》の所に達せしめよ。化外の奴婢《ぬひ》自《みづか》ら来りて国に投ずる者は悉《ことごと》く放《ゆる》して良《りやう》と為し、即《すなは》ち籍貫《せきくわん》に附《つ》かしめよ。

賦役令《ふえきりやう》　凡《およ》そ外蕃《ぐわいばん》に没落して還《かへ》るを得たる者は、一年以上には復《ふく》すること三年、二年以上には復すること四年、三年以上には復すること五年なり。外蕃の投化せる者は復すること十年、其の家人《けにん》・奴《やつこ》の放《ゆる》されて戸貫《こくわん》に附《つ》きし者は復すること三年なり。家人奴の外蕃に没落して還るを得、即ち放されて良に従へる者は復を賜ふの数、三年を過ぐるべからず。其の賤を放されて良となり、優特せらるる所多きを以ての故なり。

宮衛令《きゆうゑりやう》　蕃客《ばんかく》の宴会《えんくわい》・辞見《じけん》には皆儀杖《ぎぢやう》を立てよ。

公式令《こうしきりやう》　蕃人の帰化せる者は館《くわん》を置きて供給し、任《ほしいまま》に来往《らいわう》するを得《え》ず。凡《およ》そ遠方殊俗《しゆぞく》の人来りて朝《てう》に入る者は、所在の官司《くわんし》各〻図《づ》を造り、其の容状衣服《ようじやういふく》を画《か》き、具《つぶ》さに名号・処所幷《なら》びに風俗を序《しる》し、訖《をは》るに随《したが》つて奏聞《そうもん》せよ。

関市令《くわんしりやう》　凡《およ》そ弓箭兵器《きゆうせんへいき》は並びに諸蕃《しよばん》と市易《しえき》するを得《え》ず。凡そ蕃客初めて関に入るの日には、有《も》つ所一物以上を関司は当客《たうかく》の官人《くわんじん》と共に具《つぶ》さに録《ろく》して所司《しよし》に申し、一の関に入りたる以後は更に検することを須《もち》ひず。若し関なき処は、初めて経たる国の司《つかさ》亦此れに准《なら》へ。当客の官人とは領客使なり、所司とは治部省なり。

雑令《ざつりやう》　凡そ蕃使の往還《わうくわん》には、大路《だいろ》の近側に当りて、当方の蕃人を置くこと、及び同色の奴婢を畜《やしな》ふことを得ず、亦伝馬《てんま》子《し》及び援夫《ゑんぷ》等を充《あ》つることを得ず。仮《たと》へば西海道に新羅の奴婢を畜ふべからざるが如し。

〈語釈〉

（1）鴻臚館　奈良時代末から平安時代に、外国使節接待のために設けられた機関。難波・太宰府・京都におかれた。

〈現代語訳〉

令

雅楽寮《うたりよう》　唐楽師《とうがくのし》・高麗《こま》楽師《がくのし》・百済楽師《くだらがくのし》・新羅楽師《しらぎがくのし》・呉楽師《くれがくのし》がいて、またそれぞれに楽生がいる。

玄蕃寮《げんばりよう》　役所のある所で蛮族たちの応対挨拶・饗応・送迎のことにたずさわり、また都にいる外国人の宿泊などの事にも従事した。宿舎は鴻臚館《こうろかん》と呼ばれた。

大蔵省《おおくらしよう》　百済の手部は、いろいろなものを縫ったりする仕事にたずさわり、内蔵寮《くらりよう》にもまた百済の手部がいて、これと同じ仕事をした、狛部《こま》はいろいろな革の染色の仕事にたずさわった。

大宰府《だざいふ》　軍の長官が統治する所では、外国使節を饗応する必要があるので、それにあたる。また壱岐・対馬・日向・薩摩・大隅などの国守も、外国使節の接待や、帰化人の接待にあたる。

戸令《こりよう》　外国の日本領土が没落し、無事に帰着した日本人や、外国人で帰化した者には、その所在する国郡の役所で衣服食糧を与えること。またその実状をよく取り調べ、至急の駅便を仕立てて申し出ること。外国人は豊かな国の戸籍に入れ、大切に取り扱うこと。外地で没落した人は国外に出る前の古い戸籍に入れること。古い戸籍の無い者は、自由に近親者の戸籍にくり入れること。そして食糧を与え、もと居た所に帰らせること。外国の奴婢《ぬひ》で、進んで自分から日本に服従したものは、すべてその願いを聞き入れ良民として、戸籍に入れること。

賦役令《ふえきりよう》　没落した外地にいて帰国することの出来た者で、一年以上国外にいたものは三年、二年以上のものは四年、三年以上はそれぞれ五年間の課役免除とする。外国人で帰化したものは十年の課役免除。家人・奴で、戸籍に入ることを許されたものは同三年。家人・奴で、外国で没落し、帰国することの出来たもので、良になることを許された者の課役免除は三年を越えてはならない。というのは賤民から良民に取り立てられ、優待されることが多いからである。

宮衛令《きゆうえりよう》　外国人の使節の接待・会見には、すべて儀仗《ぎじよう》を立てること。

公式令《こうしきりよう》　外国人で帰化した者には、宿舎を提供し、自由に往来することは許されない。とくに遠い国で風俗の異なる所からやって来たものについては、それぞれ所在の官司が、その様子・顔形や衣服などについて絵を画き、くわしくその名前・国籍および風俗について記し、それが出来上れば朝廷に差し出すこと。

関市令《かんしりよう》　弓矢などの兵器については、諸外国と貿易することは出来ない。外国人が、はじめて関所に入った時は、関所の役人は当客の官吏と共にその外国人の持物を一つ一つくわしく記録し、所司に申し出ること。第一関所で調べのすんだものは、再び検査されることはない。もしも関所がない時は、はじめて通過する国の国司が、関所の役人と同じ仕事をすること。当客の官吏とは領客使のことであり、所司とは、治部省のことである。

雑令《ざつりよう》　外国人の使節の行き来については、大路の近くに同国人の帰化人を置くこと。ただし同国人で奴婢となったものは除くこと。また伝馬の人夫や荷物の運搬人夫を配置しないこと。たとえば西海道には、新羅の奴婢を置いてはいけないというのがその例である。

式《しき》

(1)祈年祭《としごひのまつり》は二月四日、(2)月次祭《つきなみのまつり》は六月と十二月との十一日、祭る所の神は並《みな》同じく、三千一百三十二座あり。祝詞《のりと》も亦同じ。中に「皇神《すべかみ》の敷き坐《ま》す嶋の八十嶋《やそしま》は、谷蟆《たにぐく》の狭度《さわた》る極《きはみ》、塩沫《しほなは》の留まる限《かぎり》、狭国《さきくに》は広く、峻国《さかじきくに》は平けく、嶋の八十嶋墜つる事なく」の語あり。又辞別《ことわき》て伊勢に坐《ま》す天照大御神《あまてらすおほみかみ》の大前《おほまへ》に白す祝詞の中に、「皇神の見《み》霽《はる》かし坐《ま》す四方《よも》の国は、天《あめ》の壁《かき》立つ極、国の退《そき》立つ限、青雲の靄《たなび》く極、白雲の墜坐《おりゐ》向《むか》伏《ぶ》す限、青海原《あをみのはら》は棹柁《さをかぢ》干さず、舟艫《ふねのへ》の至り留まる極、大海に舟満ちつづけて、陸《くが》より往く道は、荷緒《にのを》縛堅《ゆひかた》めて、磐根《いはね》木根《このね》履《ふ》みさくみて、馬爪《うまのつめ》の至り留まる限、長道《ながぢ》間《ひま》なく立ちつづけて、狭国《さきくに》は広く、峻国《さかじきくに》は平けく、遠国《とほきくに》は八十綱打掛けて引寄する事の如く」の語あり。

玄蕃寮式《げんばれうしき》　凡《およ》そ諸蕃の使人京《けい》に入《い》れば、国別に国司一人をして人夫《じんぷ》を部領し、防援《ばうゑん》して境を過さしめ、其の路に在りて客と交雑《かうざつ》することを得《え》ず、亦客と人と言語せしむることを得ざらしめよ。経《へ》る所の国郡の官 人《くわんじんも》若し事なくとも、亦須《すべか》らく客と相見《あひまみえ》るべからず。停宿《ていしゆく》の処にて客の浪《みだ》りに出入することを聴《ゆる》すなかれ。

右、大宝令・延喜式に載《さい》する所、数条を摘録《てきろく》す、亦以て古朝廷《こてうてい》の雄略偉度《ゆうりやくゐど》を窺《うかが》ふに足る。若し善くこれを今の事に参すれば、自《おのづか》ら其の得失《とくしつ》を知るものあらん。今悉くは賛述せざるなり。

〈語釈〉

(1) 祈年祭　年穀豊穣を祈る祭。八世紀頃から宮廷儀礼として旧暦二月四日、神祇官が行なった。民間では二月の満月に田の神を山から迎え、十一月に再び山へ帰るという祭礼。(2) 月次祭　国家・天皇の安泰を祈り、毎年六月・十二月の十一日に、神祇官で行なうもの。

〈現代語訳〉

式《しき》

農作物の豊饒《ほうじよう》を祈る祈年祭《としごいのまつり》は、二月四日。国家及び天皇の御安泰を祈る月次祭《つきなみのまつり》は六月と十二月の十一日。祭る神は、みな等しく、全部で三千百三十二座ある。祝詞も同じである。その中に「皇神《すべかみ》の敷き坐《ま》す嶋の八十《やそ》嶋《しま》は、谷蟆《たにぐく》の狭《さ》度《わた》る極《きわみ》、塩沫《しおなわ》の留まる限《かぎり》、狭国《さきくに》は広く、峻国《さかじきくに》は平けく、嶋の八十嶋墜つる事なく」という言葉がある。また別に、伊勢神宮に祭られている天照大神《あまてらすおおみかみ》の前で読みあげる祝詞の中には「皇神の見《み》霽《はる》かし坐《ま》す四方《よも》の国は、天《あめ》の壁《かき》立つ極、国の退立《そきた》つ限、青雲の靄《たなび》く極、白雲の墜坐《おりい》向伏《むかぶ》す限、青海原《あおみのはら》は棹柁《さおかじ》干さず、舟艫《ふねのへ》の至り留まる極、大海に舟満ちつづけて、陸《くが》より往く道は、荷緒《にのお》縛堅《ゆいかた》めて、磐根《いわね》木根《このね》履《ふ》みさくみて、馬《うま》の爪《つめ》の至り留まる限、長道《ながじ》間《ひま》なく立ちつづけて、狭国《さきくに》は広く、峻国《さかじきくに》は平けく、遠国《とおきくに》は八十綱打掛けて引寄する事の如く」といった言葉がある。

玄蕃寮式《げんばりょうしき》　諸外国の使節が都に来れば、国別に一人宛《ずつ》の国司が、人夫たちを取り締り、護衛を十分にさせ国境を越えさせること。その途中の通路では、使節団の者と民衆とが交雑したり、話し合ったりしないようにさせる。一行が通る国郡の役人は、別に問題がない状態の時でも、彼らと会見してはならない。一行の宿泊場所では、用のないのにたびたび出入りすることを許してはならない。

　以上右のことは、大宝令・延喜式に載っているもので、その数箇条を抄録した。これによってもまた、古代朝廷の雄大な構想や立派な国家計画をしのぶことが十分に出来る。もしこれらのことを、現代の状態と比較してみれば、自然その得失がわかるであろう。今はすべてについては、くわしく述べなかった。

　余、獄中作る所の(1)省諐賦《せいけんのふ》に云はく、「昔は聖賢《せいけん》の霊を楽しましむる、西隣に暱《したし》みて画《かぎ》らず。呉女《ごぢょ》の綺巧に曁《およ》ぶ、豈に維《た》だ夫《か》の典籍を鳩《あつ》めしのみならんや。後の后《きみ》承けて祇敬し、庶《もろもろ》丕《おほ》いに変じて熙恬《きてん》す。王道の偏《かたよ》ることなきに非ずんば、胡《なん》ぞ文明の今のごときを瞻《み》んや」と。義卿遠く此の録を寄す。其の見る所全然余と同じ。嗚呼、三千里外、期せずして余が賦の為めに此の疏証《そしょう》を作る、図《はか》らざりき、神交《しんかう》の深き、終に此《ここ》に至らんとは。旃蒙単閼《せんもうたんあつ》の壮

〈語釈〉

(1) 省諐賦　象山の書『省諐録』に載せられている。この書は江戸の獄中で考えられ、出獄後記された。

〈現代語訳〉

私が獄中に書いた『省諐賦《せいけんのふ》』で「昔は聖賢たちも、中国や朝鮮の文物に親しみ、なんの限界も設けず、長所とされるものは全て取り入れられた。それもただ仏典や教籍だけではなく、呉の女工が作った珍しい物にまで及んだ。そののちの天皇もこれをうけて、おおいに敬意を払い、もろもろのものはおおいに変化し、栄え輝くことになった。王道が衰退することがなかったらどうして今のような状態になるだろうか」といったことがある。今、松陰が私にこの『幽囚録』を送ってくれたが、その考えは、全く私と同じである。ああ、三千里の彼方に離れていながら、期せずして同じ考えをもったのだ。私の賦のために、この注釈を書き入れた。まったく神の結びつけの深さが、ここまでとは思いもよらないことであった。

乙卯（一八五五）の八月

＊　この段落は、象山の書き入れである。

甲寅《きのえとら》九月十八日、江戸獄を出で檻車《かんしゃ》国に送られ、十月二十四日を以て萩に入る。其の間、短句五十七章を得たり。今其の二つを録す。

去年雲外ノ鶴。今日籠中ノ鶏。人事何ゾ嘗テ定マラン。皇天甚ゾ不ランレ斉シカラ。

右、出獄の日に作る。

竜水従レ信来ル。無情却有テリレ情。欲スレバレ問ハントニ故人ノ事ヲ一。只為スニ激怒ノ声ヲ一。

右、天竜川を渡りて作る。　長門《ながと》囚奴《しうど》

〈現代語訳〉

安政元年（一八五四）九月十八日、江戸の伝馬町の獄舎を出て、囚人護送車で、長州へ送られ、十月二十四日に萩に入った。その道中で短詩を五十七篇詠むことが出来た。今ここにその中の二つを書いておく。

去年は雲外の鶴、今日は籠中の鶏。人事何ぞ嘗《かつ》て定まらん、皇天甚《なん》ぞ斉《ひと》しからざらん。

右の詩は江戸の牢を出る時に作《よ》ったものである。

竜水は信従り来る、無情却て情有り。故人の事を問わんと欲すれば、只《ただ》激怒の声を為す。

右の詩は、天竜川を渡って作ったものである。　長門囚奴

跋

甲寅《きのえとら》九月、江戸獄を脱し、象山《ざうざん》先生と別る。先生時に余を顧みて曰く、「昔《むかし》宋、(1)濮《ぼく》園《ゑん》を追尊《つゐそん》する事を議せしとき、(2)欧陽永叔、経を稽《かんが》へ史を証とし、持論極めて正し。而

るに執政《しつせい》従はず、異説紛興《いせつふんこう》す。永叔、晩（年）に乃ち濮議の一書を著《あら》はすと云ふ。今吾が徒、謀《ぼう》敗れて法《はふ》に坐し、復た為すべきものなし。然れども航海《かうかい》は今日の要務《えうむ》、一日も緩《ゆる》うすべからざるものなり、汝盍《なん》ぞ力《つと》めて之れが書を著はし、本謀《ほんぼう》の然る所以《ゆゑん》を明かにせざる」と。余、再拝して命を受く。

已《すで》に国に帰り野山獄《のやまごく》に囚《しう》せらる。首《はじ》めて獄吏《ごくり》に請《こ》ひて紙筆《しひつ》を求め、急に此の録を成す。実《じつ》に先生の命を終ふるなり。後未だ三年ならず、世事蓋《けだ》し已《すで》に大いに変じ、群夷《ぐんい》交〻《こもごも》至り、通商の禁弛《ゆる》む。和蘭《オランダ》、其の舶《はく》を献じ、又其の技師工徒を致す。而《しか》して江戸には新たに武学の設あり、諸国には或は軍艦の備あり。但だ間《かん》を用ふるに至りては未だ聞くことあらざるのみ。余、幽辱《いうじょく》に居り世と謝絶《しゃぜつ》す、寧《いづく》んぞ此の録を以て笑ひを大方に買ふに勝《た》へんや。特《た》だ往昔《わうせき》を追感《つゐかん》し、未だ之れを火にするに忍びざるのみ。孫子曰く、「上智《じやうち》を以て間者《かんじや》と為す」と。今、余の下愚《げぐ》之れを謀《はか》る、宜《むべ》なり其《そ》の過《あやま》つや。

丙辰《ひのえたつ》十二月五日跋《ばつ》す。

〈語釈〉

（1）濮園　宋の英宗の実父。（2）欧陽永叔　中国宋代の政治家・学者・文学者。翰林院に在籍した。英宗の信任あつかったが王安石と意見が合わず退官。文学では古文復興に力した。

〈現代語訳〉

安政元年九月、江戸の獄舎を出て、象山先生と別れた。その時、先生は僕に「昔宋《そう》の国で、英宗《えいそう》の父の濮園《ぼくえん》に諡《おくりな》することを協議したとき、欧陽永叔《おうようえいしゅく》は経典を考察し、歴史を証明の拠《よ》り処《どころ》とし、その意見は非常に公正なものであった。しかし執政はこれに従わず、異説が次から次へと興った。永叔はその晩年に、『濮議《ぼくぎ》』という本を書いたといわれている。いま私の弟子である君が、計画に失敗し、法により裁きをうけることになったが、またどうすることも出来ないでいる。しかし航海のことは、今の日本にとっては、必要欠くべからざる重要事であるから、一日もゆるがせには出来ない。どうして君はこのことを書物に著し、その真意を皆に明らかにしようとはしないのか」といった。僕は幾度も幾度もお礼を言い、この言葉を胸に留めておいた。

長州に帰り、野山獄《のやまごく》に幽閉され、はじめて獄舎の役人に紙と筆を頼み、とり急いでこの『幽囚録』を書き上げた。これでようやく象山先生のお言葉に報いることが出来た。あれからまだ三年も経っていないのに、世の中の事は、もはやおおいに変り、諸外国人は替る替るやって来て、通商も行なわれるようになった。オランダは船舶をわが国に献呈し、またその技術者たちを送って寄こした。また江戸には新しく兵学校が設けられ、諸藩もそれぞれ軍艦を備えるようになった。ただスパイを放つということについてだけは、未だその事実を聞いていない。僕は幽閉という屈辱をうけ、世間とはまったく交渉を絶っている。どうしてこの『幽囚録』を人目にさらし、皆の笑いをうけることに我慢が出来るだろうか。ただ過ぎ去った昔のことを思い出すと、感慨無量で、この『幽囚録』を簡単には燃やすことに耐えられない気持になる。孫子は「上智を以て間者と為す」と言っている。いま僕の上智ではなく下愚が、この書を作りあげた。過ちの多いのも当然といわざるを得ないだろう。安政三年（一八五六）十二月五日跋《ばっ》す。

対策一道

愚論

続愚論

安政二年(一八五五)、野山獄を出て、杉家の禁錮《きんこ》の身となって以来、松陰の関心は専《もっぱ》ら教育活動にあった。時事に慷慨《こうがい》し政治の渦中に身を投じ、そして敗れた松陰であったから、幽囚の日々は自己反省の日々でもあった。そこからは「天下国家の御事は中々一朝一夕に参るものに之れなく、積年の至誠積みにつみての上ならでは達するものに御座なく候」という考えが生まれていた。

しかし安政五年(一八五八)二月、日米通商条約調印の勅許を得ようと幕府老中堀田《ほった》正睦《まさよし》が入京し、翌三月、朝廷が条約調印の反対を表明して以来、松陰の気持は一変した。時事に対する慷慨、憂国の情は再び燃えあがったのだ。「此の節の夷情《いじやう》にては、中々黙々仕《つかまつ》り難く、今は死生も毀誉《きよ》も拘《こだわ》らず、一向に皇国君家へ一身差上げ申し候」と、幽室の身に残された唯一の自由である筆を駆使し、政治についての論弁を開始したのである。

京都に滞在する久坂玄瑞《くさかげんずい》から、朝廷における攘夷論についての情報を入手するや、特に通商問題に触れ、これを論じて『対策一道《たいさくいちどう》』を著わした。また幕府が四月二十五日、調印反対の朝廷の勅書を諸大名に示し、その可否についての意見を求めると、それに対する藩の態度を論じて『愚論《ぐろん》』を、さらに続いて朝廷の今後とるべき道を示すものとして『続愚論』を書きあげ、藩当局に差し出した。またこれらは、京都鴨川《かもがわ》のほとりに住む、憂国勤皇《ゆうこくきんのう》の詩人梁川星巌《やながわせいがん》のもとにも急使で届けられたのである。感動した星巌はこれをすぐ朝廷に差し出し、天皇の御覧にも入れた。

『対策一道』『愚論』『続愚論』は、いずれも松陰二十九歳の時になる『戊午《ぼご》幽室文稿《ゆうしつぶんこう》』に収められており、この文稿には、時勢を反映し、時事問題に憂憤する松陰の熱情がみなぎっている。再び野山獄に投ぜられるに至る松陰の歩みを知る上で重要なものである。

対策一道　附論一則　四月中旬

謹みて対《こた》ふ。弘化の初め蘭使《らんし》至りて変を上《たてまつ》る。ここに於てか天下紛々《ふんぷん》として兵を言ふ。時に和を主とする者少なく、戦を主とする者衆《おほ》し。其の後十年、墨・魯・暗・払駸々《しんしん》として来《きた》り問ふ、而《しか》して墨夷《ぼくい》の患最も深し。ここに於てか兵を言ふ者益々盛《さかん》なり、而して向《さき》の戦を主とする者多くは変じて和を主とす。和を主とする者衆《おほ》くして、戦を主とする者寡《すくな》し。

夫れ戦を主とする者は鎖国の説なり、和を主とする者は航海通市の策なり。国家の大計を以て之れを言はんに、雄略《ゆうりやく》を振ひ四夷《しい》を馭《ぎよ》せんと欲せば、航海通市に非《あら》ざれば何を以て為さんや。若《も》し乃《すなは》ち封関鎖国《ふうくわんさこく》、坐して以《もつ》て敵を待たば、勢《いきほひ》屈し力縮《ちぢ》みて、亡びずんば何をか待たん。且つ(1)神后《じんごう》の韓を平げ、貢額《こうがく》を定め、官府を置きたまふや、時に乃《すなは》ち航海あり、通市あり。徳川氏征夷《せいい》に任ず、時に固《もと》より航海して通市せり。其の後天下已《すで》に平かに、苟偸《こうとう》無事なり、(2)寛永十三年乃《すなは》ち尽《ことごと》く之れを禁絶す。然らば則ち航海通市は固《もと》より雄略の資《し》にして祖宗の遺法なり、鎖国は固より苟偸《こうとう》の計にして末世の弊政《へいせい》なり。

然《しか》りと雖《いへど》も、之れを言ふこと難きものあり。今の航海通市を言ふ者は能《よ》く雄略を資《たす》くるに非ず、苟《いやしく》も戦を免かれんのみ。其の志固《もと》より鎖国者の戦を以て憚《はばかり》と為さざるに如かず。故《ゆゑ》に世の和を言ふ者は心実に戦を畏《おそ》れ、内に自《みづか》ら恥《は》づるあり。（然るに）一たび吾が言を聞かば、将《まさ》に口に藉《し》きて恥《は》ぢざるあらんとす。ここに於てか和を排して戦を主とする者又従つて之れを攻むれば、吾が説躓《つまづ》かん。是れ其の言に難き所以《ゆゑん》なり。

〈語釈〉

（1）神后　神功皇后。仲哀天皇の皇后といわれる。三韓遠征物語の伝説的中心人物。朝鮮半島に出陣し新羅を討った。帰国後応神天皇を生んだ。（2）寛永十三年……禁絶す　幕府権力の維持のため、寛永十年（一六三三）に出された、キリスト教禁制・日本人の海外渡航禁止・ポルトガル船来航禁止など、一連の法令。いわゆる鎖国令と呼ばれるもの。

〈現代語訳〉

謹んで申しあげます。弘化元年（一八四四）、オランダの国使が日本にやって来た時、このたびの黒船来航という異変について忠告をいたしました。そのためか人々はいろいろと兵備のことをやかましくいうようになったのです。その時は和平を主張する者は少なく、戦争を主張する者の方が多い状態でした。それより十年の後、アメリカ・ロシア・イギリス・フランスなどがつぎつぎと日本にやって来るにいたりました。なかでも日本にとって一番心配なのはアメリカの来航でした。兵備について議論する者は、これによってますます声を大にするようになりましたが、かえって前に戦争を主張していた者たちは、多く和平論者に転向しました。和平論者が多くなり、主戦論者は少なくなったのです。

戦争を主張する者は、いわゆる鎖国主義者であり、和平を主張する者は、開国通商主義者なのです。国家としてとるべき方針はいずれかということが問題ですが、雄大な構想のもとに周囲の諸外国を支配していこうと考えるならば、開国通商以外に道はないと思われます。もし鎖国政策をとり、ただ外敵の襲って来るのを待ちうけるということになれば、勢力も弱まり、力も畏縮《いしゆく》し、日本は亡び去る以外に道はないでしょう。神功皇后が三韓に遠征された時も、韓より日本への貢納の額を定め、官府を設置され、通商が行なわれていました。徳川家康が征夷大将軍になった時も、もちろん航海は自由に行なわれ、通商も行なっていました。その後は平和な時代が打ち続き、そのため一時のがれの役人たちも、なんとか無事に世の中を治めることが出来たのです。それで思いあがり、寛永十三年（一六三六）、航海および貿易の自由を、すべて禁止してしまいました。しかし開国通商は、雄大な国家構想の基礎になるものであり、これは昔から伝わる遺法なのです。鎖国は一時のがれの方法であり、次の時代にとって弊害の多いものです。

しかしこれは、なかなか困難な問題で、今開国通商を主張している者が、必ずしも雄大な構想を抱いているわけではありません。むしろ戦争を回避しようという弱気からなのです。

だからそれは戦争を恐れず鎖国を主張するものより劣っているといえます。だから、和平を主張する者は、本当は戦争になるのを恐れているのであって、内心では恥ずかしい気持でいるのです。ところがひとたび私の開国通商の主張を耳にするや、それを口実として、恥じる気持をなくす始末です。また和平を拒否して、戦争を主張する者を攻撃すれば、私の尊皇攘夷の主張はつまずいてしまうことになります。この点が困難なのです。

嗚呼、神州の振はざること久し。一旦　勅諭《ちよくゆ》震発するや、正論鬱興《うつこう》す、誠に曠代《くわうだい》の盛事なり。凡そ臣子たる者之れが承順《しようじゆん》を為すこと能《あた》はずんば、其れ之れを何とか謂《い》はん。況《いはん》や墨夷《ぼくい》の脅嚇《けふかく》、幕府懾《おそ》れて之れを聴き復た国体を顧《かへり》みず。凡《およ》そ士民たる者之れが匡救《きやうきう》を為すこと能はずんば、亦《また》之れを何とか謂《い》はん。今墨夷は相《しやう》を置き市を縦《ほしいまま》にせんと欲す。蓋《けだ》し相《しやう》を置くは吾が国を馭《ぎよ》する所以《ゆゑん》なり、市を縦《ほしいまま》にするは吾が民を誘ふ所以《ゆゑん》なり。又天主堂を立てて吾が国の妖禁《えうきん》を除き、及び商館を建て吾が民を傭《やと》ひて之れを用ひんと欲す。其の国を馭し民を誘ふことを為すや甚し。

夷謀《いぼう》此《か》くの如し、而《しか》して幕府は方且《まさ》に和を講じて謀《はかりごと》と為す。其れ果して雄略を資《たす》くるか、抑〻《そもそも》　苟《いやしく》も戦を免かれんとするか。戦を畏《おそ》れて和を講ずる、是れ　聖天子の軫念《しんねん》したまふ所以なり。一旦幕問《ばくもん》吾が公に及ばば、吾が公宜《よろ》しく答言《たふげん》したまふべし、

「天勅は奉ぜざるべからず、墨夷は絶たざるべからず」と。是くの如きのみ。幕問《ばくもん》必ず重ねて及びて曰く、「天勅は固《もと》より奉ぜざるべからず。然《しか》れども向《さき》に已《すで》に墨夷と条約せり、今何の辞もて之れを絶たんや」と。吾が公之れに答へたまふこと易々《いい》たるのみ。

〈現代語訳〉

ああ、日本の国威があがらなくなってから、ずいぶんと久しいものです。ひとたび天皇がお言葉をかけられるならば、たちまちのうちに、正義にかなった議論がわき起こることは間違いありません。まことにそうなれば素晴しいことです。およそ天皇の臣下である私たちが、そのお言葉に従うことが出来ないということがあるでしょうか。ましてアメリカが武力によって脅嚇《きようかく》している今日、幕府はただ怖《おそ》れて、いいなりになり、日本の国というものを考えていない有様《ありさま》なのです。およそ武士や市民たちが、この事態をそのまま見過すことが出来るものでしょうか。今アメリカは日本に領事を置き、通市を自由にやろうと考えています。領事を置くのは、わが国をうまく操縦しようと考えているのです。通市を自由にやろうとするのは、わが国の人々をうまく誘いに乗せようとしているのです。また天主堂（教会）を建てて、わが国の宗教を追い払い、商館を建て日本人を使用人に庸《やと》うことを考えています。自由に国をあやつり、人民を誘いに乗せようとするやり方には、まったく目に余るものがあります。

外国人はこのように計画を立てています。ところが幕府は、ただ和親条約を結ぶことだけを唯一の策と考えているのです。これでいったい雄大な構想を抱いているといえるでしょうか。それともただ戦争をさけたい一心だけなのでしょうか。戦争を慎《つつし》んで和平を結ぶ、これが天皇のお考えなのです。だから幕府から事態の解決案の下問がわが藩公にくだるようなことがあれば、わが君は「天皇の命令には叛くべからず。アメリカは追い払うべし」とお答えなさって下さい。それに尽きます。幕府はかさねて質問を発するはずです。つまり「天皇の命令はもちろん聞き入れなければならないが、しかしすでにアメリカと条約を結んでしまっているので、どのようにいってそれを破棄すればよいのか」と。これに対するわが君のお答えは、もはやいうまでもないことです。

今墨夷《ぼくい》の禍心《くわしん》は洞《どう》として火を観《み》るが如し。然《しか》れども其の辞には乃《すなは》ち曰く、「統領《とうりやう》は日本の為めに謀《はか》るのみ、統領自《みづか》ら為めにするには非《あら》ざるなり。使臣は日本の為めに慮《おもんぱか》るのみ、使臣自《みづか》ら為めにするには非《あら》ざるなり」と。吾れ従って之れが答辞《たふじ》を為して曰く、「大統領は吾が国の為めに謀ること深し、貴使臣は吾が国の為めに慮ること厚し、吾れ固より其の辱《じよく》を拝す。但《た》だ吾が国は三千年来未だ曾《かつ》て人の為めに屈《くつ》を受けず、宇内《うだい》に称して独立不羈《どくりつふき》の国と為す。今貴国の命《めい》を受くれば乃《すなは》ち其の臣属《しんぞく》となり、今貴国の教《けう》を奉ずれば乃《すなは》ち其の弟子となること、勢《いきほひ》已《や》むを得ざるなり。三千年独立不羈の国、一旦降《くだ》りて人の臣属弟子となる、豈《あ》に大統領・貴使臣・人の為めに謀慮《ぼうりよ》するの意ならんや。果して吾が為めに謀慮せば、願はくは引き去り、吾れの往きて答ふるを待て。近日の約はこれを　天子に奏せしに、　天子震怒《しんど》したまひ、これを四国に敷きしに、四国憤懣《ふんまん》して僉《みな》謂《い》へらく、貴国は人の為めに謀慮する者に非ず、甘言美辞《かんげんびじ》もて人を陥穽《かんせい》に陥《おとしい》れんとする者なりと。吾れ貴国の為めに謀慮す、去らざれば禍《わざわひ》将《まさ》に及ばんとす」と。

是《か》くの如くにして去らざれば、其の禍心《くわしん》已《すで》に著《あら》はる、名を正し罪を責めて、宇内《うだい》に暴白《ばうはく》すとも、其れ孰《いづ》れか然《しか》らずと謂はん。然《しか》れども墨夷《ぼくい》猶《な》ほ謂《い》はん、「吾れ宇内《うだい》を合せて之れを同じうせんと欲す、貴国独り梗《ふさ》ぎて従はざれば兵を尋《もち》ひざるを得ず」と。吾れ之れに対《こた》へて曰く、「方今《はうこん》未だ貴国に同ぜざる者、特《ただ》に吾が国のみに非ず。今汝《なんぢ》と約せん、亜細亜《アジア》諸国尽《ことごと》く貴国に同じて、而《しか》も吾れ未だ答ふる所あらざれば、吾れ甘んじて其の曲《きよく》を受けん。諸国にして未だ同ぜざれば、吾れの同ぜざる、何ぞ独り梗《かう》と為さん」と。辞命《じめい》是《か》くの如くならば、墨夷は退《しりぞ》かざるを得ず。退かずんば之れを擒《とりこ》にして之れを誅《ちゆう》すとも、吾れ皆名《な》あり。苟《いやしく》も吾れ名あらば、戦ふに於て何かあらん。

〈現代語訳〉

現在アメリカ人が何をたくらんでいるかということは、どうもはっきりしません。しかし口だけでは「大統領は日本のためにいろいろとはかっているのであり、大統領自身の利益のためではない。われわれ使臣も自分のためにではなく、日本のことを思い、このように努力しているのである」と。そこでわれわれも「貴国の大統領がわが国のことを深くお考え下さり、また貴方たち使臣の方も、わが国を心配して下さっていることは、本当にありがたいことだと感謝いたしております。ただわが国は三千年来この方、他国の人の意見によって国の方針を変えたことはないのです。独立不羈の国として天下に誇っています。今もし貴国のおっしゃるとおりにすれば、日本はアメリカの属国となり、弟子のようなものになるのは、もはや明らかなことです。この三千年、独立不羈を誇っていた国が、たちまちその誇りを失って、外国に臣従し、弟子となるのです。これでどうして、大統領やあなたがた使臣の方たちが、私たちのためを考えているということになりましょうか。本当にわが国のことをお考え下さるならば、どうかこのまま日本をお去り下さって、日本より使節がお答えに行くまで、お待ち下さい。先日の和親条約の件、これを天皇におうかがいいたしましたところ、天皇は本当に激しくお怒りになり、また全国の諸侯に相談したところ、すべての諸侯は憤激し、貴国は本当に日本のためを思って取り決めをしようとするのではない、うまい言葉を並べて、人を陥れようとする者だ、といっております。だからわれわれは貴国のためを思い御忠告いたします。早く立ち去られないならば、どのような災禍に遇われるかわかりませんから」と返答すべきだと思います。

　このようにいって、なお立ち去らないのであれば、何かよからざるたくらみを持っていることは明らかです。理非を正し、その罪を責め、天下に公開しても、どちらが間違っているかということは、もはや明らかでありましょう。しかしアメリカも黙ってはいないはずです。「われわれは天下を統一し連合国家をつくる考えを持っている。日本だけがそれに抵抗し、あくまで反対するのであれば、武力に訴える以外に道はない」と。われわれはこれに答えて「今までのところ、貴国に従わないのは、なにも我国だけではない。アジアの諸国がすべて貴国の考えに賛同し、日本だけが最後に残ったというのなれば、その時は貴国のおっしやることに従いましょう。他の諸国がまだ貴国の意見に従っていないのであれば、どうして日本だけが、貴国のさまたげをしているといえるでしょうか」と返答すべきです。このように、日本の応接の役人がはっきりといえば、アメリカも引きさがる以外に仕方がないでしょう。もし退出しないのであれば、引捕え殺しても、われわれには正当な理由があるというものです。正義がわれわれにあれば、どうして戦争を恐れる必要があろうか。

　然りと雖も、空言《くうげん》は遂に以て驕虜《けうりよ》を懲《ちよう》すべからず。宜《よろ》しく今日より策を決し、上は祖宗《そそう》の遺法に遵《したが》ひ、下は徳川の旧軌《きうき》を尋ね、遠謀雄略《ゑんぼうゆうりやく》を以て事と為すべし。凡そ皇国の士民たる者、公武に拘《かかは》らず、貴賤を問はず、推薦抜擢《すゐせんばつてき》して軍帥舶司《ぐんすゐはくし》と為し、大艦を打造して船軍を習練し、東北にしては蝦夷《えぞ》・唐太《からふと》、西南にしては流虬《りうきう》・対馬《つしま》、憧々《しようしよう》往来して虚日《きよじつ》あることなく、通漕捕鯨《つうさうほげい》以て操舟《さうしう》を習ひ海勢を暁《さと》り、然《しか》る後往《ゆ》いて朝鮮・満洲及び清国《しんこく》を問ひ、然《しか》る後広東《カントン》・咬𠺕吧《カルパ》・喜望峰・豪斯多辣理《オウストラリア》、皆館を設《まう》け将士を置き、以て四方の事を探聴《たんちやう》し、且つ互市《ごし》の利を征《と》る。此の事三年を過ぎずして略《ほ》ぼ弁ぜん。然《しか》る後往《ゆ》いて加里蒲爾尼亜《カリホルニア》を問ひ、以て前年の使に酬《むく》い、以て和親の約を締《むす》ぶ。

〈現代語訳〉

そうはいうものの、このようにいたずらに空言をはいていても、あの驕傲《きようごう》な外国人をこらしめることにはなりません。一日も早く対策をたて、古いところでは天朝の遺法をよく守り、新しいところでは徳川幕府の取決めをよく調べ、遠謀にして雄大な構想を打ち立てなければなりません。およそ皇国の民である以上、公卿であろうと武家であろうと、また貴賤上下を問わず、有能な人物は推薦抜擢し、軍師や艦長にとりたてるべきです。そして大きな軍艦を建造し、海軍を十分に習練し、東北方面では蝦夷・樺太、西南方面では琉球・対馬のあいだを、一日も欠かさずたえまなく往復航海すべきなのです。通漕捕鯨の間に船の操縦法に十分習熟し、海の状態をよく研究し、その後、満洲および清国を訪問し、それから広東・カルパ（ジャカルタ）・喜望峰・オーストラリアなどに領事館を設け、軍隊を駐屯させ、いろいろ付近の情勢を探らせ、また貿易によって利益を得る。これらのことは、大体三年以内に行なうようにします。そののちカリフォルニアに行き、前年来の要求に答えて和親条約を結ぶようにするのです。

果して能《よ》く是《か》くの如くならば、国威奮興《ふんこう》、材俊振起《ざいしゅんしんき》、決して国体を失ふに至らず、又空言以て驕虜《けうりよ》を懲《ちよう》するの不可なるに至らざるなり。然《しか》れども前《さき》の論は以て墨夷《ぼくい》を卻《しりぞ》くべし、而《しか》るに後の論挙《あ》がらざれば何を以て国本《こくほん》を強くせん。国本強からざれば、慮《りよ》患《くわん》何《いづ》れの時にして止まんや。後の論は以て国本を強くすべし、而《しか》るに鎖国を以て謀《はかりごと》と為し、航海互市《かうかいごし》を以て古《いにしへ》に非《あら》ずと為して衆咻《しゆうく》して之れを攻むれば、後の論何を以て挙がらんや。

然《しか》らば則《すなは》ち天下の事は吾が公自《みづか》ら任ずるに非《あら》ずんば、断然として遂に為すべからざるなり。吾れ駑劣《どれつ》なりと雖《いへど》も平生《へいぜい》書を読み、皇室を重んじ、夷虜《いりよ》を憤《いきどほ》ること、具さに、明問《めいもん》の及ぶ所の如し。今日の事、言《げん》何ぞ之れを尽さん。聊《いささ》か其の百一を対《こた》ふること右の如し。

〈現代語訳〉

もしこのことが実現されるならば、国威はおおいに揚がり、優秀な人材は奮い立つことになるでしょう。これは決して国の体面を傷つけるものではありません。またこうなれば空言によって、驕傲《きょうごう》な外国人をこらすことが出来るというものです。しかしながら鎖国論によればアメリカを追い払うべしということになりますが、しかし開国論によらなければ、どうしてそれだけ国力を伸ばし強くすることが出来るでしょうか。国が強くなければ、外国人の侵略という患《わざわい》はいつなくすことが出来るでしょうか。開国論は国を富ませ強くするものです。しかるに鎖国を主張し開国貿易のことは、古法にないことだといって、わいわいいって非難ばかりしておれば、開国によって国を強くすることがどうして出来ましょうか。

だからこの日本の事態に対し、わが藩公が率先して任じられるのでなければ、もはや道は開けません。私は才能の劣ったつまらない人間ですが、常日ごろ読書に精を出しており、皇室を重んじる気持は人一倍で、外国人の横暴に激しい憤りを感じているのは、もはやよくおわかりのことだと思います。今日の事態に対しては、もはや言葉ではよくいい尽くせないものがあります。ともかくそのうちの百分の一なりと申し上げたいと思い、右の通り申し述べました。

附　論

　或ひと曰く、「勅諭《ちよくゆ》は正大高明なり、征夷《せいい》必ず服して之れを聴かば、則《すなは》ち其れ虜使《りよし》を誅《ちゆう》し国威を立て、(1)弘安の事起らん。若《も》し或《あるひ》は征夷昏迷不恭《こんめいふきよう》以て皇命を梗《ふさ》がば、則《すなは》ち(2)承久・(3)元弘の変発《おこ》らん。子《し》以て何如《いかん》と為す」と。曰く、「然《しか》り、吾れも亦之れを思ふ。今日の事、弘安と承久・元弘と似て而《しか》も大いに同じからざるものあり。蒙古《もうこ》は兇《きよう》威《ゐ》を逞《たくま》しくする者なり、墨夷《ぼくい》は実利を謀《はか》る者なり。戦を以て人の国を屈するは蒙古の計なり、辞を以て人の国を奪ふは墨夷の謀《はかりごと》なり。故《ゆゑ》に予謂《おも》へらく、墨夷は譎辞《けつじ》を以て吾れを攻め、吾れは誠辞《せいじ》を以て夷を拒《ふせ》ぐ。墨夷の戦を以て吾れを懾《おそ》らすは虚なり、吾れの戦を以て夷に応《こた》ふるは実《じつ》なり。然《しか》らば則《すなは》ち蒙古の計は浅しと雖《いへど》も、其の言実《じつ》なり、墨夷の謀《はかりごと》は深しと雖《いへど》も、其の言虚《きよ》なり。墨夷懼《おそ》るるに足らず、何ぞ蒙古に比するに至らんや。弱主《じやくしゆ》、驕臣《けうしん》を誅《ちゆう》し、驕臣、弱主を犯《をか》す、是れ承久・元弘の事なり。今は則《すなは》ち然らず、外に大患あり。君臣心を協《かな》へて之れを謀《はか》る、向《さき》の上下交〻《こもごも》征《い》するの比に非《あら》ざるなり。征夷万一勅旨《ちよくし》を奉ぜざれば、天下挙《こぞ》つて之れを斃《たふ》さんこと易々たるのみ。而《しか》して征夷は決して然らざるなり」と。

　曰く、「当今《たうこん》、(4)吾が公父子皆江戸に在り。征夷万一の挙《きよ》あらば、吾が公宜しく何の処置を為すべきか」と。予曰く、「天日の照す所、皆皇神の御《をさ》めたまふ所なり。天子の勅は乃ち皇神の旨なり。其れ奉揚《ほうやう》せざるべからざること論ずるなくして可なり。

勅を奉じて死すれば、死は猶ほ生《せい》のごとし。勅に背きて生くれば、生《せい》は死に如《し》かざるなり。此の義や天下の人皆之れを知れり、而《しか》して征夷独り知らざらんや。征夷或《あるひ》は知らずとも、二百六十大名乃《すなは》ち一の知る者なからんや。

且《か》つ水戸・越前・加賀・薩摩の諸藩の如き、已《すで》に粗《ほ》ぼ此の義を知るに似たり。朕《わ》が志先づ定まり、詢《と》ひ謀《はか》るに僉《みな》同じ。鬼神《きしん》其れ依《よ》り、亀筮《きぜい》協《かな》ひ従ふと。吾れの定志《ぢやうし》を以て往きて此の義を知る者と謀《はか》る、吾れの処置《しよち》何の難きことか之れあらん。然《しか》れども徒《いたづ》らに征夷と異《ゐ》を為し、以て勅旨を奉ずと為すも、亦所謂《またいはゆる》此の義を知る者に非《あら》ず。是れ亦知らざるべからざるなり。

〈語釈〉

（１）弘安の事　弘安二年（一二七九）、元の使節が筑紫に来た時、執権北条時宗はこれを斬った。そのためついに弘安四年元軍が日本に来襲して来た事件を指す。（２）承久の変　承久三年（一二二一）、朝廷と鎌倉幕府との間におこった争い。源頼朝の死後、幕府内部の混乱に乗じ、後鳥羽上皇は公卿勢力の回復のため討幕の兵を挙げた。しかし北条政子・北条義時を中心に結束する幕軍に敗れた。乱後幕府は、後鳥羽上皇を隠岐に、順徳上皇を佐渡に、土御門上皇を土佐に配流した。（３）元弘の変　元弘元年（元徳三年、一三三一）、後醍醐天皇が、鎌倉幕府討伐のために起こしたクーデター。正中の変につづいて行なわれ、幕府滅亡の原因となった。はじめ天皇は計画がもれ、隠岐に流されたが脱出。足利尊氏・新田義貞らの討幕軍の力を得、北条氏を滅ぼした。（４）吾が公父子　長州藩藩主毛利敬親と世子の定広（のち元徳）。

〈現代語訳〉

ある人が次のようにいっています。「天皇のお言葉は公明正大《こうめいせいだい》で、非常に雄々《おお》しいものである。将軍はそのお言葉を十分に聴き入れる意志であれば、ただちに外国の使節を殺し、国威をあげるであろう。つまり弘安《こうあん》の役の時と同じようになるのである。あるいは将軍が、事理に暗く判断に迷い、畏《おそ》れおおくも天皇の命令にそむけば、その時は承久《じょうきゅう》・元弘《げんこう》の変の時と同じ事態になるだろう。そうすればいったいどうするのか」と。そこで「そのとおりです。私も同じことを考えていました。しかし今日の事は、一見、弘安の役や承久・元弘の変といったものと非常によく似ておりますが、しかしその実、随分と違っています。蒙古《もうこ》はもっぱら暴力による勢いが強く、アメリカは現実的な利益を考えています。戦争によって他国を征服するのが蒙古のやりかたであり、言葉たくみに他国を侵略するのがアメリカのやりかたなのです。だから、アメリカは口八丁《くちはっちょう》によって日本をたぶらかし、日本はそれに対して誠意をこめて一つ一つ答えている有様です。アメリカは戦争というおどしをかけていますが、本当はそれほどやる気はありません。しかし日本が外国人と戦うという気持は真実のものなのです。だから蒙古の計りごとは、単純なものだといっても確実に実行されるもので、アメリカの策謀は深く複雑そうに思われるが、実際にはなかなか行なわれないものです。アメリカは怖れる必要はありません。どうして蒙古と比較することが出来るでしょうか。力の弱い天皇が、驕りたかぶった臣下を諫《いさ》め、その臣下が天皇に反抗した。これが承久・元弘の変の本質です。現在の状況はそうではありません。対外的に重大問題をかかえており、天皇も臣下も共に心を合わせてこの対策に頭をひねっているのです。昔のように天皇と将軍が互いに争うといったようなこととはわけが違っています。もし将軍が天皇の御命令にそむくならば、天下の者はこぞって幕府を倒してしまうに違いありません。だから将軍も、昔のように天皇に反抗するということは決してないでしょう」と私はいった。

すると又「現在、わが藩公は父子とも皆江戸におられる。将軍がもし大それた事をした時、わが君はどのように対処されるべきなのだろうか」と重ねて質問したので、私も又次のように答えた。「この太陽の照らし出す所は、すなわち天皇家の神のお考えと同じなのである。天皇のおっしゃることは、すなわち天皇家の神のお考えと同じなのです。そのお言葉に従うべきことは、もはやあらためていうまでもないことです。そのお言葉にしたがって死ねば、その死は単なる死ではなく本当の生をまっとうしたことになり、またお言葉に背いて生きていれば、その生は死よりも劣ったものだといえます。このことは天下の人は皆知っていることです。どうして将軍だけが知らないということがあるでしょうか。たとえ万一将軍が知らなかったとしても、二百六十の大名のうち、誰一人このことを知らないということがあり得るでしょうか。

察するに、水戸・越前・加賀・薩摩の諸藩主たちは、すでにこの意味を十分理解しているようです。君主の意志がまず定まって、そしてそのことを諸臣にたずねたところ皆も賛成し、鬼神・うらないも、その決定に従うという故事があります。自分の信念がまず定まり、そしてこの事について事情に通じている者と相談する。そうすればどうしてこの事態を処置することが、そんなに難しいことだといえましょうか。しかしただいたずらに将軍と意見を対立させ、それによって天皇のお言葉に従うという者も、本当は真意がわかった者とはいえないのです。このところは大切なことだから十分理解しておく必要があります」と。

愚論　五月上旬（カ）（原和文）

(1)此の度　勅答《ちよくたふ》の趣に付き、幕府より諸藩へ別紙の通り仰せ出され候。是れに付き相《あひ》考《かんが》へ候へば、幕府には少しも　勅旨遵奉《ちよくしじゆんぽう》の意は之れなき事と相見え候。夫れに付き慮《おもんぱか》るべき事数々之れあり候。幕府必ず(2)石敬塘《せきけいたう》の故智に出で、皇国の事状《じじやう》何事も真《ま》具《つぶ》さに墨夷《ぼくい》へ示し、　勅諭も之れあり、人心も折合はざる故、二三年引延して事を謀《はか》り候へなどと申し候はば、表は　勅を奉ずるに似て内実は詐誕《さたん》の限り、　勅を奉ぜざるよりも悪《あ》しく候。

又是れにて墨夷服し申さず候はば、是れは京師《けいし》より出で候事に付き、京師へ参り脅《けふ》喝《かつ》せば、事自《おのづか》ら成就すべしと申し候はば、輦轂《れんこく》の大変此の秋《とき》に御座候。是れも神州一致して謀《はか》ることに候はば、何も憂ふるに足らず候へども、幕府已に墨夷に党《くみ》し候時は、甚だ処《しよ》し苦敷《くるし》く御座候。夫《そ》れに付き今日の急務は天意の所、得《とく》と幕府の肺肝《はいかん》に徹し候様之れなくては相済まず候。然《しか》る処《ところ》鎖国の御定論《ごぢやうろん》にては、幕府には必ず流行に後れたる　叡慮《えいりよ》と一概に侮《あなど》り候様相成り申すべく候。是れは幕府の俗吏のみに非ず、当《たう》今《こん》天下材臣智士《ざいしんちし》と称する者皆々此の見《けん》に御座候。右に付き鎖国の一条は、深く時勢御《ご》察観成《さつくわんな》され、御変革之れなくては、皇国御興復《ごこうふく》は迚《とて》も出来申さず、且つ幕府万一違勅《ゐちよく》の節、所謂《いはゆる》材臣智士なる者悉《ことごと》く幕府に与《くみ》し、幕府に与《くみ》する人多く相成り、天朝孤立の勢《いきほひ》誠に気遣敷《きづかはし》く存じ奉り候。

然《しか》れども鎖国を開き候には、墨夷丸《まる》に御拒絶成されず候ては、御国威相立ち申さず、神奈川の条約は其の儘に成し置かれ候ては、名は何とも相立ち申すべく候へども、実は五十歩百歩の論に御座候。且つ神奈川の条約其の儘に成し置かれ候へば、此の余にても幕府何程《いかほど》の誣妄《ふまう》も出来、墨夷何程《いかほど》の要求も出来候本《もと》に御座候。幕府雄略《ゆうりやく》は之れなく、只《た》だ外夷に要せられ、(3)泣出《なんだ》でて呉に女《めあは》すの謀《はかりごと》に出で候へども、鎖国を開くの一条、天下の材臣智士を籠絡《ろうらく》致し羽翼《うよく》多く御座候。

〈語釈〉

(1) 此の度　安政五年（一八五八）一月、幕府は日米通商条約調印の勅許を得るために、老中堀田正睦を京都に派遣したが、朝廷は三月二十日調印拒否の勅答を与えた。四月二十五日幕府はこれを諸大名に示し、その意見を求めた。そのことをさす。**(2) 石敬塘**　唐末五代後晋の始祖。はじめ後唐に仕えて功をあげたが、のち異民族契丹《きったん》の援助をうけて自ら後晋を建て国主となった。**(3) 泣出でて呉に女すの謀**　『孟子』離婁上篇に出ている故事。斉の景公が自分の娘を蛮族である呉の太子に妻として与え、一時的な和平工作をした。

〈現代語訳〉

このたび、朝廷より条約調印拒否のお答えが幕府に下されたが、それについて幕府は、諸藩の大名に、別紙のように、意見を求めるという申し出がありました。このことをよく考えてみますと、幕府には少しも天皇のお言葉に従おうという意志のないことがよくわかります。こうした態度には、よく考えなおさなければならない点が、数々含まれています。幕府は石敬塘の故事にならって、日本の国内の事情を何事も残らずアメリカにもらし、「天皇のお言葉もあり、皆の意見の折り合いもつかないので、二、三年条約調印は引き延し、それから事を謀《はか》ればよろしいでしょう」などとアメリカにいうならば、これは表面的には天皇のお言葉に従っているようでいて、実際はでたらめの限りで、むしろ天皇のお言葉に従わないよりも、なお性《たち》の悪いものです。

またこれでアメリカが承服しない時には、「この意見は京都の朝廷から出たもので、幕府は関係ないから、直接京都へ行っておどしをかければ、条約調印のことは成功するだろう」などというならば、それこそ京都にとって一大事なことです。もっとももこの条約調印の問題は、日本中が一致協力して行なうものですから、それほど心配しなくていいのですが、幕府がアメリカと手をにぎるようなことになれば、事態は、はなはだ面倒なことになるに違いありません。それにしても、今日まず一番にしなければならないことは、天皇の御意志に従うことです。このことをよくよく幕府にわきまえさせるようにしなければなりません。しかし朝廷が鎖国論の一点ばりでいては、幕府も朝廷を時代遅れだと侮ったりするに違いないのです。これはただ幕府のくだらない役人がいうばかりでなく、現在、天下の秀れた人物といわれる者が、皆指摘していることです。だから鎖国という問題については、十分にこの時勢というものを御観察になって、その意見をお変えにならなければ、日本の国をもり返すことはとても出来ないと思われます。また幕府が万一朝廷の命令にそむいた時、天下の秀れた人物が、すべて幕府の方に味方し、多くの人たちも幕府側につき、朝廷だけが孤立するということになりそうなのが心配です。

　とはいうものの鎖国を捨て開国されるにしても、アメリカの要求をきっぱりと拒絶されるのでなければ、日本の国威は失墜してしまうでしょう。神奈川で結ばれた和親条約をそのままにしておけば、いいわけの理由は何とでも立ちますが、実は屈辱を受け入れるのと五十歩百歩です。またこの条約をそのままにしておけば、これが悪しき前例となり、幕府はこのほかにも嘘、偽りをもうけることが出来るようになり、アメリカも次々と要求を新たに出す根拠にもなるのです。幕府にはもはや雄大な計画は少しもなく、ただ外国人におどかされ、斉の景公が娘を呉の太子に与えたような、一時しのぎの姑息《こそく》なことをやっていますが、開国という問題についてだけは、天下の秀れた人物の心をとらえており、そのため幕府に荷担する者も沢山いる状態です。

何卒　天朝に於て　神功《じんぐう》皇后以来の真の雄略を御《お》鑑《かんが》み遊ばされ、墨夷の撻伐《たつばつ》を仰せ出され候はば、精忠義憤《せいちゆうぎふん》の人々は撻伐の愉快に大気を伸ばし、材臣智士は又雄略を喜び、天下の人心一朝に　天朝に帰向《きかう》仕るべく候。左《さ》候はば幕府諸藩一人も不服は之れある間布《まじ》く存じ奉り候。幕府諸藩心服仕らずては、曠代《くわうだい》の大業は恐れながら覚束《おぼつか》なく存じ奉り候。殊に幕府、二百年来諸藩の統領《とうりやう》仕り候事に付き、此の心を服し候はば、天下は一致仕るべく候。

徳川氏の兇徳《きようとく》、人皆厭《いと》ひ果《は》て候様　天朝へ申上げ候者も之れあるべく候へども、是れは阿諛《あゆ》と嫉妬とに出で候事に付き、深く御評議遊ばされずては大事を誤るに至るべく、水戸・越前其の外を察観《さつくわん》仕り候処、徳川の一門にも随分忠義の国之れあり、加・薩・仙・肥など頼母敷《たのもし》く相見え候へども、丸《まる》に是れ等へ御委任成《な》され候はば、矢張り義仲《よしなか》ならざれば(1)董卓《とうたく》に御座候。此の処深く御勘考《ごかんかう》遊ばされ、幕府諸藩を心服さする御処置急務と存じ奉り候。

かく申上げ候はば、幕府へ媚付《こびつ》き候見識と一概に罵詈《ばり》する人之れあるべく候へども、愚論果して朝廷の為めに申上げ候か、幕府へ佞《ねい》し候か、行末《ゆくすゑ》の所御明鑑《ごめいかん》仰ぎ奉り候。

〈語釈〉

（1）董卓　後漢の人。戦功により霊帝の時将軍に取り立てられた。帝の死後太子を廃し、何太后を殺し、献帝を立てた。董卓討伐の兵が起こると、洛陽の宮殿を焼き、長安に遷都し狂暴ははなはだしかったが、ついに部下に殺された。

〈現代語訳〉

どうか神功皇后以来の、あの真に雄大な国家構想をお考えになって、アメリカの討伐を朝廷よりお命じになって下さい。そうすれば、純粋な忠義の志士や、義憤を感じて立ちあがった者たちが、アメリカ討伐に大いに気をはき、また秀れた人物もその朝廷の雄々しい計画に心から喜びを感じ、天下の者はみな心を一つにして、朝廷をお慕いするはずです。そうなれば幕府にも、諸藩にも、誰一人不服をいうものはいなくなるにちがいないと思います。幕府および諸藩のものたちが、本当に心から朝廷に従うのでなければ、未来にかけての大業をなしとげることは、恐れながらはなはだ覚束《おぼつか》ないことだと思います。ことに幕府はこの二百年間、諸藩の上に立って治めて来たのですから、幕府さえ心服すれば、天下の者も一致して朝廷にお従いするはずです。

徳川氏の悪質な行ないを、皆がまったく嫌っていると朝廷に申し上げる者もおりますが、これは朝廷へのおべっかと、幕府への嫉妬とによるものですから、このことは十分よくお考えいただかなければ、大事を誤ることになります。水戸藩・越前藩などをよく観察してみますと、徳川家の一門にも、随分と朝廷に対して忠義深い国があります。加賀藩・薩摩藩・仙台藩・肥前藩なども、たのもしく思われますが、すっかりこれ等諸藩に何事もお任せになるようなことになれば、やはり木曾義仲のようなことになるか、さもなければ董卓《とうたく》と同じようなことになります。ここのところを深くお考えになって、幕府および諸藩の者たちが本当に心から感じいるような御英断を下されることが、なによりも大事かと思われます。

このように申し上げれば、私が幕府にこびを売っていると、頭から悪口をいう者もありますが、私のこの考えが、はたして朝廷のために申し上げているのか、幕府にへつらっているのか、その点についてはよくよく御鑑定下さいますようお願いいたします。

自然異変に及び候はば防禦の処置如何《いかが》せんと申し候所、幕府怯懦《けふだ》の根源に御座候。戦は千変万化、先伝すべきに非《あら》ずと申す内《うち》、当今《たうこん》兵力単弱《たんじやく》の故《ゆゑ》は、将《しやう》其の人に非《あら》ざると、兵を選ぶこと精《くは》しからざるとの二つに御座候。幕府にても諸藩にても、番衆組付《ばんしゆうくみつけ》などと申し候隊中には、老人病者孱弱《せんじやく》無芸の者も混じ、又千石何十人、万石何百人と申す軍役の定め之れあり候へども、万石以上領地之れある分は可《か》なり人数も之れあるべく候。万石以下、又諸藩千石以下の士は軍役は皆虚額《きよがく》のみに相成り、仮令《たとへ》頭数ありとも精兵は何程も之れなく候。夫れ故此の局を一変し、万石以上以下に限らず、材武にして随分一戦仕るべしと願出で候ものへ、力に任せ有《う》禄無《ろくむ》禄《ろく》武士浪人に拘《かかは》らず調募《てうぼ》させ、千夫長《せんぷちやう》百夫長其の大小に準じ、賊艦一隻二隻乃至三五隻攻取り候事を委任仰せ付けられ候はば、世禄《せろく》大身より下賤の徒浮浪に至るまで、悉《ことごと》く奮発《ふんぱつ》国の為めに力を致し候様相成り申すべく候。調募の兵の給資《きふし》は食禄無用の徒の糧《かて》を減じ、彼れを取り此れに与ふる法を立つべし。此の策施《ほどこ》され候はば将《しやう》其の人を得、選兵其の精《せい》を極め、戦の一条何も差障《さしさはり》之れなき事に御座候。

海外へ乗出す事も是れに準じ候事。

〈現代語訳〉

もし戦争というようなことになれば、その時の防衛処置はどのようになっているのか、ということの一点は、幕府が最も恐れているところです。戦争というものは千変万化するもので、前もってあれこれいうべきではないというものの、現在の兵力がまったく弱体である理由は、大将に任ずべき人物がないことと、兵の選択を誤っているという、この二つにあります。幕府でも諸藩でも、番衆組付などと呼ばれる隊の中には、老人や病人、それに体の弱い者、武芸の心得のない者も混っており、また一千石につき何十人、一万石につき何百人という軍役のことが定められていますが、一万石以上の領地がある者は、かなり人数の余裕もあることだと思います。一万石以下か、または諸藩のもので一千石以下の兵士は、軍役はみなただ定めとして決められているだけで、たとえ頭数があるとはいっても、精兵はいくらもいない状態です。だからこの際こうした取決めを一変し、一万石以上とか、以下とかに限らず、有能で武勇にたけ、熱心に戦闘の決意を願い出るものはその能力に応じ、禄の有無、武士・浪人にかかわらず応募させて、千夫長、百夫長その大小に準じて敵の軍艦を一、二隻ないしは三、五隻捕獲するよう委任されれば、世禄のある身分の高いものから、下賤の徒、浮浪の者に至るまで、皆が奮発して、国家のために力を尽くすようになることと思います。応募する兵士の給与は、食禄無用の徒の糧を減らし、これをあてるようにすればよろしい。この考えが実行されるならば、立派な大将を得ることも出来、兵も精兵が厳選されるので、いざ戦争となってもなんの心配もいらない事で御座います。

　海外渡航のことも、これに準じて行なわれるべきだと思います。

続愚論　五月二十八日（原和文）

此の度　勅答《ちよくたふ》関東に下り候上、関東にて何如《いかが》の評議之れあり候や、誠に以て気遣敷《きづかはし》く存じ奉り候。此の時に当り、恐れながら　天朝の御急務と存じ奉り候は、関東決議未だ之れなき内《うち》、朝廷より将軍又は三家の人々召《め》し登《のぼ》せられ、〔此の段朝廷幕府の事体、愚《ぐ》未だ知らずと云へども、厳重　勅旨を以て仰せ出され候はば、何ぞ行はれざることあらんや〕得《とく》と朝議仰《おほ》せ聞《き》けられ候事大急務と存じ奉り候。関東の決議坐《ゐ》ながら御待ち成され候ては、事甚だ遅延に相成り、且《か》つ向《さき》に愚論に相認《したた》め候様、幕府の誣妄《ふまう》甚だ以て　慮《おもんぱか》るべき事に御座候事。

愚論に申述べ候儀尤《もつと》もには候へども、　天朝の御定論《ごぢやうろん》は、下田の条約は其の儘に成し置かれ、此の度コンシユルの申分《まをしぶん》は一々御拒絶在らせられ候思召の由、既に堀田(1)へも此の趣仰《おほ》せ聞《き》けられ、綸言《りんげん》汗の如しの訳《わけ》に候へば、今更《いまさら》下田の条約も破断《はだん》とは仰せ出され難く、又航海雄略《ゆうりやく》の事は、是れまで未だ仰せ出されざる事を、今更仰せ出され候事尚《な》ほ以て如何敷《いかがはし》く抔《など》申すもの之れあり候へども、是れは小量《せうりやう》なる　考《かんがへ》に御座候。墨夷《ぼくい》一条は実に　桓武天皇遷都《せんと》以来の大議に御座候へば、君も臣も打返し打返し再三となく御評議在らせられ、至当に帰《き》し候はでは相済まず、関東よりも幾度か奏聞も之れあるべく、朝廷よりも幾度か勅答も仰せ出さるべき事にて、綸言《りんげん》汗の如しとのみ一概に申詰め候はば、矢張り一偏に落ち申すべく存じ奉り候事。

〈語釈〉

(1) 堀田　堀田正睦。江戸時代末期の幕府老中。下総佐倉藩主。西洋兵法の研究を進めた人。日米通商条約に際し勅許を求めたが得られず、また将軍継嗣問題で南紀派に敗れ、井伊直弼が大老に就任後失脚した。

〈現代語訳〉

このたび、朝廷より条約調印拒否のお答えが関東に下りましたが、幕府ではどのような評議がなされたのでしょうか、まことにもって気がかりなことと存じます。今日の事態に際し、恐れながら朝廷が今一番になさらなければならないことは、幕府の決議がまだ出されないうちに、将軍又は御三家の人々を京都に呼び出され〔このことについて、朝廷と幕府の関係がどのようになっているか、私はよく知りませんが、天皇が断固としてお命じになれば、どうして幕府が従わないということがありましょうか〕、そしてとくと朝廷のお考えをお聞かせになることです。幕府の決議を、ただじっとお待ちになっていては、事態はますます手遅れとなってしまいます。また先に『愚論』に書きましたように、幕府の虚言は十分に注意しなければなりません。

『愚論』で私が申し上げましたことは一応道理が通っているが、朝廷の一致した御意見は、下田の条約はそのままにしておき、このたびのコンシュルの申し出は一つ一つ拒絶なさるお考えだということで、すでに老中堀田正睦にもこのことをお話しになられ、その言葉は取り消すことが出来ないものだから、下田の条約をいまさら破棄するわけにもいかず、また航海により海外に雄飛することもこれまでまだ一度もおっしゃらなかったことだから、いまさらそれをいい出されるのは、なおよろしくない、などという者もありますが、これは量見の狭い考えだと思います。アメリカとの一件は、実に桓武天皇の平安遷都以来の重大議ですので、君臣が一体となって何度も何度もくり返して御評議になり、最もよい結論を得るようにしなければなりません。幕府からも幾度か朝廷へおたずねがあるに違いないので、朝廷からも幾度かそのお答えを出されるべきであって、天皇のお言葉は取消しがきかないと、ただ一概にいってしまえば、やはり視野の狭い見方に陥ってしまうと思います。

鎖国の説は一時は無事に候へども、宴安姑息《えんあんこそく》の徒の喜ぶ所にして、始終遠大の御大計に御座なく候。一国に居附《ゐつ》き候と天下に跋渉《ばつせふ》仕るとは人の智愚労逸《ちぐらういつ》、近く日本内にても懸絶《けんぜつ》致し候事、況《いはん》や四海に於てをや。何卒《なにとぞ》大艦打造《うちつくり》、公卿《くぎやう》より列侯以下、万国航海仕り、智見を開き、富国強兵の大策相立ち候様仕り度き事に御座候。又交戦の上を以て申し候へば、鎖国は一人の取籠《とりこも》りものの如くに御座候。前後に気を配り左右へ眼を使ひ、昼夜共安寐《あんび》出来ざる故、終《つひ》に気力弛《ゆる》み生捕《いけどり》に合ひ候事、毎々《ことごと》に御座候。一時の戦略は如何様《いかやう》とも出来申すべく候へども、永世へ掛け始終海岸防禦にのみ財力を竭《つく》し、国《くに》貧し民《たみ》窮するに至り大敵来攻《らいこう》ども致し候はば、一人の取籠者《とりこもりもの》と同日の談に之れあるべく候。外国の事情を知らずして徒《いたづ》らに海岸を守り貧窮に困《くる》しみ候は、誠に失策に之れあるべく、暎咭唎《イギリス》・仏蘭西《フランス》などの小国にてさへ、万里の遠海へ亙り人を制し候は、皆々航海の益に御座候。此の所早く御着眼之れなく候ては覚束《おほつか》なく存じ奉り候事。

〈現代語訳〉

鎖国の説は、一時はことなくすみましょうが、これはぐうたらで姑息な者たちが喜ぶだけのことで、国家が常に抱くべき遠大なる計りごとではありません。一つの国にじっと居つくのと天下を跋渉するのとは、それぞれ人の智愚や、労苦を惜しまない者、あるいは安逸を好むものの違いによって変わるものです。日本という国の中だけでも、その二者の間には大きなへだたりがあるのに、いわんや海外に対しては雄飛しようとする者と、じっといすわっているることを好む者との違いは大きいものです。なんとか大きな軍艦を造り、公卿をはじめ列侯以下の者たちが、世界中に航海し、見識をひろめ、富国強兵の政策が順調に運ぶようにしたいものです。またいざ戦争ということになった場合を考えてみますと、鎖国は一人でとりこもっているようなものです。前後に気を配り、左右に眼を使い、夜も昼も安心してねむることが出来ません。そしてついに疲れはて気力も弱り生捕りにあうというのは、毎度のことです。一時の戦略はどのようにでも出来ますが、いつまでもいつまでも海岸の防衛にのみ財力を費し、そして国が貧乏になり民衆が困窮するに至って、大敵が攻め寄せて来たりすれば、一人でとりこもっている者と同じ結末になるのは火を見るよりも明らかなことです。外国の事情をよく知らないで、いたずらに海岸の守備のみで貧窮するのは、まことに失策というべきもので、イギリス、フランスの小国でさえ、海外万里にわたって制覇しているのは、これみな航海のおかげなのです。この点に一日も早く着目されるのでなければ、本当に心もとない限りと存じます。

天朝より勅諚《ちよくぢやう》を以て厳重仰せ出され候へば、思召通り可《か》なりには行はれ候筈には御座候へども、実は　天朝より実事《じつじ》を以て御示し成されず候ては十分に参り兼《か》ね申し候。右に付き差当り愚考《ぐかう》仕り候は学校に御座候。京師《けいし》に於て文武兼備の大学校御造建成《ござうけんな》させられ、上《かみ》皇子皇孫より下斉民《しもせいみん》に至るまで、貴賤尊卑の隔《へだて》なく寄寓《きぐう》仕らせ、文武講習を宗とし、天下の英雄豪傑を此の内へ聚《あつ》め候様《やう》仕り度く存じ奉り候。学校造建の順序は、第一に文武生居寮《きよれう》を構へ、第二銃兵調錬所《じゆうへいてうれんじよ》を構へ、弓馬剣槍所《きゆうばけんさうじよ》是れに隷《れい》す。制本所・制薬所・鋳銃所《ちうじゆうしよ》、並びに諸工作所等皆学校中か又は別所に置き候とも、学校の支配に致すべきなり。又施薬《せやく》・悲田《ひでん》等の院も是れに準ずるなり。扨《さ》て其の総督たる人其の撰甚だ重し、文武兼備大道を明らめ、旁ゝ《かたがた》万国の事に通じて英邁俊偉《えいまいしゅんゐ》の士御求め然《しか》るべく存じ奉り候。但し学校を興《おこ》し候事頗《すこぶ》る大挙にて、一朝に成就さすべくと申し候はば、中々容易ならざる事に之れあるべく候へども、是れを興し候は漸《ぜん》を以てし、第一第二と順々に御調《おととの》へ成され然《しか》るべく候。費用は諸宗の僧徒、又大坂其の外富豪の者へ献金させ、其の基資《きし》を建て置き、将軍家・諸大名へも御手伝《おてつだひ》仰せ付けられ然《しか》るべく存じ奉り候。基資《きし》已《すで》に建ち候はば、以後以後は永続出来申すべく、且《か》つ工作を以て利を興《おこ》し候様の仕法建《しはふだて》之れあるべく存じ奉り候事。

〈現代語訳〉

勅命を出され、断固としてお命じになれば、朝廷のお考えどおりに、かなり実行されるはずですが、なによりも朝廷が率先してその実をお示しにならなければ、本当に十分徹底して行なわれるものではありません。右のような次第ですから、まず差し当って私の考えますのは、学校をつくることだと思います。京都に文武を兼ね備えた大学校を建造され、上は皇子皇孫から下は庶民に至るまで、貴賤尊卑のへだてなく一緒に集め、文武の講習を専門に行ない、天下に英雄豪傑として名のあるものを、ここに集めたいものだと思います。学校の校舎建造の順序は、第一に文武学生の寄宿舎を造り、第二に銃兵調練所を造る。弓馬や剣術・槍術などもここに属することとします。他に製本所・製薬所・鋳銃所およびいろいろな工作所など、みな学校内か、あるいは別の所であっても、学校の附属所として設置したいものです。さらに病院や孤児院の施設も学校の管轄下におくようにします。さて総長は十分慎重に選ばなければならないので、文武を兼備していて、大道をわきまえ、また一方、世界事情によく通じている、卓越した秀れた人物を選ばなければなりますまい。ただし学校を作るということは、非常に大きな仕事ですので、すぐにこのことを成就すべしというのは、はなはだ容易ではありませんが、ともかく少しずつ着実に行ない、第一、第二と順々に整備なさって下さい。その費用は諸宗流の僧侶および大阪そのほかの富豪に献金させ、それを基金とし、また将軍家・諸大名にも手伝うようお命じになっていただきたいと思います。基金が集まりましたら、それより以後は永続出来るように、利潤を得る工夫をいろいろ考えるようにしたいものです。

航海の事、一口に航海航海とのみ申し候へば、極めて成り難き事に相聞え候へども、是れを行ひ候は夫々《それぞれ》順序之れある事に御座候。航海は一科の学に相成り居り候事に付き、学校中へ此の学所一局相建《あひた》て、其の学に長じ候もの入学仕らせ候儀一説に御座候。又吾が国の航海、東北蝦夷《えぞ》・松前より西南対馬《つしま》・琉球まで、自在に通船致し候事に候へども、只今の所にては専《もっぱ》ら船頭舸子《かこ》の事に成り果て候故、武家の士にても此の術を会得《ゑとく》致し候ものこれなく、況《ま》して公卿《くぎやう》の歴々をや。夫《そ》れ故《ゆゑ》学校中にて人材を選び、二十左右少壮《せうさう》の者を諸国の港々へ遣《つか》はし通船に託し、海勢並びに船上の事心得させ、又志あるもの十歳左右の童児をも丸《まる》に船頭に託し置き候事勝手に致させ、専《もつぱ》ら其の術を精究《せいきう》致させ度く、是れ等も皆公卿《くぎやう》より御引立《おひきたて》成《な》され候事、是れ二説に御座候。

和蘭陀《オランダ》は二百年来来航《らいかう》仕り候事にて、墨夷《ぼくい》其の外新来の夷国とも違ひ、且《か》つ往々《わうわう》御国の御為めを謀《はか》り候事に付き、此の船に託し壮士数十人づつ年々広東《カントン》・爪哇《ジャワ》其の外へ御遣はし成され候事、是れ三説に御座候。此の三説を以て航海の基《もと》と成され候て、清国・朝鮮・印度抔《など》の近国へ出掛け候様成され候はば、数年の内航海の事は大いに行はれ申すべく存じ奉り候。此の条亦早く其の総督を定むるに在り。

右の数件当今の急務と存じ候故、此くの如く書附け申し候。御上京の節、有志の歴々へ得《とく》と御商議然るべく存じ候なり。

戊午《つちのえうま》五月念八日　吉田矩方再拝

中谷正亮足下

〈現代語訳〉

航海のことは、ただ口で航海航海とばかりいっておりますと、非常に不可能なことのように聞えますが、これを行なうにもいろいろと順序というものがあるものなのです。航海は学科として一科目独立して成り立つものですから、学校の中にこれのための校舎を一つ建て、航海学に秀れたものを入学させるというのも一つの案です。またわが国の船は、東北方面では蝦夷・松前より、西南方面では対馬・琉球まで自由に航海しておりますが、現在のところではもっぱら船頭や舟乗りのやることになっていて、武士で航海術を会得しているものはなく、まして公卿のお歴々はいうまでもないことです。だから学校の中より秀れた人物を選び、二十歳前後の少壮の者を諸国の港に派遣し、通船に乗せ海勢や船上でのいろいろのことを勉強させ、また志のある者は、十歳前後の少年でも、すっかり船頭に預けてしまうようにさせ、もっぱら航海術をしっかりと身につけるようにさせたいものです。これらもみな公卿からも引き立てられるようにして下さい。これが第二案です。

オランダは二百年来、日本に来航しており、アメリカをはじめ、他の新来諸外国とは違って、しばしば日本のため親身に考えてくれる場合が多いから、このオランダの船に頼んで、青年数十人ずつを、年々広東・ジャワその他へ派遣されること、これが第三案です。この三つの案をもって航海の基礎とされ、清国・朝鮮・インドなどの近国へお出掛けになるようになされば、数年のうちに、航海はおおいに行なわれるようになることだと思います。これに関しましても、その総督を決めることが先決です。

右に述べました数件は、現在の日本にとって最も急務とされることだと考えましたので、このように書き述べました。御上洛の節、有志の者たちと、十分御相談していただきたいと思います。

戊午（一八五八年）五月二十八日

吉田矩方再拝

中谷正亮足下

回顧録

安政元年（一八五四）三月、松陰は下田で停泊中のアメリカ軍艦に小舟をよせて、従者の金子重輔《かねこじゅうすけ》と共に海外への密航を依頼した。しかしながら、それはペリーの拒絶にあい、空しく帰途について、役人に自首して出たことは周知のことである。

この『回顧録』は、松陰がそのことによって罪を得、萩の野山獄に閉じ込められているときに往時を思い起こして日記風に書いたものである。彼が、この記録を思い立ったのは三月三日で、桃の節句。去年の節句はどうであったかと思うと万感が胸にせまってくる。

ちょうど、その三月三日は、彼の企画を誰も知るものがなかった。しかし海外への旅となると、いつ帰ってこられるかわからないのである。彼は鳥山新三郎を訪ねて、桃の節句にかこつけて友人らと別離の宴を催すのである。

その席には梅田雲浜もいれば宮部鼎蔵もいる。そして藩の多くの同僚たちもいた。そのような感傷の気持から翌日は金子の調達、兄への作り事、というふうに事が進んでゆく。

やがてそれを宮部鼎蔵・来原良蔵・永鳥三平などの友人に相談すると、賛否両論だ。しかし、ついに留めて留らぬものと決まる。それから下田に渡るまでの過程がこと細かに書きつけてある。もちろん、入獄に至るまで記憶するがままに書きつけてあるのだ。

この『回顧録』は、そのアメリカ渡航の計画と失敗を語ったという意味では、『幽囚録』と同じ種類のものである。しかし、『幽囚録』が師の象山を意識して書いており、いささか固くなっているのと反対に、極めて楽な姿勢で書かれているのが面白い。日記文学といってもよいようなものである。

野山獄《のやまごく》(1)にありし時三月三日に遇ひければ、去年の事を回顧し、感慨の至りに堪へず。因つて日を逐ひて是れを録すること左の如し。

乙卯《きのとう》三月三日

去年三月三日　牢晴。是れより先き亜美理駕《アメリカ》(2)舶《はく》金川《かながは》に泊すること日久《ひさ》し。林(3)以下の官員度々の応接畢《をは》り、此の節に至りては和友通市《わいうつうし》(4)の議も已《すで》に決したるの聞《きこ》え専《もつぱ》らなれば、今や此の地に留《とど》まるも力を致すべき所なし、疾々《とくとく》夷国《いこく》へ渡り其の情実《じやうじつ》を探知せんには如《し》かじと、渋木松太郎(5)と約せしが、未だ他の同志へは告げず。

是の日、浴沂《よくき》の昔を思出し、向島《むかうじま》(6)・白髭《しらひげ》・梅穉《うめわか》のわたりへ遊ばばやと、同友《どういう》群をなして、寓居せし鳥山(7)が宅へ訪《おとな》ひ来るにぞ、夫《そ》れは一段の事と打出でぬ。白馬《はくば》碧桜《へきあう》、青《せい》粉紅娥《ふんこうが》、太平の光景目に余りたることにて、楽《たのしみ》極まりて哀《かなしみ》を生ず。一つには尸《しかばね》を海外に没せば、再び華《はな》の江戸の此の光景を又もや見んことも覚束《おぼつか》なきを哀《かな》しみ、一つには夷《い》船《はく》は近く金川《かながは》に泊するに、少年幼婦は国家の大患たることをも知らで、楽しげに花に迷ふ蝶と共に飛び、柳に嬌《こ》ぶる鶯《うぐひす》と共に歌ふことこそ浅猿《あさまし》けれと哀しみけれど、少しも顔色声音には是れを出さで、夜に入りてぞ帰りける。此の日、同遊の人々、鳥山・宮部(8)（鼎蔵）・永鳥《ながとり》(9)（三平）・白井（小助）・渋木・末松（孫太郎）・梅田(10)（雲浜）・村上（寛斎）・佐々（淳二郎）・野口（直之允）・内田其の他尚《な》ほ十数人、悉《ことごと》くは覚えもやらず。今年三月三日、曇天、之れを記す。

〈語釈〉

(1) 野山獄　萩にあった士分の者が入れられる牢獄。(2) 亜美理駕船云々　嘉永六年（一八五三）、日本に開国を求め浦賀に来航したペリーは、翌年再び返書を求め神奈川に現われた。(3) 林　幕府儒役林韑《はやしあきら》。大学頭の要職にあった。(4) 和友通市　安政元年三月三日、日米和親条約が締結調印され、下田・箱館の二港が開かれた。(5) 渋木松太郎　金子重輔の変名。幕末の志士。アメリカ船乗り込みに際し松陰に同行。のち萩の岩倉獄で獄死した。(6) 向島・白髭・梅穉　江戸の桜の名所。(7) 鳥山　鳥山新三郎。儒者で志士。松陰の密航には反対したが、松陰の投獄後は同志と共に慰安に努めた。(8) 宮部　宮部鼎蔵。肥後藩士で幕末尊攘派の志士。山鹿流を学ぶ。松陰の東地遊歴に同行した。元治元年、池田屋の変で新選組に襲われ自刃した。(9) 永鳥　永鳥三平。幕末の志士。肥後熊本の出身。一時禁錮される。文久三年（一八六三）学習院出仕を命じられたが、八月十八日の政変により沙汰止みとなった。(10) 梅田　梅田雲浜。幕末尊攘派の志士。若狭小浜藩士。幕政批判のかどで追放され、浪人となる。安政の大獄で捕らえられ、獄中で病死した。

〈現代語訳〉

野山獄に幽閉されたまま三月三日を迎えた。去年の事を回顧すると、感慨で胸がいっぱいになる。だから順に日をおって、去年の出来事を記録することにした。

乙卯（一八五五年）三月三日

去年の三月三日　おだやかに晴れ渡っていた。アメリカの船が神奈川に停泊してから随分と久しい。林大学頭《はやしだいがくのかみ》をはじめ幕府の役人は、たびたび彼らと応接していたがそれも終り、今では和親通商条約も決定したらしいとの噂《うわさ》がもっぱらであった。だからもはや日本にいても、打つ手もないことなので、ともかく一日も早く外国へ渡り、その実情をよく認識するのが一番いいことだと渋木松太郎《しぶきまつたろう》と話しあった。しかしこのことはまだ他の同志にはいっていない。

この日、昔よく郊外を散策したことを思い出したのであろう、向島・白髭・梅稈のあたりに遊びに行こうといって、仲間が皆一緒になって、下宿している鳥山《とりやま》の家に僕を訪ねて来た。そこでそれは名案だといって、一緒に出かけることになった。空は青く澄み渡り、所々に白い雲が流れ、その下では桜の花がその美を誇っていた。草木のあいだに飛びかう蝶《ちょう》も、そのあでやかさを競い、このあまりに平和な光景は、本当に目に痛いほどだった。楽しみが極まって、かえって悲しい気持になるというが、全くそのとおりだ。もっとも僕が悲しみを感じる一つの理由は、もし海外で死ぬようなことになれば、再びこの花の江戸の光景を見られるかどうかわからないということ。もう一つは、今外国船がこの近くの神奈川に停泊しているというのに、子供や女たちは、国家の大事とも知らず、楽しそうに花にたわむれる蝶と一緒になって遊んでおり、また柳に媚《こ》びる鶯《うぐいす》と一緒になって歌に興じているのが、なんとも浅はかなことに思われたからである。しかしそれを顔色に現わしたり、口で不平をいったりはしないで、夜になって帰った。この日一緒に遊んだのは、鳥山・宮部鼎蔵《みやべていぞう》・永鳥三平《ながとりさんぺい》・白井小助《しらいこすけ》・渋木松太郎・末松孫太郎《すえまつまごたろう》・梅田雲浜《うめだうんぴん》・村上寛斎《むらかみかんさい》・佐々淳二郎《さっさじゅんじろう》・野口直之允《のぐちなおのじょう》・内田そのほか十数人余り、全部の名前は覚えていない。今年の三月三日、曇天、これを記す。

四日　朝、藩邸に詣《いた》り、秋良《あきら》を訪ひ、航海の志《こころざし》を語り、且つ金を借らんと欲す。秋良是れを善しとす、金は後刻とりに来るべき由を云ふ。阿兄《あけい》の舎に詣《いた》り、偽りて云はく、「鎌倉に隠れて書を読まんと欲す」と。是れよりさき阿兄已に寅が狂暴を憂ひ、其の韜晦《たうくわい》を事とせんことを欲す、其の誨諭反覆《くわいゆはんぷく》至らざることなし。然《しか》れども航海の事は素《もと》より去年来の決する所にて、此の程時勢を見計《みはか》り、しばし踏み留《とど》まるは仮りの事なり、もし墨夷《ぼくい》を膺懲《ようちよう》するの挙《きよ》あらば、固《もと》より一死国《くに》に報ずべく、又事《こと》遂に平穏ならば、海に入りて探報《たんぱう》をなすべしと思詰《おもひつ》めしこと故、人に対し事を論ずるにも、国の為めに計《けい》を画《くわく》するにも、余力を残さず、嫌諱《けんき》を避けず、斧鉞《ふえつ》後に恐るる所なく、富《ふう》貴《き》前に誘ふ所なし。故《ゆゑ》に其の筆鋒口気《ひつぽうこうき》、見るもの聞くもの狂暴とせざるはなきも理にて、阿兄の厚意に負《そむ》くも亦是れが為めなり。

然《しか》る処《ところ》鎌倉の行《かう》を告げければ、阿兄の悦《よろこ》び大方《おほかた》ならず、かの舜《しゆん》(1)の象《しやう》が鬱陶《うつたう》として君を思ふと云ひしを悦び給ひしも、かくやと思ひ知られける。此の時狂暴の寅次も胸中いかがありけん、皆人察し給へ。扨《さ》て寅は阿兄へ誓文《せいもん》を献じける。其の文に云はく、

今甲寅《きのえとら》の歳より壬戌《みづのえいぬ》の歳まで、天下国家の事を言はず、(2)蘇秦《そしん》・張儀《ちやうぎ》の術をなさ

ず、退いては蠹魚《とぎよ》となり、進んでは天下を跋渉《ばつせふ》し形勢を熟覧《じゆくらん》し、以《もつ》て他年報国の基《もとゐ》を為さんのみ。富嶽《ふがくくづ》崩ると雖《いへど》も、刀水《たうすゐ》涸《か》ると雖も、誓つて此の言《げん》に負《そむ》かざるなり。

甲寅《きのえとら》三月四日書す　　吉田寅次郎藤原矩方

杉梅太郎殿

とぞ認《したた》め、小柄《こつか》を取り指を刺し、鮮血を出しこれに粘《ねん》しぬ。阿兄悦びて二朱金一片を出し賜ふ。是れより檜邸《(3)くわいてい》に往き、帰途又過《よぎ》るべきことを約し去る。

〈語釈〉

（1）象　中国古代の聖王。象は舜の弟の名前。異母弟で、はじめ象は舜を殺そうとしたが、のちその徳に感化された。（2）蘇秦・張儀の術　蘇秦と張儀は春秋戦国時代に合従連衡《がつしようれんこう》策を諸国に説いて廻った説客。それにより他国に遊説して廻ることをいう。（3）檜邸　長州藩下屋敷。江戸麻布竜土町にあった。

〈現代語訳〉

四日　朝、藩邸に行き秋良敦之助《あきらあつのすけ》を訪問。海外渡航の企てについて彼に語り、借金を申し入れる。秋良はこの壮挙に賛成してくれ、金はあとで取りに来るようにといってくれた。兄さんの所に行き、「鎌倉にでもこもって、読書に精出したいと思っています」と嘘をいった。これより先、兄さんは、僕の狂暴な性質を心配していて、あまりそれを表面に出さないようにと、幾度も幾度も注意していたのである。しかし海外渡航の計画は、すでに去年から決めていたことで、今こうして踏み止まっているのも、ただ機会をうかがっているにすぎなかった。もしアメリカ人を打ち払うために立ちあがるのなら、もとより死は覚悟の上でこれに加わり、国に報いたいと思っていた。また太平無事にことが終るのならば、海外の知識を求めることに努力を傾けようとも思っていた。だから人と議論するときも、国のためにいろいろな計画を練る時も、全力で対処し、他人から恨まれたり嫌われたりすることなどには気をとめないでいた。またそのため重刑を科せられる恐れや、富や地位にも心を動かされるということもなかったのである。だから僕の書いたものを読んだり、話すことを聞いたりした人は、だれもが僕を過激な奴だと思うのも当然なのである。兄さんの厚意ある忠告にそえないのも、こうした性質のためだった。

ところが、僕の鎌倉行のことを話したところ、兄さんの喜びようは大変なものだった。舜《しゅん》の異母弟の象《しょう》が、兄を殺したものとばかり思って家に帰ると、その兄が部屋にいて、象は思わず「お兄さんのことがとても心配になって、それでお会いしにきたのです」と恐縮したようにいうと、舜は象をにこにこと喜び迎え、その言葉を疑わなかったということだが、その時の舜の気持は、ちょうどこの僕の兄のようだったのだろうと、しのばれるほどだった。この時ばかりは、さすがに狂暴な僕も、胸中どんな思いでいたか、どうかお察しいただきたい。それから僕は、兄さんに次のような誓文をさし出した。つまり、この甲寅《きのえとら》の年（安政元年＝一八五四）より壬戌《みずのえいぬ》の年（文久二年＝一八六二）まで、天下国家についての議論はいたしません。蘇秦や張儀のやったように、全国各地でアジ演説をしたりはしません。ただ引きこもって本の虫になり、積極的な行動としては、全国を旅して歩き、世の中の情勢をつぶさに見て、将来国家に貢献できるような基礎を、きっちりと築きたいと思うだけです。富士山が崩れても、利根川が涸れても、誓ってこの言葉にそむくことはありません。

安政元年（一八五四）三月四日書す。

吉田寅次郎藤原矩方《のりかた》

杉梅太郎殿

と書き、小柄《こづか》を抜き、指を刺して鮮血を出し、それを判にした。兄さんは喜んで、二朱金一片をくれた。僕は長州藩の下屋敷檜邸《かいてい》に行く用があったので、その帰りにまた立ち寄る約束をして兄さんの所を去った。

それより檜邸に往き、(1)来原良蔵《くりはらりやうざう》を訪ふ、在らず。書を留《とど》めて云はく、「急に鎌倉に隠匿《いんとく》せんと欲す、因《よ》つて商議したき事あり、明日弊寓《へいぐう》へ枉《ま》げらるれば幸甚なり、且つ坪井（竹槌）氏を携《たづさ》へ来らば更に妙」とぞ認《したた》め置き、邸門を出づる時良蔵・(2)淡水《あはみ》帰り来《きた》りし故《ゆゑ》、云々を語りて去る。時に雨降り出し日も又暮る。徒跣《はだし》して又上邸へ過《よぎ》り、秋良《あきら》を訪ふ。秋良云はく、「今朝の事熟思《じゆくし》するに、暫く待ち給へ、金の事も他の用にとならば贈るべし、航海の費に供することは辞する所なり。敦《あつ》、(3)貴丈人《きぢやうじん》と宿昔《しゆくせき》より交《かう》義《ぎ》を辱《かたじけな》うす、貴丈人若し此の事を不是《ふぜ》とし給ふことあらば、敦将《あつま》た何を以て是れを弁ぜん」など云ふ。寅乃《とらすなは》ち云はく、「此の事寅自《みづか》ら至当とす。然《しか》れども足下《そくか》の言《げん》、寅将《まさ》に再思せんとす。金に至つては航海の外、用ゆる所なし、借ることを用ゐず」とて、泛然《はんぜん》と「天下の大機会已に去る、復《ま》たなすべきことなし、国家に在つては力を畜へ鋭《えい》を養ふの時、士夫《しふ》に在つては学を殖し術を精《くはし》うするの時」などと論じて出で去る。

今朝の約もあり、阿兄へ過《よぎ》るべきことなれども、過《よぎ》りて談話する時は、必ず覚えず涙を洒《そそ》ぐに至るべし。然る時は阿兄の疑を発し給ふこと必せりと思ひ、断然として過《よぎ》らず。寓居に帰れば、夜も已に深《ふ》けにける。四日、曇天、之れを記す。

〈語釈〉

(1) 来原良蔵　吉田松陰と深い親交をもった。藩の兵制改革に尽力。のち藩邸で国論誤解の責任を負って自刃。(2) 上邸　長州藩上屋敷。江戸桜田にあった。(3) 貴丈人　松陰の父杉百合之助。

〈現代語訳〉

それから檜邸に行き、来原良蔵《くりはらりようぞう》を訪ねたが不在。そこで「急に鎌倉に隠棲しようかと思いたちました。だからいろいろ御相談したいことがありますので、明日私の所へ来ていただければ幸甚です。また坪井《つぼい》竹槌《たけつち》も一緒ならなお結構です」と置き手紙をして門を出ようとした時、良蔵・(赤川)淡水《あわみ》が帰って来たので、そのことを話し別れた。ちょうどその時雨が降り出し、日もまた暮れた。はだしのままで桜田の上屋敷《かみやしき》へ行き、秋良を訪ねた。彼は、「実は今朝のこと、よく考えてみたんだが、やはり思い止まったらどうだろう。金のことも、他のことに使うのだったらあげてもいい、海外渡航のためだったらお断わりだ。僕は君のお父さんと昔から深いおつきあいをしている。もしお父さんがこのことに反対されることがあれば、僕はいったいどのように弁解すればいいのだ」といった。そこで僕は「これは僕がよく考えたうえで、一番いいことだと思って決めたことです。しかし君の言葉を聞いて、考えなおす気持になりました。金は渡航のために必要だったので、もうやめてしまえばいりませんので結構です」といい、とぼけながら「国運のかかった重大な時機ももう去ってしまったので、今さらどうすることも出来ない。むしろ国家にとっては、力を蓄え俊鋭を養う時であり、武士は学問に励み、武術を磨く時だ」と論じたて、ここを去った。

　今朝約束をしていたので、兄さんの所に寄るべきだったのだけれど、寄って話し合っておれば、きっと思わず涙を流すことになり、そうなれば兄さんの疑惑をそそることになるので、思いきって寄らないことにした。家に帰りついた時は、すでに夜もふけていた。四日、曇天、これを記す。

五日　朝、阿兄より書来《きた》る、昨夜何故来《なにゆゑきた》らざりしや、弥ゝ《いよいよ》何日より鎌倉へ行くやとの事なり。因つて答書に云はく、「昨夜夜深《よふ》け雨る故、直ちに帰る、今日より発程《はつてい》する故、又過ることを得ず」と。已にして来原《くりはら》・赤川（淡水）・坪井・白井・宮部・佐々・松田（重助）来り集まる。同寓永鳥と同じく寓を出で、京橋傍の伊勢本と云ふ酒楼に大会し、予が策を語り且つ諸子の論を請《こ》ふ。初めは深く然りとするもの永鳥一人のみ、已にして衆皆《しゆうみな》之れに同ず。只だ宮部云はく、「是れ危計《きけい》なり」と。意甚だ痛《つう》惜《せき》す。衆皆宮部を駁《ばく》す。来原・永鳥黙然《もくねん》云はず、久しうして来原突然曰く、「夷情《いじやう》を探問《たんもん》するは当今の務むべき所か」。宮部曰く、「固《もと》よりなり」。来原云はく、「実《じつ》に然《しか》らば事の当《まさ》に為すべきをなす、何ぞ成敗をとはん、一跌《いつてつ》首を梟《けう》する、吾れ寅二に於て憾《うら》みとなさず」と。又久しうして永鳥徐《おもむ》ろに曰く、「勇鋭力前《ゆうえいりきぜん》は吉田君の長所なり、縝《しん》密持重《みつぢぢゆう》を以て是れを止めんと欲す、吾れ其の事を成すことなきを知る」と。余乃《すなは》ち毫《ふで》を揮《ふる》ひて曰く、「丈夫見る所あり、意を決して之れを為す。富嶽《ふがく》崩ると雖《いへど》も、刀水竭《たうすゐつ》くと雖も、亦誰れか之れを移易《いえき》せんや」と。宮部其の留意《りうい》なきを知り遂《つひ》に之れに同ず。佐々痛哭流涕《つうこくりうてい》して曰く、「神州の陸沈此《りくちんここ》に至る、君其れ何の術を以て是れを維持せんと欲する」と。余も亦覚えず流涕、遂に共に誓つて曰く、「寅《とら》已に断然危計を行ふ、固《もと》より自《みづか》ら期す、一跌《いつてつ》して首を鈴森《すずがもり》(1)に梟《けう》することを。然れども諸君今日より各ゝ《おのおの》一事を成して国に酬《むく》いば、其の間成敗なきに非《あら》ずと云ふとも、何ぞ国脈を培養《ばいやう》せざらん、如何々々《いかんいかん》」と。衆皆《しゆうみな》之れを然りとす。

〈語釈〉

(1) 鈴森　江戸の刑場。慶安四年(一六五一)に設置され、明治以降廃止された。

〈現代語訳〉

五日　兄さんより、朝手紙が来る。どうして昨夜は来なかったのか。いつから本当に鎌倉へ行くのかという内容のものである。だからすぐ返事を書いた。つまり「昨夜は夜更けに雨が降り出したので、すぐ家に帰りました。今日出発することにしておりますのでお寄りすることが出来ません」と。間もなくして来原・赤川淡水・坪井・白井・宮部・佐々・松田重助がやって来た。永鳥と一緒に家を出て、京橋のそばにある伊勢本という酒楼に皆で集った。まず僕の計画を話し、そして皆の意見を求めた。はじめは心から賛成してくれたのは永鳥一人だけだったが、そのうち他の者も同意するようになった。ただ宮部は「これは危険な計画だ」といった。この考えは全く遺憾にたえなかった。他の者はみな宮部に反対した。来原・永鳥は黙って何もいわなかった。しばらくして突然、来原が「外国の情勢を研究するということは、今しなければならないことなのか」といった。宮部が「もちろんだ」というと、来原は「本当にそうであるならば、なすべきことをなすのであって、どうして成功・失敗を問題にしようか。もちろん失敗すれば晒首《さらしくび》、しかし僕は寅二郎に後悔させるようなことはしない」といった。またしばらくして、永鳥がおもむろに話し出した。「勇気と行動力に富んでいるのは吉田君の長所だが、思慮と慎重さをもって、この計画を中止させたいと思う。どうもこれは不可能なことのように思える」と。そこで僕は筆をふり廻しながら「男子として信念をもって決意したことをやるのである。たとえ富士山が崩れ、利根川《とねがわ》の水がつきても、この僕の決意を、誰が変えることが出来よう」といった。宮部もついに押し止めることが出来ないのを知って、とうとう賛成した。佐々は深い嘆きのため涙を流しながら「日本の滅亡もついに今日のような状態に陥った。君はいったいどんな手をうって救おうと思っているのか」といった。僕も思わず涙を流していたが「僕は断然この危険な計画を決行する。もちろん失敗して鈴森《すずがもり》にこの首を晒されるのは覚悟の上だ。しかし諸君、今日この日から一人一人が、何か一つの事で国に酬《むく》いるならば、たとえその間に裁きをうけることがあろうとも、どうして国威を高めることにならないということがあろうか。そうではないか」と皆に誓っていったので、一堂の者も大きくうなずいてくれた。

かくて日も西に傾きければ永訣《えいけつ》を告げて、余独《ひと》り先づ寓に帰り、渋木と謀《はか》り結束《けっそく》す。時に寓主外より帰り、悵然《ちやうぜん》の色あり。其の由を問へば、云はく、「郷梓《きやうし》の一従弟を失ふ」と。余之れが為めに涙を出し、且つ今日の議定《ぎぢやう》する所を語る。主亦《また》余が為めに涙数行《すぎやう》し云はく、「吾れ極めて君が去るを恨《うら》む、然《しか》れども深く君が決するを知る、故に是れを留《とど》むることをなさず」と。主蔵《ざう》する所の(1)唐詩選掌故《たうしせんしやうこ》二冊を請ふ。主乃《すなは》ち出し餞《はなむけ》とす。有る所の衣物を沽却《こきやく》し、金数朱を得《う》。海外万里《かいぐわいばんり》の行装《ぎやうさう》、一愚嚢《ぐなう》のみ、是れ則ち咲《わら》ふべし。扨《さ》て嚢中《なうちゆう》何の有る所ぞ、小折本《こをりぼん》(2)孝経《かうけい》正文一、和蘭文典《オランダぶんてん》前後編、(3)訳鍵《やくけん》二冊、唐詩選掌故二冊、抄録数冊、嗚呼《ああ》亦約《またやく》なり。

結束略《けつそくほ》ぼ終り、天又昏黒《こんこく》なる時、前の数子又来る。乃ち寓主を誘ひ共に寓を出で、前街にて佐々と別る。佐々、涙痕《るゐこん》未だ消《せう》せず、金五円を出し路費の為めに贈る、且《か》つ衣一領を脱して、予に加へて去る。永鳥は輿地図《よちづ》一軸を出し贈る。宮部、佩《お》ぶる所の刀を脱し、強ひて予が刀と替ふ、又神鏡《しんきやう》一面を贈る。歌一首を口占《こうせん》して曰く、「皇神《すめかみ》の真《まこと》の道を畏《かしこ》みて思ひつつ行け思ひつつ行け」。

〈語釈〉

(1) 唐詩選掌故　唐時代の詩人百二十八人の詩を集めたもの。七巻からなる。(2) 孝経正文　孔子が孝道について述べたものを門人が記録した書。一巻。(3) 訳鍵　オランダ語の辞典。藤林泰助編。文化七年(一八一〇)刊。

〈現代語訳〉

こうしている間に日も西に傾いたので永遠《とわ》の別れを告げ、僕独りで先《ま》ず家に帰り、渋木と相談し身支度《みじたく》にとりかかった。ちょうどその時、家主の鳥山新三郎《とりやましんざぶろう》が外出先から戻って来たが、非常に悲しそうな様子だった。その理由を聞いたところ「郷里の従弟《いとこ》を亡くした」といった。僕はこれを聞いて共に涙を流し、また今日皆で決めたことを話した。彼もまた僕のために涙を流し「私は貴方がここを去っていかれるのが大変残念です。しかしその御決意の固いことがわかりますので、おとめするわけにもいきません」といった。彼の所蔵している『唐詩選掌故《とうしせんしょうこ》』二冊を欲しいというと、餞別《せんべつ》にといって出してくれた。家にあった衣服類を売り払い、なにがしかの金を得た。海外万里の彼方への旅行だというのに、たった一つの小さな袋が旅装のすべてである。まったくおかしな話だ。さてその袋の中にあるものは、小折本の『孝経《こうきょう》』正文一冊、『和蘭文典《オランダぶんてん》』前後編、『訳鍵《やくけん》』二冊、『唐詩選掌故』二冊、『抄録』数冊。ああこれまたお粗末なものである。

身支度がほぼ終って、外が真暗になった頃、先の仲間が数人またやって来た。そこで家主を誘って一緒に家を出、表通りで佐々と別れた。彼の頬にはまだ涙のあとが幾筋か消えずに残っていた。彼は金五円を路費のためといい、またそのうえ、着物を脱いで僕に手渡し、去っていった。永鳥は世界地図を一軸贈ってくれた。宮部は腰に差していた刀をはずし、断わるのを聞かず、僕の刀と交換した。また神鏡一面もくれた。それから「皇神《すめかみ》の真《まこと》の道を畏《かしこ》みて思いつつ行け思いつつ行け」の歌一首を口ずさんでいった。

鍛冶橋《かぢばし》下にて郡司に遇ふ、心事《しんじ》を語らず、一揖して別る。赤川・来原・坪井・白井、飄然相失《へうぜんあひうしな》ふ。宮部は木挽邸《こびきてい》に過《よぎ》り、予は(1)象山宅に過るべき故、渋生及び寓主・永鳥と赤羽根《あかばね》橋に会することを約して別る。象山、是の時横浜に戍《じゆ》す。因つて其の家人に面し、一書を託し曰く、「此の書急に達することを要せず、唯だ直《ぢき》に先生に渡し給へ」と。其の書中の趣《おもむき》は、僕生計困迫《こんぱく》し勢《いきほひ》久しく都下に寓する得ず、将《まさ》に鎌(倉)府の山中に隠匿《いんとく》して以《もつ》て平生《へいぜい》の志を成さんとす。知らず何《いづ》れの日か復た先生を見んや。痛恨痛恥と。且つ書尾に(2)去年西遊の時象山の送詩の韻を歩せし短古《たんこ》二首録し置くなり。

象山の宅を出で、赤羽根橋に趨《はし》れば、却《かへ》つて諸子に先だち、橋頭に立つこと少時、渋生・永鳥・寓主来《きた》る。久しうして宮部来らず、遅徊《ちくわい》多時、遺情《ゐじやう》に堪へず。然《しか》れども詮方《せんかた》なし、二子《にし》と別れ、渋生と同じく西に向ひて急ぎける。後にきけば、宮部余りに急ぎ道を誤り、直ちに三田に出で、遂に神奈川に宿し、吾が二人と遇はざるを傷みながら去りしとかや。吾が二人は夜を冒《をか》し保土谷《ほどがや》に至り宿す。短夜なれば八里の行程に早や東雲《しののめ》とはなりぬ。五日、雨天、是れを記す。

〈語釈〉

（1）象山　佐久間象山。幕末の兵学者。信州松代藩士。通称修理。蘭学・砲学を学び、開国論を主張し、攘夷派に暗殺された。（2）去年西遊の時　嘉永六年九月、松陰は長崎に来航中のロシア船に投じ、海外視察を行なうことを志し、長崎に向った。

〈現代語訳〉

鍛冶橋《かじばし》のたもとで郡司にあったが、心の内は何も語らず一礼して別れた。赤川・来原・坪井・白井らは突然どこへいったのか見失ってしまった。宮部は木挽《こびき》邸によるため、僕は象山《ぞうざん》の家に立ち寄るため、あとで渋木・家主・永鳥と赤羽根橋《あかばねばし》で会うことを約束してそれぞれ別れた。象山はちょうどこの頃横浜に駐屯していて江戸にはいなかった。だから僕は家の人に会って「急ぎはしませんが、必ず直接先生にお渡し下さい」といって手紙を託した。この手紙の内容は、僕が生活費に困っていて、もうこのままでは江戸に生活することも出来ないので、鎌倉の山中に隠棲し、学問に専心したいと思います。またいつ先生にお会い出来るかわからないのが非常に残念です、というものであった。またこの手紙の終りに、去年僕が長崎に旅立つとき、象山は詩をたむけてくれたが、その詩と同じ韻《いん》を踏んだ古体の短詩を二首書き添えておいた。

象山の家を出て、赤羽根橋に急いでいったが、皆よりも早く着いてしまい橋の所でしばらく待つうち、渋木・永鳥・家主はやって来たが、いくら待っても宮部は来なかった。しばらくあたりをぶらぶらして待ったが無駄だった。このまま立ち去るのは心残りであったが、しかしどうすることも出来ないので永島・鳥山の二人と別れ、渋木と一緒に西に向って、急ぎ旅立った。あとで聞いたところでは、宮部は余り急いだため道を誤り、まっすぐに三田に出て神奈川に泊ることになり、僕たちに会えなかったことを残念に思いながら去ったということである。僕ら二人は夜をおして保土谷《ほどがや》に着き、そこで一泊した。夜が短かくなっていたので、八里の行程をいくうちに、はや、東の空は白みかけていた。五日、雨天、これを記す。

六日　晴。保土谷の旅舎《りよしや》にて一睡し、朝五ツ過ぎ起きて墨夷船《ぼくいはく》に投ずる書稿を具し、旅舎を出で駅中を徘徊し、束髪浴湯《そくはつよくたう》し、旅舎に還《かへ》り午食す。愚嚢《ぐなう》は旅舎に託し置き、横浜に往き、夷船繋泊《いはくけいはく》の形勢を見んと欲《ほつ》す。横浜村中にて、偶〻《たまたま》象山の僕銀蔵に逢ふ。吾が輩もと象山を見ることを欲《ほつ》せず、然れども夷舶《いはく》に近寄るべき奇策を得ざる故、試みに銀蔵に向ひ、漁父《れふふ》を誂《てう》し、夷船に近寄り見物すべき奇計どもはなきものにやと尋ねし処、銀蔵云はく、「幸《さいはひ》なり、今夜主人身を漁父に扮《ふん》し、夷船を見物せんと欲す、事略《ほ》ぼ決す」と。吾が輩欣喜《きんき》に堪へず、象山の営《えい》に至る。象山云はく、「事甚《はなは》だ幸《さいはひ》なり、今夜人定《しづま》る後を以てすべし」と。吾が輩乃《すなは》ち保土谷に帰り、一嚢を携《たづさ》へ、初夜に又横浜象山営に往く。然《しか》る処《ところ》、漁父等夜間船を発し人の呵責《かしやく》する所とならんことを恐れ、初めの諾《だく》を変改《へんかい》す。さればとて公事《おほやけごと》にも喧嘩にもならねば、営中に其の夜は留宿《りうしゆく》せしなり。六日、朝、快晴、午後曇天。

〈現代語訳〉

六日　晴。保土谷の宿で一睡。午前八時過ぎに起き、アメリカ船に差し出す書状を持って宿を出る。あたりを散策し、床屋・風呂屋にいき、それから宿に帰って昼食をとった。荷物は宿に預けておいて横浜に行き、外国船の停泊の様子を見ようと思って出かけた。横浜村で偶然象山の下僕《げぼく》銀蔵に会った。僕は今は象山に逢いたくなかったが、しかし外国船に接近するいい案もなかったので、銀蔵に、漁師をなんとか口説いて外国船に近寄り、見物する方法はないものだろうかとたずねてみた。すると銀蔵は「それはちょうど良かった。今夜、象山先生が漁師に扮装して外国船を見学にいくことになっています」といった。僕はこれを聞いて非常に嬉しくなり、たまりかねて、象山の宿営にかけつけた。象山は、「すべてはうまくいった。今夜、皆が寝静まってから決行しよう」といった。そこで僕は保土谷に帰り、荷物を手にして、午後の八時頃にはまた横浜の象山の宿営に戻った。ところが漁師たちは夜間に船を出して、人に見つかり咎《とが》めをうけるのを恐れ、はじめの約束に反して、行くのを断わった。それだからといっておおっぴらに喧嘩をするわけにもいかず、その夜は象山の宿営に泊った。六日、朝、快晴、午後曇天。

七日　晴。朝、象山云はく、「浦賀の組同心《くみどうしん》吉村一郎と云ふもの、此の節神奈川へ出役《しゆつえき》し居る故《ゆゑ》、此の者へ添書《そへがき》すべく間《あひだ》、水薪積込の官舟に乗り、夷舶《いはく》に近付き見るべし、然る時は船中の容子《ようす》も相分《あひわか》り、又趣《おもむき》に因《よ》りては、夷人《いじん》の面を知り置き、策を行《おこな》ふの一助ともなるべし」と。乃《すなは》ち象山の手書《しゆしよ》を持し、村中の漁師《れふし》を倩《やと》ひ、神奈川に至る。此の漁師頗《すこぶ》る奇気あり、又好んで夷事《いじ》を探索し、夷人の図などを作る、甚《はなは》だ巧《たくみ》なり。吾が輩此の者共に事を謀《はか》るべしと意《おも》ふや、神奈川に至り吉村をば訪《おとな》はず、夜に入りて又此の舟に乗りて横浜に帰るを約す。

(1)大槻平治《おほつきへいぢ》此の時神奈川に留《とど》まる故《ゆゑ》、是れを訪《おとな》ふ。平治漁舟に乗じ夷舶《いはく》に至り、詩を賦《ふ》し、(2)羅森《らしん》に贈りたる事を聞きし故、奇策はなきかと思ひ訪《おとな》ひたるなり。かくて酒楼に登り酒を置き、舟子《ふなこ》を招き恣《ほしいまま》に酔飽《すゐはう》せしめ、微言《びげん》を以て之れを動かす。渠《か》れ夷舶に近づくことを許す。吾が輩軽鋭《けいえい》、深思《しんし》せず、謂《おもへ》らく、策已に成ると。夜に入り舟に登り、格外《かくぐわい》に金を与へ、夷舶に乗付けしむ。渠《か》れ事に臨み畏避《ゐひ》退却す。吾が輩解喩《かいゆ》百方すれども、渠《か》れ遂に執《と》りて聴かず。已むことを得ず、又横浜に上陸す。

偶〻《たまたま》象山一僕を従へ村中を徘徊するに遇ふ、具《つぶ》さに語るに故を以てす。遂に又象山の営に宿す。是《こ》の夜、象山又一漁父を誂《てう》し、丑時《うしどき》夷舶に近づくことを謀《はか》る。六日草する処の投夷書《とういしょ》を出し、象山に示す。象山為めに数字を増削《ぞうさく》す。渋生酒後《しゅご》船に上り、激浪の掀翻《きんほん》に遇《あ》ひ、頭痛眩暈《げんうん》を発し、早く寐《い》ぬ、已にして癒《い》ゆ。丑時《うしどき》に至り、漁父風《かぜ》転じ浪《なみ》険なるを以て辞す。象山・渋生と海浜に至り、浪を観、悵恨《ちやうこん》して帰る。七日、晴。

〈語釈〉

(1) **大槻平治**　大槻磐渓。仙台藩医玄沢の次男。漢学・蘭学に通じ、江川太郎左衛門の塾で砲術を学んだ。

(2) **羅森**　ペリーの通訳にあたっていた中国人。

〈現代語訳〉

七日　晴。朝、象山は「浦賀の組同心《くみどうしん》で吉村一郎という男が、近頃、神奈川に勤めるようになったということである。この男に紹介状を書くから、外国船に水や燃料を積込む官船に乗って、外国船に近付き、よく観察してくるがいい。そうすれば船中の様子もよくわかるだろう。またなりゆきによっては外国人の顔をよく憶えておけば、計画のなにかのたすけになるだろう」といった。そこで象山の紹介状を持ち、村の漁師を雇って神奈川へいった。この漁師は非常にかわっていて、外国人のことをいろいろ探るのを楽しんでいた。また外国人の絵を描いていたが、なかなかうまかった。僕はこの男と一緒に例の計画を実行に移そうと思ったので、神奈川にいき、吉村を訪ねるのをやめ、夜になったらまたこの舟に乗って横浜に帰る約束をした。

大槻平治《おおつきへいじ》がちょうど神奈川に来ていたので、彼を訪問した。というのは平治は漁船に乗って外国船に近づき、詩を作って羅森《らしん》に送ったということを聞いたので、何か良い方法があるかも知れないと考えたからである。そうして、それから酒楼に登り酒を並べ、船頭にすきなだけ飲ませ、様々にとりなして勧誘したので、彼もついに外国船に近づくことを承諾した。だからこれでもう僕の計画は成功したと思ったのだが、これはまったく浅薄な考えであった。夜になって船に乗り、ふんだんに金を与え外国船に近づくよう命じたところ、漁師はその場になって尻込みし、帰ろうとしたのである。僕はいろいろなだめすかしたのだけれど、彼は頑強に自説を持して、聴き入れようとはしなかった。だからやむを得ず、また横浜に上陸という破目になったのである。

その時たまたま象山が下僕を一人連れ、村の中を散歩しているのに出会った。そこで僕の失敗談を詳しく話し、また象山の宿営に泊ることになった。この夜、象山はまた一人の漁師を口説いて、午前二時頃に外国船に接近する計画を立てていた。六日の夜に書いた「投夷《とうい》書《しょ》」を取り出して象山に見せたところ、幾つかの箇所を添削してくれた。渋木は酒を飲んだあと船に乗ったところ、海が荒れていたため波に翻弄され、頭痛と目まいを起こし、早く床についた。しかしすぐよくなった。午前二時になったが、海上は風波が高いため、漁師は船を出すのを断わった。象山・渋木と一緒に海岸にいき、波を眺めうらめしく思いながら帰った。七日、晴。

八日　雨。午時まで象山営にて酒を酌《く》み談話す。午食後本牧《ほんもく》へ行き地形海勢を閲《けみ》す。是《こ》の日、怒浪《どらう》山の如し。象山の営に帰り、又談話少時、七ツ頃より保土谷旧宿舎に投ず。永鳥吾が輩の事を慮《おもんぱか》り、是の日吾れに先だちて保土谷に来《きた》り宿し居る。赤羽根橋一別後の事を語り、夜に至る。是の夜、投夷書の附啓《ふけい》を草す。八日、曇天。附啓中に云はく、「横浜村南、海岸断絶、人家なき処にて、初更火を点じて号《しるし》とする故、脚船《きやくせん》にて来《きた》り迎へよ」と。其の地本牧へ行く時、詳《つまびら》かに是れを卜《ぼく》す。

〈現代語訳〉

八日　雨。昼頃まで象山の宿営で酒を飲みながら話しあった。昼食後本牧《ほんもく》へいき、そのあたりの地形や海岸の様子などを調べる。この日、海は山のような波がうねっていた。象山の宿営に帰ってしばらく話を交わし、四時頃から保土谷の旧宿舎にいき、泊った。永鳥が僕のことを心配し、この日僕よりも先に保土谷にやって来て宿をとっていた。そこで赤羽根橋で別れてからのことを、いろいろと夜まで語りあった。そして夜「投夷書」の附啓の部分を書いた。八日、曇天。その附啓の中に「横浜村の南側の、海岸がそそり立っていて、人家もない所で、午後の八時頃火をともして合図しますから、ボートで迎えに来て下さい」と書き加えておいた。この場所は本牧へ行った時に詳しく調べておいたのである。

九日　晴。朝、永鳥を旅宿に留め、渋生と金川《かながは》に至り、吉村一郎を訪ひ、象山の書を達す。一郎交代して、浦賀に帰らんとす、故に鯛屋《たひや》三郎《さぶろ》兵衛《べゑ》に事を託して去る。鯛屋に往きて問ふに、今日は薪水積入《つみいれ》の船なし、明日を待つべしと云ふ。

此の日、夷人横浜に上るを聞き、走りて之れに趨《おもむ》く。便《びん》に因《よ》りて書を付せんと欲す、至れば則ち夷人已に去る。渋生歎息泣かんと欲して云はく、「天吾が事を成すことを欲せざるか、何ぞ其の事々齟齬《そご》して此《ここ》に至るや」。且つ云はく、「危険に乗ぜざれば何ぞ功を成すことを得んや。今夜舟を盗んで直《ぢき》に夷船《いはく》へ押付《おしつ》くべし。幸に今日天和浪恬《てんおだやかになみしづか》、僕略《ほ》ぼ舟を操することを解す、敢へて其の事に任ぜん」と。余曰く、「足下能く是れに任ぜば、寅何ぞ辞せん」と。因《よ》つて沙浜《すなはま》を徘徊するに、二小舟あり、但《た》だ櫓なし。遍《あまね》く漁家を視るに、一小空屋中《あきやちゆう》櫓数挺あるを見る、二人大いに喜び云はく「事成れり」と。

急に保土谷の旅舎に返る。是れより先き吾が輩夜を以て来り、夜を以て去り、蹤跡《しようせき》詭秘《きひ》なるを以て旅舎頗《すこぶ》る疑《うたがひ》を生ず。是《こ》の夜江戸に帰るを以て名とし、晡時《ほじ》旅舎を出で、途中小提燈《こぢやうちん》一把を買ふ。金川台《かながはだい》に至り酒楼に登り、故《ことさ》らに酣宴《かんえん》し、子夜《しや》に至り又横浜に至る。昼日《ちうじつ》見る所の二小舟は漁人《れふじん》已に乗りて去る。且《か》つ天色黯黒《あんこく》、風気《ふうき》特に悪し、海波《かいは》山の如し、昼日の算悉《ことごと》く違《たが》ふ。大いに歎じて曰く、「江を渡るの舵なき、吾れ将《は》た如何《いかん》せん」と。是《こ》の時、村犬群り来り吾れを吠ゆ。余咲《わら》つて渋生に謂ひて曰く、「吾れ初めて盗の難きを知る」と。

是の夜、吾が輩已に策を決して此《ここ》に来る、而して事正《まさ》に此の如《かく》し、計出《い》でん所を知らず。遂に又保土谷に至る。至る頃に天雨ふり夜明く。又旧旅舎に投ず。旅舎益〻《ますます》疑ふ。永鳥依然《いぜん》として在り、曰く、「二君の計又《また》違《たが》ふか」。余咲《わら》つて曰く、「計愈〻《いよいよ》違ひて志愈〻堅し。天の我れを試むる、我れ亦何をか憂《うれ》へん」と。渋生怒憤《どふん》面に満つ。

〈現代語訳〉

九日　晴。朝、永鳥を旅館に残して、渋木と神奈川にいき、吉村一郎を訪問し象山の紹介状を見せた。ところが吉村一郎は勤務を終えて浦賀に帰ろうとしているところだったので、あとのことを鯛屋《たいや》三郎兵衛《さぶろべえ》に一任して去っていった。そこで鯛屋の所へいき、都合を聞いてみたところ、今日は薪水《しんすい》積入れの船は出ないので、明日まで待つようにということだった。

この日、ちょうど外国人が横浜に上陸したということを聞いたので、なんとか会いたいと思い、突走っていった。うまく機会をとらえて、「投夷書《とういしょ》」を手渡そうと思ったのである。しかし着いた時にはすでに立ち去ったあとだった。渋木はおおいに嘆き、今にも泣き出しそうにして「いったい天は、僕らの計画に反対なのだろうか。どうしてこう物事がちぐはぐになり、このように失敗ばかりするのだろうか」といい、また「危険を怖れていて、どうして成功出来ようか。今夜舟を盗み、それで直接外国船に横付けすべきだ。幸いなことに今夜は天気も良く波もおだやかだ。そのうえ、僕は舟の操《こ》ぎ方を少しは知っている。だからぜひやりましょう」といった。そこで僕は「君がやるのなら、どうして僕が反対などするものか」と答えた。そこで二人で海辺を探し歩いていたら、二隻の小舟があるのを発見した。ただ櫓《ろ》がみつからなかった。そこでその辺りの漁家を探していたら、小さな空家の一つに、櫓が幾本か置いてあるのを見つけた。僕らは非常にうれしくなって「これでうまくいく」と喜びあったのである。

いそいで保土谷の宿屋に帰った。ところが数日前から、僕が夜中に宿屋に出たり入ったりし、その行先や行動がよくわからないものだから、宿ではどうやら強い不審感を抱いたようだった。そこで、今夜、江戸に帰るのだということを口実にし、午後四時頃、宿屋を出て、途中でカンテラ一個を買った。それから神奈川台に行き、酒楼に登ってわざと盛大な酒盛を行ない、夜中の十二時頃に、また横浜へ行った。ところが昼間見つけておいた二隻の小舟は、漁師が乗っていってしまったのか、もう何処にもなかった。しかも空は暗黒で、風が吹き出し、海は波が荒狂っていた。昼間の計画はすべて駄目になってしまい、おおいに落胆、「海を渡ろうにも船はなし、一体どうすればいいのだろうか」と嘆くばかりであった。このとき、その付近の村の犬が群がって来て、僕たちに吠え出した。僕は「泥棒とは、こんなに難しい仕事だとは知らなかった」と苦笑しながら渋木にいった。

今夜こそは、そう決意して僕はここに来たのだが、またこうした結果になったので、いい思案も浮ばないまま、遂にまた保土谷に引返した。着いた頃から雨が降り出し、夜も明けて来た。またもとの宿屋に戻ったものだから、宿の者はますます疑いの目で僕たちを見た。永鳥はまだ宿にいた。「また君たちの計画は失敗したんだな」そう彼がいったので僕は笑いながら「計画が失敗すればするほど、決意はますます堅くなっていく。これは天が僕らに与えた試練なんだ。どうしてへこたれたりするものか」といった。しかし渋木の顔には明らかに怒りが現われていた。

十日　雨。旅舎に悠々《いういう》す。午時、来原《くりはら》・赤川、雨を衝《つ》いて来る。共に事を謀《はか》ること少時、相伴ひて金川《かながは》に至る。二子《にし》直ちに帰る。永鳥と共に金川宿《かながはじゆく》浜屋に宿す。屋主永島源吾、年七十余、健剛壮夫《けんがうさうふ》に愧《は》ぢず、大岡引《おほをかつぴき》にて博徒《ばくと》等其の名を知らざるものなし。某日、墨奴《ぼくど》一人神奈川へ上陸し、江戸に往くと云ひて東に走り、河崎六郷川《かはさきろくがうがは》迄往きたる時も、此の翁先づ走りて川に至り、渡船の数を尽して之れを撤《てつ》す。故《ゆゑ》に墨奴《ぼくど》江戸に入ることを得ずして去る。自《みづか》ら其の事を談じ、誇ること甚だし。源吾相州《さうしう》大津《おほつ》田戸村の永島源左兵衛と同族、且つ親交の由。此の輩有事《いうじ》の時、用に供すべき者なり。是の日雨なれば薪水積入の舟もなし。

〈現代語訳〉

十日　雨。宿屋でのんびりとする。昼頃に、来原・赤川が雨の中をやって来た。しばらくの間みなでいろいろと計画を練り、それから一緒に神奈川へいった。来原・赤川の二人はすぐに帰った。僕らは永鳥と神奈川宿の浜屋という宿屋に泊った。その宿の主人は永島源吾といって、七十歳を越える年齢だったがまったく壮健で、一人前の男にも退けをとらないほどであった。有名な岡引《おかつぴき》としてならしたので、博徒《ばくと》でその名を知らない者は一人もないということだった。ある日、アメリカ人の下僕が一人、神奈川に上陸し、江戸へ行くため川崎の六郷川《ろくごうがわ》までいった時、この老人は一足先に六郷川に走って行き、渡船のすべてをどこかにやってしまったため、下僕は江戸に行くことが出来ず、立ち去ったということである。彼は自分でこの事を吹聴して廻り、随分と自慢していた。源吾は相模大津田戸村の永島源左兵衛《ながしまげんざべえ》と同族で、かつ親交があるということなので、何かの時には使える男だと思う。この日も雨だったので、薪水積入れの舟は出なかった。

十一日　晴。是の日薪水積入の船あれども、与力《よりき》等乗組みて往く故、吾が事ならず。是れより前《さき》、薪水積入は四藩 彦根・会津・河越・忍 に託す。是の日、茫々然《ぼうぼうぜん》として旅舎にて日を消す。

〈現代語訳〉

十一日　晴。この日薪水積入れの船が出るということだったが、与力《よりき》たちが乗り込んで一緒に行くということだったので、計画はならなかった。まえからこの薪水積入れの任務は、四藩 彦根・会津・河越・忍藩 に命じられていた。この日はただぼんやりと宿屋で日を送った。

十二日　晴。夷船《いせん》近日より出帆、下田に至る容子《ようす》なり。薪水は昨日已に積入れ畢《をは》る、復《ま》た妙策なし。永鳥、今日より江戸に帰る。是の日も亦茫然《ばうぜん》日を消す。

〈現代語訳〉

十二日　晴。外国船が近日中に出帆し、下田にいくという気配であった。薪水は昨日のうちにすでに積込みを終っていたが、これといって僕らには妙策はなかった。永鳥は今日江戸に帰って行った。この日も何事もすることなく終日ぼんやりと過ごした。

十三日　晴。是の日、夷船朝より常に異なることあり。与力《よりき》等屢次《るじ》往きて掛合《かけあ》ふに、出帆をもなすべきやの容子《ようす》なり。全体夷人狡黠《いじんかうかつ》、出帆等の事分明《ぶんみやう》に云はず。是《ここ》を以て幕府の吏《り》も其の必ず如何《いかん》を断ずること能《あた》はず。諸事《しよじ》皆然《しか》り。已にして午前《ひるまへ》より各〻錨《いかり》を起《おこ》し、一隻を留《とど》め、余は悉《ことごと》く江戸に向けて駛入《しにふ》す。吾れら二人も走りて羽《はね》田《だ》に至る。已にして夷船羽田沖に至り却回《きやくくわい》す。是《こ》の時向《さき》に留《とど》まる所の一隻船より空砲を発す。後に聞けば、是《こ》の日夷舶《いはく》悉《ことごと》く金沢に退《しりぞ》きて泊す。初め正月来船の初め金沢に泊す、即ち其の地なり。内一隻は直ちに本国に回《かへ》る。後、下田にて黒川嘉兵衛が用人藤田慎八郎に此の時の事を聞くに、夷将彼理《いしやうペルリ》は求むる所已に許允《きよいん》を得し上は満足なりと喜ぶこと限《かぎり》なけれども、諸将輩《しよしやうはい》皆江戸を一見せんことを望む。彼理《ペルリ》一には皇朝の歓心を失はんことを恐れ、一には諸将の意に違《たが》ふを難《はば》かる。因《よ》って少しく江戸に近づかんことを謀《はか》る。時に与力《よりき》某、彼理《ペルリ》が乗る所の船に急に乗入る、而して池上本門寺《いけがみほんもんじ》の塔を指し、紿《あざむ》いて曰く、「是れ増上寺の塔なり」と。是《ここ》に於て彼理《ペルリ》云はく、「已に江戸を見る、去るも亦《また》可なり」と。因《よ》って諸将を招きて回《かへ》すと。

是の日渋生と議す、急に下田に至るべしと。一書を作り浜屋に留《とど》め、永島に送る。又一書を作り、松代《まつしろ》の津田転《つだうたた》公儀人なり、松代横浜出張中、神奈川に宿すに託し、象山に達す。二書意同じ、大意に云はく、「万事蹉跌《ばんじさてつ》、一も意の如きものなし、将《まさ》に去つて下田に往かんとす、亦定策《ぢやうさく》あるに非《あら》ざるなり」と。是《こ》の夜、保土谷に宿す。松代《まつしろ》・小倉の二藩、是れより前《さき》応接警衛として横浜に陣す、即日陣払《そくじつぢんばらひ》なり。象山、陣に従ひて江戸に帰る。

〈現代語訳〉

十三日　晴。この日、外国船の様子が朝からいつもとは違っていた。与力たちがたびたび交渉に出向いていたので、どうやら出帆といった雲行きであった。だいたい外国人は狡猾《こうかつ》なので、出帆のことについても言明をしないようだった。だから幕府の役人も、どうなるのかさっぱりわからないでいた。だいたい全てがこの調子だったのである。すでに昼前頃から、各船とも錨《いかり》をあげ、一隻だけを残して、ほかの船はすべて江戸に向かっていった。だから僕らも急いで羽田に行った。しかしすでに外国船は羽田沖まで来て引返していた。この時残っていた一隻が突然空砲を撃った。あとで聞いたことだが、この日外国船はすべて金沢に引返し、そこで停泊していたということである。はじめ正月にやって来た時も、金沢に停泊していたが、それと同じ所である。一隻はすぐに本国に戻った。後日、下田で黒川嘉兵衛《くろかわかへえ》の用人の藤田《ふじた》慎八郎《しんぱちろう》にこの時の事を聞いたところ、ペリー提督は要求もいれられ交渉がうまくいったので、満足し非常に喜んでいたが、ほかの諸将連中は、なお江戸を一目見たがっていたというのである。ペリーはそんなことをすれば朝廷の御機嫌を損じると心配であったが、諸将の気持をそこなうのも問題だったので、少しだけ江戸に近づこうとしたということだった。この時、幕府の与力某《なにがし》が、突然ペリーの乗っている船に飛び乗り、池上本門寺《いけがみほんもんじ》の塔を指して、「あれが増上寺《ぞうじょうじ》の塔だ」と嘘をいった。そこでペリーも「もう江戸を見たことだから、立ち去ってもいいだろう」と諸将を引き返させたというのである。

渋木と相談し、急いで下田に行くべきだと決めた。そこで永鳥宛の手紙一通を宿に預け、また一通を松代の津田転《つだうたた》公儀人で、横浜出張中、神奈川に泊っていたに託し、象山に出した。二通とも大体同じ内容で、「すべて順調にいかず、つまずいてばかりいる。一つとして計画通りいったものはない。だからここを去って下田に行こうと思っている。といってもこれといった計画があるわけではない」というものである。この夜は保土谷に泊った。松代・小倉の二藩は、以前よりアメリカ人の応接・警衛の任務で横浜に駐屯していたが、外国船が引き上げたので、即日陣営は解散と決まった。象山もこれと一緒に江戸に帰った。

十四日　保土谷を発し、戸塚を経《へ》、鎌府に至り瑞泉寺《(1)ずゐせんじ》に投ず。是の日、午時《ひるどき》より雨。

〈語釈〉

（1）瑞泉寺　松陰母方の伯父竹院上人の寺。

〈現代語訳〉

十四日　保土谷を出発し、戸塚を経て鎌倉に行き、瑞泉寺《ずいせんじ》に投宿した。この日昼頃から雨が降り出した。

十五日　雨。鎌倉を発し、藤沢に出づ。酒匂川《さかはがは》水頗《すこぶ》る長ず、徒跣《はだし》して是れを渉《わた》る。誤りて深処に陥《おちい》り胸以下皆潤《うるほ》ふ。小田原に宿し、柴を焼き是れを燎《あぶ》る。

〈現代語訳〉

十五日　雨。鎌倉を出発し、藤沢に出る。酒匂川《さかわがわ》の水かさが随分増していた。歩いて渡る。誤って深みに落ち、胸から下がずぶ濡れになった。小田原に泊り、柴をもやし着物をあぶった。

十六日　晴。小田原より左折して小路に入る。行くこと二里、根婦川《ねぶがは》の関《せき》なり。言を託し云はく、「熱海《あたみ》に往きて入湯せんと欲す」と。関吏是れを許す。又行くこと五里、熱海に宿す。時に日尚ほ高し、湯に浴すること数次。温湯沸出の所、駅中にあり、濃煙簇々《のうえんぞくぞく》、島原の温山《うんぜん》・信州の朝間岳《あさまだけ》等に同じ。大島、陸を離るること七里計り、亦濃煙雲を淩《しの》ぎて登る。熱海の湯、塩味甚だ烈《はげ》し。小田原より下田に至るの間、地名里程都《すべ》て忘却す。故に闕きて記せず、間〻記する者も、謬誤固《もと》より多かるべし。

〈現代語訳〉

十六日　晴。小田原から左に折れ、小道を二里ほど行くと根府川《ねぶがわ》の関所に出た。そこで「熱海へ湯治に行くところです」といいのがれをした。関所の役人もどうやら信用したようだった。それからまた五里ほど歩いて熱海に着き、そこに泊った。まだ日は高かった。幾度も温泉につかった。温泉の湧き出ている所は、宿場の中ほどにあって、湯煙がもうもうと立ち、島原の雲仙《うんぜん》・信州の浅間岳《あさまだけ》などと同じであった。大島は海上はるか七里の沖合にあるが、濃煙が雲をしのいで立ち登っていた。熱海の湯は塩分が非常に強い。小田原より下田に行く迄の地名・里程などは、全部忘れてしまったので書かなかった。書いた場合も、もちろん誤りは多いだろう。

十七日　晴。熱海を発し、伊東に至り午食す。此の地にも温泉あり。大河とか地名慥《たし》かに覚えず云ふ所に宿す。此の日途中、夷船《いはく》二隻下田に向ひて駛《はし》るを見る。是れ金沢を発せしものなり。

〈現代語訳〉

十七日　晴。熱海を出発し、伊東に行き、昼食をとった。ここにも温泉があった。大河地名は正確には憶えていないとかいう所に一泊した。この日、歩いている途中、外国船二隻、下田に向かって航行しているのを見た。金沢を出帆したものらしい。

十八日　晴。午後下田に達す。異船《いせん》二隻下田の港口に泊す。是れを土人に問へば、今暁《こんげう》来り繋《とど》まると。即ち昨日道上見る所なり。下田に宿す。已にして夷船更に進み、陸を離るること五六町許りに繋まる。

〈現代語訳〉

十八日　晴。午後下田に着く。外国船が二隻、下田港の入口に停泊していた。土地の者に聞いたところ、今日、暁方《あけがた》にやって来て、錨《いかり》を下したということである。つまり昨日、道の途中で見た船である。僕らは下田に泊った。外国船はすでに港の深くに入港していて、陸からわずか五、六百メートルばかりの所につながれていた。

十九日　晴。早起、海浜に往きて夷船を見る。是れより日々の事悉《ことごと》く覚えず。一たび黒川嘉兵衛に面す。其の用人藤田慎八郎慷慨《こうがい》善く談ず、屢〻《しばしば》往きて面晤《めんご》す。佐倉《さくら》の藩士木村軍太郎、数夜同宿す。夷人《いじん》大抵日々上陸す。三々五々相伴ひて往く、市街《しがい》田畝《でんぽ》遍《あまね》からざることなし。薩人二人亦来《きた》り探問《たんもん》す。数〻《しばしば》其の宿する所を訪ふ。二隻の舶中漢蘭《かんらん》の語を解するものなし。故に幕吏輩《ばくりはい》皆其の応接に苦しむ。因つて渋生と謀《はか》る、今や書を投ずるも渠《か》れ読む能はず、且《しばら》く彼理《ペルリ》の来るを待たんと。是《こ》の夜は下田に宿《よ》す。

〈現代語訳〉

十九日　晴。朝早く起き、海岸に行き外国船を見た。これからあとの日々の出来事については、よく覚えていない。一度、黒川嘉兵衛《くろかわかへえ》に面会した。その用人をしている藤田慎八郎《ふじたしんぱちろう》は国事を嘆いており、よくいろいろと話をした。だからしばしば行って語り合ったものである。佐倉藩藩士木村軍太郎《きむらぐんたろう》とは数夜同宿した。外国人はほとんど毎日のように上陸し、四、五人ずつ集まって町や村の中を自由に歩き廻っていた。薩摩の者が二人やって来て、いろいろと質問をし、また僕もしばしば彼等の宿所を訪問した。二隻の外国船には、中国語・オランダ語の理解できるものはいなかったので幕府の役人たちはみな、その応接に苦しんでいた。そこで渋木と相談したのだが、今「投夷書」を出しても、彼等は読めないのであるから、しばらくペリーの来るまで待とうということになった。この夜は下田に泊った。

二十日　晴。余疥癬《かいせん》稍発《せうはつ》す、因《よ》つて閑《ひま》を偸《ぬす》み蓮台寺《れんだいじ》村《むら》に往きて温湯に浴す。村は下田を去ること一里にして近し。是の夜、渋生は下田に帰る、余は村に宿す。

〈現代語訳〉

二十日　晴。疥癬《かいせん》が少し出たので、暇を見つけ蓮台寺《れんだいじ》村《むら》に行って湯治した。村は下田から一里ばかりの近い所である。この夜、渋木は下田に帰り、僕は村に泊った。

二十一日　朝、渋生蓮台寺村に来る。是の日、彼理《ペルリ》其の他の将艦来る。晡時《ほじ》、村を発し海岸に往き、夜五ツ時まで裴回《はいくわい》して夷船夜間の状を察す。下田の前宿に宿す。

〈現代語訳〉

二十一日　朝、渋木が蓮台寺村に来る。この日、ペリーをはじめとして各艦が入港した。暮方、村を出て海岸に行き、夜の八時頃まであたりをぶらぶらしながら、外国船の夜間の状態を視察した。下田の、以前に泊った宿に寝所をとった。

二十二日　朝、昨日木村軍太郎亦同宿に来宿す。云はく、「昨暁七ツ時、舟を浦賀に発し、夕七ツ前、下田に着す」と。昨夜より付啓《ふけい》中横浜海岸云々を改めて、柿崎《かきざき》海浜云々に作り、本書・付啓各〻《おのおの》一通を浄写し、渋生と各〻一通を懐にし、夷人の上陸を待ちて是《こ》れを与へんと欲す。是の日吾れら二人、木村と柿崎海岸に往きて夷船を観る。美斯西悉比《ミシシッピー》船 火輪船なり岸を離るること一町許り、尤も近し。其の次又一町許り、鮑厦旦《ポウバタン》船 火輪船にして彼理《ペルリ》の乗る所 を泊す。其の他次《じ》を逐ひて泊す、前二隻と連りて六隻なり。

木村精工《せいこう》の千里鏡を携ふ。船上を見るに、夷人正に測量をなすものの如し。又脚船を卸《おろ》し、各船相往来《あひわうらい》す。又檣《しやうじやう》上種々の彩旗《さいき》を升降《しようかう》す。一船先づ挙ぐ、諸船皆挙ぐ、一船先づ卸《おろ》す、諸船皆卸す。蓋《けだ》し亦《また》号令約束をなすものか。午後脚船を発し、海岸石上へ白粉を黏《ねん》し、又白旗を樹上に縛《ばく》す、亦《また》皆測量の用に似たり。是の如きもの、日々然らざることなし。是《こ》の夜、蓮台寺村に宿す、渋生下田に宿す。

〈現代語訳〉

二十二日　朝、昨日、木村軍太郎がまた宿にやって来て泊り、「昨日の朝四時ごろ浦賀を出帆した船が、夕方の四時頃に下田に着く」といった。昨夜のあいだに「投夷書」の付啓の文中にある、「横浜海岸云々」の文字を改め、「柿崎海岸云々」にして、「投夷書」・付啓それぞれ一通ずつ清書し、渋木と僕が一通ずつ懐に入れ、外国人が上陸したら、これを手渡そうと待ち構えた。この日僕ら二人は、木村と一緒に柿崎海岸に行って外国船を観た。ミシシッピー号 蒸気船である は、岸からわずか百メートルほどのところにあって、これが一番岸に近かった。その向こうにまた百メートルほど離れて一隻。ポウパタン（ポーハタン）号蒸気船でペリーが乗っているが停泊し、そのほか次々に、この二隻に連なって、みなで六隻停泊していた。

木村がなかなかいい望遠鏡を持っていたので、船の上をのぞいて見ると、ちょうど外国人が測量をしている風であった。またボートを降して各船の間を行き来していた。マストにいろいろないろどりの旗を昇降していて、一船があげるとほかの船もいっせいにあげ、一船がおろすと、ほかの船もみなおろした。これには合図の取決めがされている様子だった。午後になって、彼等はボートに乗って波間に出ている岩石に白いペンキを塗ったり、樹のてっぺんに白い旗を結びつけたりしていた。これらは皆、測量のためにしている様子だった。このようなことが毎日繰り返された。夜、蓮台寺村に泊る。渋木は下田に宿をとった。

二十三日　雨。朝蓑笠《みのかさ》を借り、村より下田に帰る。渋生迎へ説きて曰く、「昨《きのふ》木村と飲み、談防寇《ばうこう》の事に及ぶ。木村論ずる所、国体を顧《かへり》みず、賊勢《ぞくせい》を養ひ、和《わ》親通市《しんつうし》を以て策の得たるものとす。僕憤怒《ふんぬ》に堪へず、但《た》だ其の相知《さうち》未だ久しからざるを以て、是れを恕《じょ》するのみ」と。余曰く、「渠《か》れ亦鉄中の瑲々《さうさう》、葑《ほう》を采《と》り菲《ひ》を采り、下体《げたい》を以てするなかれ」と。一笑して止む。渋生尚ほ深く執《と》りて然《しか》りとせず、曰く、「世俗を惑はすものは正に斯《か》の人の徒《ともがら》なり」と。是の日も木村と伴ひ夷船を見る、遂に同宿す。

〈現代語訳〉

二十三日　雨。朝、蓑笠《みのかさ》を借り、蓮台寺村から下田に帰る。渋木が迎えに出て、「昨日木村と酒を一緒に飲み、外国の侵略に対する防備のことに話が移ったところ、木村は国体を顧みず、敵の勢力を助勢するような、和親通商を一番いいことだといい張るのである。僕はずいぶん腹がたったが、まだ知り合ってから日が浅いので、許してやった」といった。そこで僕は「彼は鉄くずの中の宝石のようなものだから、悪いところだけを見て、それで良いところまで見捨てるようなことをしてはいけない」と笑って取りあわなかった。しかし渋木は一向に納得せず「世間の人を惑わすのは、実にこういったタイプの人間なんだ」といった。この日もまた木村と一緒に外国船を見に行き、夜も同じ宿をとった。

二十四日　夷将彼理《ペルリ》等下田の了仙寺《れうせんじ》に登る、黒川以下往きて是れを饗《きやう》す。是《こ》の日、行嚢《かうなう》を提げ、渋生と同じく蓮台寺村に往き宿す。

〈現代語訳〉

二十四日　ペリー提督らが下田の了仙寺《りようせんじ》に来た。黒川をはじめとする者たちが、彼等を饗応した。袋包みを下げ、渋木とともに蓮台寺村に行き泊った。

二十五日　夕七ツ時村を発し、海岸を裴回《はいくわい》し夷船の状を察し、夜に至る、寒きこと甚だし。下田町に往きて餅汁を食ふ。策を決する今夜に在る故《ゆゑ》、一書を作り下田の動静を陳じ、又三月五日江戸を発して以来の日記を合せ一封書を作り、江戸邸に達し家兄に贈らんと思ひ、船頭土佐屋に託す。土佐屋なる者は素《も》と吾が周防《すはう》の者、下田に往きて人の養子となりし者と聞く故、数々《しばしば》往きて是れを問ふ。但し船に乗りて奥州に往き、已に一年なれども未だ帰らずとなり。武山《ぶざん》の下海岸に露坐し、夜八ツ時に至る。夷船中時鐘《じしよう》を打つ。彼れの一時《いつとき》は吾れの半時《はんとき》、故に是《ここ》を以て時を知ることを得《う》。乃《すなは》ち下田に至る。下田に一川あり、川中小船数多あり。因《よ》つて是れを盗みて出でんと欲す。但《た》だ櫓《ろ》なし、更に探索して二挺を得《う》。乃《すなは》ち舟に乗り、流にそひ海に出づ。川口に番船数隻あり、吾《わ》れ等《ら》心頗《すこぶ》る動く。因つて渋生に謂ひて曰く、「番船覚《かく》して吾れを捕ふるは天なり、天若《も》し霊あらば決して覚せず」と。已にして難なく此《ここ》を過ぎ、海に出づ。海波洶湧《かいはきようよう》、櫓施《ほどこ》し得ず。且つ下田岸より鮑厦旦《ボウパタン》船に至る迄頗る遠し。事成《な》し得難《えがた》きを謀《はか》り、舟を捨てて岸に登り、後挙《こうきよ》を謀る。時に天未だ明けず、柿崎弁天祠に入りて一臥《いちぐわ》す。天の明くるを覚えず、人来りて祠戸を開く。吾れら二人大いに驚く、而して其の人の響くこと更に吾より甚だし。

〈現代語訳〉

二十五日　夕方四時頃、村を出て海岸をぶらつきながら外国船の状況を観察して、夜になった。寒気は非常に厳しかった。下田の町へ行き餅汁《もちじる》を食べる。僕らの計画を実行するのは今夜だ、そう思ったので手紙を書いた。この下田の動静をのべ、また三月五日に江戸を出発してからの日記と合せ、江戸邸にいる兄に送ろうと思い、船頭の土佐屋に頼んだ。土佐屋は、もとわが長州出身の者だった。下田で、ある人の養子になっていると聞いたので、しばしば彼のもとを訪問したものである。ただし今は、船で奥州に行ったきり、一年たつが未だ帰らないということであった。武山《ぶざん》の下海岸に、夜中の二時頃まで坐りこんでいた。外国船は時報を知らせる鐘を打つが、その一時《いっとき》は、日本の半時《はんとき》にあたるので、それによって時間を知ることが出来た。

それから下田に行く。川があり、そこに多くの小舟がつながれていた。だからこれを盗み、海に漕いで出ようと思ったのだが、また櫓がなかった。しかしあたりをよく探していると二挺《ちょう》見つかった。そこで舟に乗り、川の流れに沿って海に出ることにした。川口に、数隻の警備船がいるのを発見し、僕らの胸は激しく波打った。そこで渋木に、「警備船に見つかって捕らえられるかどうかも、すべて運命一つにかかっている。もし天が僕らの味方ならば、決して見つかりはしないだろう」といった。幸い無事に通り過ぎ、海に出ることが出来た。しかし波が高く、相当荒れ模様だったので、櫓を使うことが出来なかった。そのうえ下田の岸からポウパタン号までは、非常に遠かった。このままでは、成功もおぼつかないので、舟を捨て海岸に戻って次の機会を待つことにした。まだ夜明けまでには相当時間があったから、柿崎弁天《かきざきべんてん》の社《やしろ》に入ってひとねむりした。夜がいったいいつ明けたのか知らなかった。誰かがやって来て祠戸を開いて、はじめて僕らは驚いて起きる始末だった。しかしその人の方が、僕らよりは一層驚いていたようだった。

二十六日　某村村名已に忘る、柿崎村東一山を越ゆるの海浜村落なりに往きて漁家に入り朝食し、又睡ること久し。午食終り、柿崎に至る。雨至る、宿すべき所なし。某所地亦柿崎に属す、下田に来る時経る所、山坂上に只だ一家あり、酒食を売りて生とすに往きて宿す。

〈現代語訳〉

二十六日　某村村名は忘れてしまった。柿崎村を東へ一山越えた海辺の村落であるに行き、漁家に入って朝食をとり、またしばらく寝た。昼食後柿崎へ行った。雨が降り出し、運の悪いことには泊る所がなかった。某所柿崎に属していて、下田に来る途中に通った所で、山道の坂を登りつめた所にたった一軒家があって、酒や食べ物を売っていたに行き泊った。

二十七日　此《ここ》を発し、柿崎に往く。幸《さいはひ》に一夷《いちい》の上陸する者に遇《あ》ひて書翰を渡す。又蓮台寺村に往き入湯すること多時、七ツ時村を発し、是《こ》の夜夷船に至る、謀《はか》る所成らず。其の詳は二十七夜の記に詳《つまびら》かにす、故に茲《ここ》に略す。

〈現代語訳〉

二十七日　ここを出て柿崎に行く。幸い一人の外国人が上陸しているのに出逢った。そこで「投夷書」を渡す。それから蓮台寺村に行き、ゆっくりと温泉につかった。四時頃、村を出て、夜、遂に外国船に到着した。しかし念願は成就できなかった。そのくわしい模様は「二十七夜の記」にくわしく書いたので、ここでは省略する。

二十八日　狼狽《らうばい》の余、柿崎村名主の家に往き、其の所由《しよゆ》を陳じ、且《か》つ善く是れを処せしむ。夜、同心《どうしん》某来る、相伴ひて舟に登り、下田番所に往く。与力《よりき》等吾れを糺《ただ》す、吾れ等悉《ことごと》く其の海外に往き万国の情形《じやうけい》を詳審《しやうしん》し、以《もつ》て国家の為めに膺懲《ようちよう》の大策を立てんと欲するの意を陳ず。与力輩愕々《がくがく》色を失ふ。吾れら二人声を斉《ひとし》うして曰く、「万《ばん》死《し》自《みづか》ら分《ぶん》とす、一事隠《かく》す所なし、願はくは筆を提げて是れを記せよ」と。夜四ツ時、下田町柿崎村の役人に預け、是れを長命寺に置く。已にして吏《り》来《きた》りて縲紲《るゐせつ》を施《ほどこ》す。後数日にして夜間黒川（嘉兵衛）、又番所に召して吾れ等を糺《ただ》す。此の時官吏已に吾が行嚢中《かうなうちゆう》の投夷書の稿、又象山去年九月十八日の送詩等を得《え》、事皆具陳《ぐちん》す。是の夜、平滑と云ふ番人の獄に下す。獄只だ一畳敷、両人膝を交《まじ》へて居る、頗《すこぶ》る其の狭きに苦しむ。番人に借りて三河風土記、真田《さなだ》三代記等を読む。又皇国の皇国たる所以《ゆゑん》、人倫の人倫たる所以《ゆゑん》、夷狄《いてき》の悪《にく》むべき所以《ゆゑん》を日夜高声に称説《しょうせつ》す。獄奴蠢爾《ごくどしゅんじ》と雖《いへど》も亦《また》人心あるもの、涙を揮《ふる》つて吾が輩の志を悲しまざるはなし。吾れ等已に獄に下りて夷人益ゝ《ますます》徘徊す、甚だしき者は日々獄前に来りて、愕然《がくぜん》是れを見るに至る。四月十日に至り、八丁堀《はっちょうぼり》同心二人迎へに来る。十五日、北の町奉行に至る、已にして伝馬《てんま》街獄《まち》に下《くだ》る。九月十八日獄を出で、十月二十四日萩に帰り、野山獄《のやまごく》に下る、将《まさ》に以《もっ》て身を没せんとす。往事を回顧すれば、感極まりて悲生じ、悲極まりて大咲呵々《たいせうかか》、筆を投じて霹靂《へきれき》の声をなす。

吉田寅次郎藤原矩方誌す

〈現代語訳〉

二十八日　計画に失敗し、狼狽《ろうばい》のあまり柿崎村の名主の家に自首して出た。ことの次第を述べ善処を申し入れた。夜、同心某来る。一緒に舟に乗り、下田の番所に連れて行かれた。与力たちが僕らに訊問したので、僕らは外国に行き、世界の情勢を詳しく調べ、少しでも国家のために貢献しようと計画したのだと申し開きをした。それを聞いた与力たちは驚き色を失った。僕ら二人は「死はもとより覚悟いたしております。何一つ隠さず申しあげますので、どうかお書き止め下さい」と声をそろえていった。夜十時頃、下田の町の柿崎村の役人に預けられ、長命寺《ちょうめいじ》に留置された。それから役人がやって来て縄をかけた。その後数日たってから夜に黒川嘉兵衛がやって来て、僕らを番所に呼び出し、訊問した。すでにこの時、役人たちは、僕らの袋包みの中にあった「投夷書」および象山が去年の九月十八日に、僕にくれた送詩などを見ていたため、計画の内容は全て明るみに出ていた。夜、平滑《ひらなめ》という番人の牢獄に入れられた。たった一畳敷という狭い獄で、二人は膝を交えて坐ったが、あまりに狭いので苦しかった。番人から『三河風土記』『真田三代記』などを借りて読む。また獄舎で、皇国の皇国たる所以《ゆえん》、人倫の人倫たる所以、外国人の憎むべき所以を、日夜大声で皆に説き聞かすように話した。囚人は皆おろか者だとはいうけれど、人間としての心はちゃんとあるもので、皆涙を流して、僕の志を悲しんでくれた。僕らが牢獄につながれてから、外国人はますますおおっぴらに出歩くようになった。はなはだしい者に至っては、牢獄の前にやって来る者さえあり、驚きをもって僕らは外国人を眺めた。四月十日になって、八町堀の同心二人が迎えに来た。十五日、北町奉行所に出頭し、それから伝馬町の獄舎につながれた。九月十八日、この獄を出て、十月二十四日、萩に帰り、野山獄に幽閉の身となった。ここで僕は自分の生涯を終えようと覚悟している。当時のことを回顧すれば、感慨が極まって悲しさが生じ、その悲しみがまた極まって、なんだかおかしい気持になる。よってここにその激しい感情の趣を記した。

吉田寅次郎藤原矩方記す

黒川嘉兵衛吾が始末を聞き終りて云はく、「汝《なんぢ》、父あるか」。余云はく、「あり」。「母あるか」。云はく、「あり」。嘉兵衛云はく、「汝も亦聖賢の道に志《こころざ》す者、邦家《はうか》の大典を犯し、父母の憂《うれひ》をなす、心得違《こころえちがひ》とは雖《いへど》も真に愍《あはれ》むべし。今如何《いかん》ともし難し、善く覚悟すべし」と。余曰く、「吾れ万死《ばんし》自《みづか》ら分《ぶん》とす、今日に至りて復《ま》た何の覚悟かあらん」と。其の他一語なし。嘉兵衛愍然《びんぜん》たり。

渋生が日記甚だ詳密《しやうみつ》なり。下田にて吾が輩の口供《こうきよう》を作る、皆是れを以て本《もと》とす。江戸町奉行所にても是れを以て証とす。日を追ひて事を按《あん》ずるに於て甚《はなは》だ便なり。嘉兵、日記を見て、咲《わら》ひて云はく、「豈《あ》に異人に示さんと欲するか」。余乃《すなは》ち色を正して曰く、「君未だ我れ等の心事《しんじ》を了《れう》せざるか。我れ国の為めに夷情《いじやう》を探索せんと欲す、何ぞ国事を彼れに宣示《せんじ》することをなさん。此の日記を作る者は正に今日の事に供するのみ」と。嘉兵黙然《もくねん》たり。日記上に渋生自ら号を撰び書して曰く、「大日本無二《むに》游《いう》生《せい》」と。

〈現代語訳〉

黒川嘉兵衛が、僕らの事の始終を聞き終ってから、僕に「お前には父親がいるか」と聞いた。僕が「おります」と答えると「母はあるのか」とまた訊ねた。そこで「はい、おります」と返答したところ嘉兵衛は、「お前も忠・悌・孝・信を重んじる聖賢の学問を志している者なのだろう。それが国の法を犯し、父母に心配をかけている。全く馬鹿なことを考えたものだが、考えてみれば不憫《ふびん》な奴だ。しかし今はどうすることも出来ない。覚悟だけは十分しておくがよい」と言った。僕は「死はもとより覚悟していたことです。なにを今更また覚悟をするという必要がありましょう」と答え、それ以外言わなかった。嘉兵衛は、かわいそうな奴だという顔付をした。

渋木の日記は非常に詳しく書かれていた。下田では僕の供述書が作られたが、この時もこの日記をもとにしていろいろと取り調べが進められた。江戸町奉行所でもこの渋木の日記が証拠とされたのである。日付を追ってこの事件を考えて行くうえで、非常に便利だったからである。嘉兵衛は日記を見て、「どうして外国人に見せたりしようとしたのか」とあざ笑いながら言った。そこで僕はきっとなって「あなたはまだ僕たちの心中がおわかりにならないのですか。僕は日本のために外国のいろいろな事情を調べたいと思ったのです。どうして日本の国のことを、外国人に暴露するようなことをしましょうか。この日記を書いたのは、今日のような状態になった時のことを考えたからだけです」と言った。すると嘉兵衛は黙ってしまった。この日記の上には、渋木が自分で号を選び、「大日本無二游生」と書いていた。

江戸より我が輩を迎へに来る者、同心二人 山本啓蔵、大八木四郎三郎 岡引《をかつぴき》五人なり。足にはほだを打ち、身には綱を掛け、手に手錠を卸《おろ》し、遠丸《とほまる》かごに乗す。宿に就けば、番人人別四人、余と渋生とにて八人なり内一人づつ××なり。下田を発し、梨下《なしもと》に宿し、三島に宿す。此の間は地僻なる故、宿々村々の趨走《すうそう》大形《おほかた》ならず、大抵一轎《ひとかご》に人足八人程も出づ。村役人・宿役人の周旋《しうせん》譬《たと》ふべき者なし。扨《さ》て宿にて番人等寐《ね》ずの番をなす故《ゆゑ》、亦《また》為めに大道を説き聞かすること下田の獄に在る時の如くにして、更に快なり。余生来《せいらい》の愉快、此の時に過ぐるはなし。因みに云ふ、三島にて××三四人出づ、皆年少気力ある者、余が話を聞きて大いに憤励の色あり、去るに臨みて甚だ恋々《れんれん》たり。総《す》べて東国の××は撃剣を学び、剣客等と交はる、又数〻《しばしば》大盗と取結ぶものあり、其の気観るべし。同心・岡引《をかつぴき》等幕威《ばくゐ》を笠に着、囚徒《しうと》を以て我れ等を待つ、倨敖固《きよがうもと》より甚だしと雖《いへど》も、其の親切なることは実に感ずるに足れり。途中立場《たてば》・休所等にて、必ず茶菓等は入らぬか、食はんと欲する者はなきかなど、慇懃《いんぎん》に是れを問ふ。余下田獄に於て赤穂義士伝を読む。其の中に云ふ、義士已に分れて諸家に預けられしに、皆厚味《こうみ》美食《びしよく》は辞して食はざること、諸人符節《ふせつ》を合せたるが如しとあるを見、顧みて渋生に語る。渋生も亦深く此の義を賞す。故に下田より江戸に至るの間、三度の常食の外一滴《いつてき》水も口に入れず、而して岡引等始終慇懃《いんぎん》を尽す。蓋《けだ》し幕吏《ばくり》罪人を護送するの法、皆然りと云ふ。

〈現代語訳〉

江戸から僕を迎えにやって来たのは、山本啓蔵《やまもとけいぞう》・大八木四郎三郎《おおやぎしろさぶろう》の同心二人と岡引《おかつぴき》五人であった。僕の足に、足かせをはめ、体には綱をかけ、手には手錠をおろし、唐丸かごで運ばれた。宿につけば番人が、僕と渋木に四人ずつ、合計八人がつき、そのうち一人ずつが××であった。下田を出発し、梨本《なしもと》・三島に泊った。三島までの間は辺鄙《へんぴ》なところなので村々や宿場でのあわてようは大変なものだった。たいてい一かごに人足が八人ほど出ていた。村役人や宿場役人のゆきつもどりつした姿は、まったくたとえようのないほどである。ところで宿では番人たちが寝ずの番をすることになっていた。だから僕はまた下田の獄の時と同じように、いろいろと人の踏み行なうべき正義の道について説き聞かせることが出来、非常に楽しかった。まったくこんなに愉快な気持になったのは、生まれてはじめてのことだった。ついでながら話しておくのだが、三島では××三、四人に出会ったが、みな年の若い、気力にあふれた者たちで、僕の話を聞き、大いに奮い立った様子だった。別れに際しては、ずいぶんと悲しそうにしていた。だいたい東国の××は剣術を学び、剣客たちと交わったり、中には大盗賊と手を結んでいる者もいるのである。この意気にはみるべきものがある。

同心・岡引《おかつぴき》らは幕府の権力を笠に着て、囚人として僕らを取り扱い、おごりたかぶることはなはだしかったが、僕らにずいぶんと親切であったことには感動した。途中、立場《たてば》や休憩所などでは、必ず「茶や菓子はほしくないか。食べたい物はないか」と、親切に訊《たず》ねてくれた。僕は下田の獄で、『赤穂義士伝《あこうぎしでん》』を読んだが、その中に義士たちが、それぞれ諸家に預けられた時、みな濃厚な味のものや美食を辞退して食べなかったとあった。それはそれぞれがまるで申し合せをしていたようだ、と書いてあったが、このことを渋木に話したところ、渋木もこの態度を非常に立派なことだと賞讃していた。だから下田から江戸に着くまでの間、三度の食事の他は、いっさいのものは口にせず、水一滴さえも飲まなかった。だから岡引らは終始ていねいに親切を尽くしてくれた。しかし幕府の役人が罪人を護送する時は、皆こういう工合だということである。

箱根関を過ぐる時は関門内にて両轎《りやうけう》余と渋生両人を番所の前に列す。番吏関所の法に因りて改むると云ひて、両人棒を杖《つ》いて轎辺《けうへん》を廻り、然る後通行せしむ。江戸より萩に回る時も同じ、荒井関も亦然り。是を以て箱根と荒井と事故の練否、法制の整否を見るに足る。箱根は事甚だ速かにして威あり、荒井は是れに反す。○江戸より還る時、箱根の関を過ぐるに、関吏問ひて云はく、「此の囚人は下田表に於て夷国船へ乗入りたるか」と。函谷関(1)の吏、終軍(2)の棄繻生《きしゆせい》たるを識るが如き、事相類せり。

護送の同心云はく、「幕府の法、囚人は必ず其の姓名を榜記《ばうき》し轎上《けうじやう》に付す。今汝が輩官府《くわんぷ》特に恩旨《おんし》ありて其の姓名を榜せしめず、但だ一番二番を榜するのみ。汝が輩善く此の旨を了《れう》すべし」と。我れら二人聞き終りて、姑息《こそく》の事捧腹《ほうふく》に堪へず。且《か》つ此の行《かう》我れ万死自《みづか》ら栄とす、姓名を以て人に誇示するの意あり、姓名を榜せざる如きは我が意に非ず、然れども唯だ応《こた》へて曰く、「唯々《ゐゐ》」と。

〈語釈〉

（1）函谷関　秦時代の関所の一つ。堅牢を以て著名であった。（2）終軍　前漢武帝時代の人。十八歳で才能を認められ、のち累進して諫大夫となった。

〈現代語訳〉

箱根の関所を過ぎる時は、関所の内側に入れられ、僕と渋木のかごは二つ番所の前に並べられた。そして番所の役人が、「関所の法により、取り調べをする」と言って、棒をつきながらかごのまわりをぐるりと廻り、それから通行を許された。江戸から萩に行く時も同じだった。荒井関もまた同然で、だから箱根と荒井との、取り扱い方のなれ工合や、法や制度の整い方の違いを比較することが出来た。箱根は非常に手っ取り早く処置し、かつ威厳があるが、荒井はまったくこれと反対である。江戸より萩に帰る時、この箱根の関所を通った時、関所の役人が、「この囚人が下田で外国船に乗り込んだ者か」と訊ねた。中国の函谷関《かんこくかん》の関所の役人が、ある時、終軍《しゅうぐん》という者に関所の通行許可の繻《しゅ》を与えたところ、終軍は二度とこの関所は通らないと言って繻を捨てたことがあった。その後出世して再びこの関所を終軍が通った時、役人が昔のことを憶えていたという話があるが、この時そんな感じがした。

護送の役についていた同心が「幕府のとりきめでは、囚人は必ずその姓名を書き、かごの上に貼りつけるものである。ところが今度は、お前らに特別のおはからいがあって、名前は書かずに、一番、二番と書くだけですまされている。お前らは、このことを有難く思わなければいけない」と言った。僕らはこれを聞いて、そんないい加減の処置には、まったく馬鹿らしくて腹をかかえて笑い出したくなった。それに今度のことは、もとより死を覚悟で行なったことであり、かえって死は名誉なことだと思っていた。むしろ僕らの姓名を皆に誇示したい気持だったのである。だから名前の書かれていない方が不本意であったのだ。しかしただ「それはどうも」とだけ答えておいた。

四月十五日、保土谷を発し、江戸に着し、直ちに北町奉行の第《やしき》に至る。玄関脇にて吾れら二人を奉行所へ引渡す。夫れより仮牢《かりらう》へ入り、綱・手錠・ほだを脱す。少頃《しばらく》にして呼入れ、留役《とめやく》二人松浦・磯貝。磯貝は吾れ等の事、未だ結局せざる前に病死す、高橋是れに代る我が輩の逐一《ちくいち》を糺《ただ》し終り、渋生は原《もと》の仮牢《かりらう》に返す。余は玄関際《げんくわんぎは》の一間《ひとま》に屏風を囲み、同心両人番をなす。少頃《しばらく》にして相対《しやうたい》是れありと云ひて、我れを連行き板縁に座せしむ。顧《かへり》みれば渋生白洲《しらす》にあり。已にして奉行出接す。相対の時熨斗目《のしめ》着用以上の者は縁通《えんどほし》なり、以下は板縁なり、足軽以下は白洲なり。大抵下田より書送る所を以て是れを詰《きつ》す。故に余一々応対、毫《がう》も隠蔵《いんざう》することなし。但だ象山の事に至りては、下田にては送詩の事を問ふのみ。故に此の次《たび》の事象山の知る所に非《あら》ずと云ふ。奉行所にても余固《かた》く前言を執《と》る。

奉行云はく、「然《しか》りと雖《いへど》も修理已に縛に就き、汝が輩横浜の陣所に往来する事を具《ぐ》服《ふく》す、汝が輩隠蔵《いんざう》するとも無益なり。且つ汝が輩の具する所を見るに、一も疑ふべき者なし、蓋《けだ》し国の為めに死を致す、其の志昭々《せうせう》なり。独り修理が事に於て塗餬《とこ》曖昧《あいまい》する者は、吾れ極めて其の師恩の為めにするの苦心を憐《あはれ》む。然れども公義と私恩と相容《あひい》れず、我れ今台命《たいめい》を奉じ厳密に事の始末を糺《ただ》す、汝が輩苦心を費《つひや》すこと勿《なか》れ。且《か》つ汝が輩已に覚悟を窮《きは》めて是れを為す、汝が師独り其の覚悟なからんや。汝が輩為めに隠蔵すと云ふとも、修理自《みづか》ら隠蔵せず。汝其れ是れを思へ」と。

是《ここ》に於て横浜往来の大略を陳ず。然れども下田の事は実に象山の知らざる所、横浜にて商議する所も夷船近付《いせんちかづき》の策に過ぎず。夷船に投ずるの書を以て示すと雖《いへど》も、象山必ずしも吾が輩の茲《ここ》に至ることを思はず。故に象山に在りては事意外《いぐわい》に出《い》づ。而して奉行の象山を疑ふは、則ち象山策を授けて是れをなす、二人の為す所は皆其の意匠に出づと。故に象山初めて縛《ばく》に就く時頗《すこぶ》る誣枉《ふわう》に陥らんとす。

〈現代語訳〉

四月十五日、保土谷を発ち、江戸に着き、すぐに北町奉行の屋敷へ行く。玄関脇で僕ら二人は奉行所に引き渡された。それから仮牢に入れられ、やっと縄・手錠・足かせをはずされた。しばらくして呼び出され、二人の留役松浦と磯貝《いそがい》。磯貝は僕らの判決が定まらない前に病死した。高橋が彼にかわったが、僕のことを一つ一つ質問し、それが終ると、渋木はもとの仮牢に帰された。僕は玄関脇のひと間に入れられ、屏風でしきり、同心が二人見張番についた。しばらくしてお取り調べがはじまるということで、僕を連れ出し、板縁の上に坐らせた。振り返って見ると渋木は白洲の上に坐らせられていた。それから奉行が現われ、取り調べが始まった。取り調べの時、熨斗目《のしめ》の着用を許されている身分の者以上は、縁通、それ以下は板縁、また足軽以下は白洲に坐らせられた。だいたい下田から送られて来た供述書によって、いろいろと質問をうけ、僕もそれら一つ一つに、少しも隠しだてはせずに返答した。ただ象山の事については、下田では象山が僕にくれた送詩の事だけを質問されたが、今度のことは象山とは何の関係もないと答えておいた。だから奉行所でも、僕はそのことをくり返し述べた。

「しかしそうはいうものの、象山はすでに捕縛《ほばく》され、お前たちが、横浜の象山の宿営にたびたび行ったことを、彼は白状している。お前たちがいくら隠しだてをしても無駄である。それにお前たちが他のことで申し述べていることは、何ひとつとして疑わしいところはない。国のために死を覚悟したという、その志はなかなか立派なことである。ただ象山のことについてだけ、このようにあいまいな返答をするのは、私はお前たちが師の恩に報いようと心を配っていることがよくわかり、不憫に思っている。しかし公義と私恩をいっしょに考えるわけにはいかない。私は今将軍の御命令によって、厳密な取り調べを行なっているのである。

お前たちも、そんなに隠しだてをして気をつかったりする必要はない。それにお前たちは、すでに覚悟を決めて実行に移したのであろう。お前たちの師である象山だけが、どうしてその覚悟がないといえようか。お前たちが隠しだてしても、象山はなにもかも話している。この所をよく考えてみよ」と奉行は言った。

だから仕方なく僕も、横浜で象山と会った時のことをほぼ話した。しかし下田での一件は、全く象山の知らないことであり、横浜でいろいろ相談したのも、外国船に接近する方法についてだけのことにすぎなかった。「投夷書」を象山に見せたからといって、彼は必ずしも僕があのように外国船に乗り込むとは思っていなかったのである。だから象山にとっては、今日の状態は予想外のことだった。ところが奉行は象山が僕らに策を与えてやらせたと疑っていた。二人のやったことは、すべて象山が計画したことだというわけである。だから象山が、はじめて捕らえられたとき、まったく無実の罪に陥《おとしい》れられると思ったのは当然だった。

余二人志気撓《たわ》まず。且《か》つ自《みづか》ら云はく、「吾れ豈《あ》に人の指引《さしひき》を受けて大事をなす者ならんや」と。是《ここ》に於て象山の冤稍《ゑんやや》解く。然れども幕吏深く象山の声名世に高きを妬《ねた》み、此の時度々罪を糾《きう》するに語気甚だ刻《こく》、象山亦《また》敢へて罪を負《お》ひ悪を引かず、抗論して「昨年来の事は古今の大変、国家宜しく非常の政《まつりごと》あるべし。且つ已《すで》に万次郎(1)が禁錮を免《ゆる》す、偶《たまたま》ゝ国家多事未だ士を海外に遣《つか》はすの命《めい》なしと雖も、今私《ひそか》に海外に出でて夷情《いじやう》を探聴《たんちやう》する者あらば、固《もと》より当《まさ》に其の罪を免し、国用に供すべし。此れ吾が事を謀《はか》るの本意なり。且《か》つ吾れ目を洋籍《やうせき》に曝《さら》すこと十年、世人に於て多く譲る所なし、然れども海外の事に至りては靴を隔てて痒《やう》を搔くの思《おもひ》甚だ多し、故に有志の士海外に出づることを欲す」などと云ふ。故《ゆゑ》に幕吏益《ますます》ゝ怒る。最後に象山、幕吏耳目《じもく》なし、呶々《どど》すれば却《かへ》つて自《みづか》ら損するのみと、故に遂に其の罪に伏す。象山獄中の詩に云はく、元為㆓皇朝㆒謀㆓至策㆒、肯因㆓私計㆒要㆓知音㆒。

〈語釈〉

(1) 万次郎　中浜万次郎。ジョン万次郎ともいう。天保十二年(一八四一)、出漁中に遭難。アメリカの捕鯨船に救助され、アメリカで教育をうけた。帰国後、土佐藩庁、幕府に出仕し、翻訳・軍艦操練・英語などを教えた。

〈現代語訳〉

僕ら二人の気持は、奉行にどのようにいわれようと変らなかった。「どうして、僕が人の指図などに動かされ、国の大事を行なうようなことをしましょうか」と言った。それで少し象山の疑いが晴れたようだった。しかし幕府の役人たちは、象山の名声が高いのを妬み、この時も度々の糾問に際し、いつも語気は荒々しかったという。また象山も自分の罪を認め、悪びれた様子もなく、「昨年以来のことは、歴史始まって以来の重大事件で、国としてもなんとか非常の対策を講じなければならないのである。すでに万次郎の禁錮《きんこ》を許すということをしたが、しかしまだ国には他にやらなければならない仕事が多すぎて、人材を海外に派遣するところにまでは至っていない。だから、今もし一人でも海外に乗り出して、外国の事情を調べてこようとする者があれば、もちろん罰したりしないで、国のために役立つようにすべきである。これが私の、こんどの事件を考えた時の本心である。私は洋書を読みはじめてから、すでに十年の歳月を送った。これはそう他の者にひけをとらないと思っている。しかし海外の実際の事については、まったく靴の上から、かゆい所をかいているようなもので、満足出来るだけの知識はないのである。だから、誰か本当に志のある者が、海外に乗り出すことを願っていたのである」などと抗弁した。だから幕府の役人は、ますます怒り出したのである。それで象山も、幕府の役人には物のわかる奴はいないとあきらめ、言えば言うほど自分が不利になると知って、役人のいう通り罪に伏した。象山が獄中で作った詩に次のようなのがある。「元は皇朝の為に至策を謀り、肯じて私計に因って知音を要す。」

是《こ》の日、一応の相対《しやうたい》終りて又前の屏風《びやうぶ》裏に休《いこ》ふこと少時、又奉行前に至る。奉行、「吟味中(1)揚屋入《あがりやいり》を申付くる、渋木松太郎は牢入を申付くる」と申渡す。詞終るや否や、同心両人にて縁より引落す。是《ここ》に於て又綱を掛くる。又前の屏風裡に至り、飯を食はしむ。味噌白湯是れに副ふ。下田獄中の賄も是れに同じ。夫れより玄関より轎《かご》に乗り乗丁源左衛門甚だ奇物なり牢屋同心護《ご》して郵街獄《いうがいごく》に至る。渋生は歩して行く。獄に至れば日已に晩《く》る。獄に閻魔堂《えんまだう》と云ふあり、茲《ここ》にて二人の姓名年歯《ねんし》を問ひ、奉行所よりの送りと照し、夫れより外鞘《そとさや》の外戸中に入る。

鍵役田村金太郎当直なりし詰《きつ》して云はく、「御吟味筋は何事ぞ」。余云はく、「亜墨舶《アメリカはく》に乗じ、海に出で五大洲を周遊せんと欲す、事覚《かく》し捕せらる」と。鍵役云々。余云々。無益の弁論記するに足らず。当番云はく、「善く聞くべし、揚屋《あがりや》内には法度《はつと》の品がある、金銀・刃物・書物・火道具類が法度なり、何も有りはせぬか」とて、張番に命じ衣物を一々点検せしむ。鍵役云はく、「揚屋」。対《こた》へて云はく、「諾《だく》」。「揚屋入が一人ある」。対へて云はく、「諾」。「北の御掛りにて松平―家来杉―厄介《やくかい》、吉田―年二十五歳」。対へて曰く、「諾」。「此の囚人は御掛りより手《て》当《あて》の事申来りたる故、厚く手当をして遣はすべし」。対へて曰く、「諾」。是れを手当囚人と云ふ。

〈語釈〉

(1) 揚屋　まだ刑の確定しない囚人が入れられる留置所。

〈現代語訳〉

この日、一応の取り調べが終ると、もとの屛風に囲まれた場所に戻され、そこでしばらく休み、また奉行の前に連れ出された。奉行は、「取り調べ中は揚屋《あがりや》入りを、また渋木松太郎は牢入りを申しつける」という申し渡しをした。その言葉が終るか終らないかのうちに、同心二人が僕を縁より引き落し、また綱をかけた。それからさきの屛風の内側に入れられ、飯が与えられた。味噌・白湯《さゆ》が一緒につけられていた。下田の獄の中もこれと同じだった。それから玄関よりかごに乗る。かごかきの源左衛門は、非常に変った男だった。牢屋の同心二人が護衛につき、伝馬町の獄舎まで行った。渋木は歩かされた。

獄に着いた時は、すでに日も晩《く》れていた。獄舎の中に閻魔堂《えんまどう》という所があって、ここでは二人の姓名・年齢が問われ、奉行所からの書状と照し合せ、それから外鞘《そとさや》の外の戸の中に入った。

鍵役田村金太郎が当直にあたっていたが「どのようなことでお取り調べをうけているのか」と質問したので、僕は「アメリカ船に乗って海外に行き、五大洲を周遊しようと思ったのですが、失敗し捕らえられました」と答えた。鍵役がこの他にも何かいろいろ訊ね、僕もそれに答えたが、つまらないやりとりだったので省略する。それから当番の者が、「善く注意して聞け。この揚屋の中には、次の品々は持ち込みが禁止されている。つまり金銀・刃物・書物・火道具類などである。そうしたものを持ってはいないか」と言いながら、見張番の者に命じて、着ている物を一つ一つ点検した。それから鍵役が「揚屋《あがりや》」というと「承知しました」と返答がされた。「揚屋に入る者が一人ある」というと、「承知しました」と答える。「北奉行所の掛りの者で松平何々の家来で、杉何々の世話になっている者が吉田何々とい い、年は二十五歳である」「承知しました」「この囚人は掛りより特別の配慮をするようにとの達しがあるから、十分に心を配るように」「承知しました」などのやりとりがあった。これを手当囚人というのである。

而《しか》して後戸前《とまへ》開き獄内に入る。入れば板間あり、茲《ここ》に伏せしめ衣物を以て頭を掩《おほ》ふ。名主《なぬし》きめ板を以て背を撃つこと一声、呼んで云はく、「御掛りは何人ぞ」。云はく、「井戸対州《つゐしう》」。「御吟味筋は何事ぞ」。答へて云はく、云々。名主云はく、「善く聞け、日本一三奉行入込《いりこみ》(1)東口揚屋とは茲《ここ》なり、命《いのち》の蔓《つる》を何百両携《たづさ》へ来《きた》るか」と。余云はく、「余下田に在りて縛《ばく》に就く、物皆《ものみな》官に没す、身一銭あることなし」と。

名主大いに怒りて曰く、「奉行慈悲ありと雖《いへど》も、獄中慈悲なくんば何ぞ性命を保全することを得んや。汝何ぞ自ら愛せざる」と。余云はく、「然りと雖も如何《いかん》ともすべきなし、且つ余罪死《ざいし》自《みづか》ら分《ぶん》とす、遂に死を畏れず」と。名主心折《しんせつ》し、温言して云はく、「汝、朋友・故旧・親戚の書を発して金を請ふべきなきか」と。余云はく、「必《ひっ》し難《がた》しと雖《いへど》も、無きにしも非《あら》ず」。名主云はく、「然らば明日急に書を発せよ」とて、又背を二打して止む。

是れより衆皆《しゆうみな》余が履歴を聞かんと欲す。余乃《すなは》ち具《つぶ》さに是れを語る。衆皆感激す。独り浮屠《ふと》日命《にちめい》、時に名主添役《そへやく》たり。傍より掎詰《ききつ》して云はく、「夷船に上り、夷将の首を携《たづさ》へ来《きた》らば、死して光輝あり。汝が如きは憐《あはれみ》を夷人に請ふ、鄙《ひ》も亦甚だし」と。渋生は無宿牢《むしゆくらう》に陥《おちい》る。明早《みやうさう》百姓牢に転ず。其の苦楚《くそ》艱難《かんなん》、我れ是れを云ふに忍びず。遂に国に還り余に先だちて死す。薄命不幸、人をして悵然《ちやうぜん》たらしむ。

扨《さ》て其の明日《あくるひ》書を発し、金を白井小助に求む。是《ここ》に於て御客となり、又升《のぼ》りて若隠居となり、又升《のぼ》りて仮坐隠居《かりざのいんきよ》となり、又升りて二番役となり、又升りて添役となる。獄中法制厳密、名分井然《みやうぶんせいぜん》、甚だ楽しむべし。今我れ野山獄に居る、閑静書を看《み》るに可なりと雖《いへど》も、江戸獄の愉快に如《し》かず。因つて獄中座を占むるの図を作る、左の如し。

四月七日録し了る。

〈語釈〉

（1）三奉行　江戸町奉行・寺社奉行・勘定奉行の三奉行。

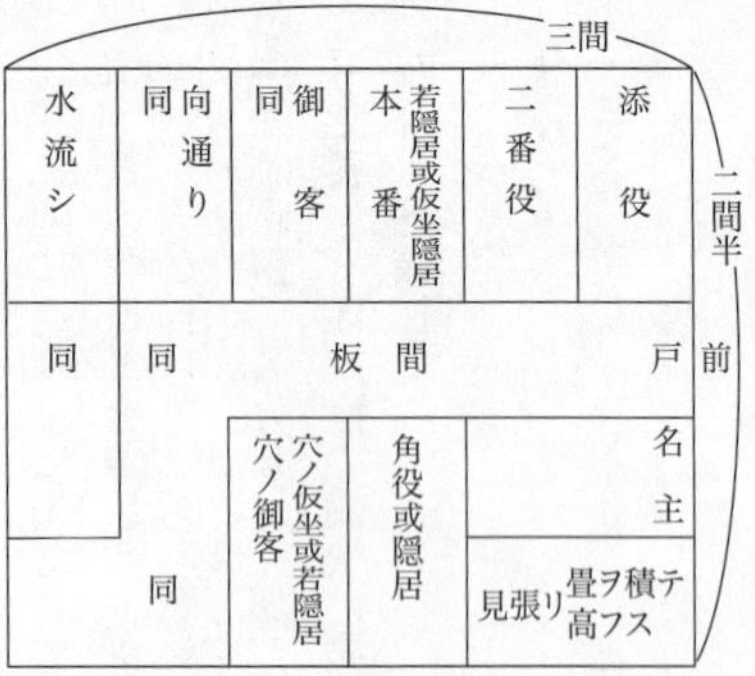

大略此の如し

〈現代語訳〉

それから戸《と》前《まえ》を開き獄の中に入った。そこの中は板間になっていて、入ってここに伏せ、着物で頭をおおった。獄内の名主と呼ばれる囚人頭が、板切れで僕の背中をたたきつけながら、「取り調べの係は誰か」とどなりつけた。そこで「井戸《いど》対《つい》州《しゅう》さまです」と答えると「どのような罪で取り調べをうけているのか」などなどの質問をうけ、また僕もそれに答えた。それから名主は、「よく聞くんだぞ、日本一の三奉行のお取り調べによって入れられる、東口揚屋とはここのことである。お前は命のつるを何百両持って、ここへやって来たのだ」と言った。僕は、「私は下田にいる時に捕らえられ、持物は全部役人に没収されました。だから今は一銭も持ってはいません」と答える。

名主はひどく怒り、「たとえ奉行に慈悲の心があるといっても、この獄中の慈悲を受けないで、どうして生きていられると思っているのか。お前は自分の身が可愛くはないのか」と言った。そこで僕は「しかしそういわれましても、私にはどうしようもありません。それに私は、自分の犯した罪は死刑が当然だと思っていますので、今となっては死ぬことも恐ろしいとは感じません」と返答した。この言葉に名主も少し心を変え、「お前には、友だちとか、昔なじみとか親類の者がいるだろう。そこに手紙を出して金を工面することは出来ないのか」とやさしく話し出した。「必ずとはいきませんが、出来ないこともありません」。「それでは明日、すぐに手紙を出すように」と名主が言い、また僕の背中を板で二度たたき、やっと終った。

それから一緒にいる囚人たちが皆、僕の履歴を聞きたがった。だから、僕もくわしく彼らに話してやると、大いにみなは感激した。ただひとり坊主の日命《にちめい》が、彼は名主の添役だったのだが、そばから「外国船に乗り込み、その大将の首を取って来たのならば、それは死んでもその功績は光り輝こうが、お前のように、あわれみを外国人にこうようなのは、まったくいやしいといったらこの上ない」となじった。

渋木は無宿牢《むしゆくろう》に放り込まれ、翌朝早く、百姓牢にかえられた。その苦しみ・つらさ・艱難《かんなん》については、僕はひとつひとつ言うにしのびない気持である。彼は長州に帰ってから、ついに僕よりも先に死んでしまった。その薄命で不幸な生涯は、それを思う人々を深い嘆きにつきおとす。

ところで次の日、手紙を書き、白井小助《しらいこすけ》に金のことを頼む。それからは獄内で御客の扱いとなり、また若隠居、仮坐隠居、二番役とどんどん出世し、ついに添役にまでなった。獄の中での取り決めは非常に厳しいもので、身分の取り決めは、はっきりと分かれていて、非常に面白いものだった。今僕は萩の野山獄《のやまごく》に居り、まったく閑静なので読書が出来ていいのだけれど、江戸の獄につながれていた時のような愉快さはない。その頃、獄の中でのそれぞれの座の配置の図を書いてみた。だいたい左のような工合であった。

四月七日、これを書き終える。

急務四条

これは、安政五年（一八五八）、日米通商条約の可否が諸大名に問われたとき、わが国は如何《いか》なる態度をとるべきかということを論じた『狂夫《きょうふ》の言《げん》』のつづきとも言うべきものである。松陰は、このような大切な問題について、ただ現状を糊塗《こと》しておればそれでよいといったような態度はやがて国を亡ぼすであろうというふうに考えていた。

しかしながらわが身のことを考えると、これは罪を得て、松本村に幽囚せられている科人《とがにん》である。そうした人間が、いやしくも天下の政治に口を出すことは許されないことだ。おそらく世間はそのように考えているであろう。だが彼はじっとしていられなかった。世の人が乱暴であるというならば言え、狂気だというのなら言ってみるがよい。自分は国家存亡のときにあたって、これを坐視していることはできないと言って筆をとったのが先の『狂夫の言』であったが、この『急務四条《きゅうむしじょう》』にもまた、そのような意識があふれている。

この『急務四条』は七月十日の筆になっているから、いよいよ政局が押しせまっての提案である。この頃、越前・薩摩・水戸などの活躍は目を見はるほどのものがあった。長州藩は一歩も二歩も遅れているのである。藩の奮起が望まれてならないのだ。

彼はついに筆をとって、藩政の改革を直接に藩主に訴えることにした。彼はここでは、中国古代の聖賢などを例にひいて、わが藩では如何にあるべきかということを君徳から役人の心得にまで説き及んだものである。彼は政治の根本をあくまでも人物に見ていた。

恐れながら当今急務《たうこんきふむ》の儀、先達《せんだつ》て差出し候(1)狂夫《きやうふ》の言《げん》に大略相認《あひしたた》め候へども、尚《な》ほ又不足の件之れあり候に付き、経史子集《けいししふ》の典故《てんこ》抄録仕り差出し申し候。尤《もつと》も随得随《ずゐとくずゐ》抄《せう》仕り候事に付き、前後の次序《じじよ》甚《はなは》だ以て不束《ふつつか》に御座候へども、反覆《はんぷく》御熟覧遊ばされ候はば、御政道《ごせいだう》の御一助にも相成るべくと存じ奉り候事。

〈語釈〉

（1）狂夫の言　安政五年（一八五八）に書かれた『戊午幽室文稿』の一文。外国勢力の日本浸透阻止のため、一挙に撃破すべしと説く。また長州藩藩政改革を主張。

〈現代語訳〉

恐れながら、今お殿様が緊急になさらなければならない件につきましては、先に差し出しました『狂夫《きようふ》の言《げん》』に、ほぼ書き尽くしました。しかしまだ不足な点もありますので、経書・史書・詩文集などから、典礼《てんれい》や故実《こじつ》を抜き書きし、御説明申し上げます。もっとも随意に引用いたしましたので、前後の順序ははなはだ不正確でございますが、何度も御熟覧いただければ、藩の御政道の参考にもなることと思われます。

一、狂夫の言に、(1)花江書楼《くわかうしよろう》に御住居遊ばされ、日々群臣の朝《まつりごと》を御覧ぜられ、群臣の衆議聞《きこ》し召し上げられ、御政道御直裁《ごちよくさい》遊ばされ度《た》き段《だん》申上げ候。誠《まこと》に今日《こんにち》を異変の初めと心得《こころえ》、治乱《ちらん》一途《いちづ》の覚悟仰せ付けられ候には、衆人の耳目《じもく》を聳動《しようどう》致し候御処置之れなく候ては相済《あひす》まざる事に付き、花江《くわかう》の一策何卒《なにとぞ》急に行《おこな》はせられ度く存じ奉り候。

さりながら此の段急に行はれ難《がた》き筋も御座候はば致方《いたしかた》之れなく、責《せめ》て御書院・大広間等にてなりとも、日々群臣の朝《まつりごと》御覧ぜられ度く存じ奉り候。(2)頼襄《らいじやう》の新策《しんさく》 襄が著、新策・通議・政記等御益に相成るべき書に候と存じ奉り候。時々御書物懸り共へ御読ませ成さるべく候事 (3)法律略《はふりつりやく》に曰く、

「凡《およ》そ中古以上　天皇昧爽毎《まいさうごと》に殿椅《でんい》に出御《しゆつぎよ》して南面したまひ、大臣以下百官左右に椅《い》し、高案《かうあん》を階下に設《まう》け箱を置く。五畿七道の訴人《そにん》、極小の民に至るまで、咸闕《みなけつ》に坌入《ふんにふ》して廷《てい》に群聚《ぐんしゆう》し、次《じ》を以《もつ》て進み、状《じやう》を箱中《さうちゆう》に投じて退《しりぞ》く。左右の大少弁《だいせうべん》・少納言《せうなごん》・史《し》・外記《げき》、次《じ》を以て之れを取り、これを御前《ごぜん》に陳《つら》ねて読み、群臣議して之れを判し、天子時に一語を出して之れを決したまふ。

告訴《こくそ》繁多《はんた》にして或は日昃《につしよく》に至れば、則ち朝堂《てうだう》に即《つ》きて御膳《ごぜん》を進め、群臣も亦次殿《またじでん》に食す。一日の訟《しよう》尽《ことごと》く断じて余すことなくして、天皇乃《すなは》ち敢へて燕殿《えんでん》に帰りて歌舞《かぶ》娯遊《ごいう》したまひ、群臣も亦《また》敢へて帰りて私第《してい》に安んず。訟獄中《しようごくちゆう》、事体《じたい》重大にして一日にして断ずべからざるものあらば、則ち盤遊皆廃《ばんいうかいはい》す。

蓋《けだ》し　帝の心、民枉《みんわう》を伸べ民冤《みんゑん》を白《あきら》かにするを以て、天下の事これより大なるはなしと為す。ここを以て法司《はふし》諸吏《しより》人々自《みづか》ら謹み、其の私心《ししん》を以て律を折《やぶ》ること能《あた》はず。(4)大同《だいどう》の時に至るに迨《およ》ぶまで、未《いま》だ嘗《かつ》て此の制を廃せず。(5)弘仁《こうにん》の時に至るに及んで始めてこれを廃し、これを外朝《ぐわいてう》の諸臣に委《ゆだ》ねて自《みづか》ら深宮《しんきゆう》に居りたまひ、(6)蔵人《くらうど》を置きて以て伝宣《でんせん》を司《つかさど》らしむ。然《しか》れども猶《な》ほ虚椅《きよい》を旧位《きうゐ》に設《まう》く。蔵人椅旁《いばう》に坐して群議を聴き、出入相達《しゆつにふあひたつ》し、遂《つひ》に天下の威柄《ゐへい》世相の手に帰するを致す」と。

〈語釈〉

(1) **花江書楼**　藩主毛利敬親の書楼。(2) **頼襄**　頼山陽。江戸時代後期の儒者。史論家。尾藤二洲に経学・国史を学んだ。京都に出て篠崎小竹・梁川星巌・大塩平八郎らと交わった。『日本外史』『日本政記』などの主著は、幕末尊攘派に大きな影響を与えた。(3) **法律略**　『新策』の中にある日本の法律に関し記された一章。(4) **大同の時**　大同年間(八〇六〜八一〇)。平城天皇の治世。(5) **弘仁の時**　弘仁年間(八一〇〜八二四)。嵯峨天皇の治世。弘仁元年藤原冬嗣が蔵人頭になり、この頃から藤原氏の専横のきざしが見える。(6) **蔵人**　平安時代初期の令外官《りょうげのかん》。天皇に直属し、機密文書や訴訟をつかさどった。のち常置され少納言などは実権を失った。

〈現代語訳〉

一、前に『狂夫の言』の中で、花《か》江書楼《こうしょろう》にお住まい下さって、毎日藩士たちの行なう政務にお気をつけられ、また藩士たちの評議をお聞きになって、お殿様直々《じきじき》、政治にたずさわっていただきたいと申し上げました。まことに、今こそ容易ならぬ事態だと心得られて、治乱の分かれ目と覚悟を決めるようお命じになるとすれば、皆の者の耳目を聳動《しょうどう》させるような、思い切った処置をなさらなくては、もはや済まされないことです。だから、御政道《ごせいどう》に直接たずさわられる件は、どうか一日も早く行なっていただきますようお願い申し上げます。

しかしすぐにといっても種々支障もありますので、せめて御書院・大広間などでなりとも、毎日御引見《ごいんけん》いただきたいと思います。頼山陽《らいさんよう》の『新策』山陽の『新策』『通議』『政記』などはお役に立つ書物です。時に御書物懸りに御読ませ下さいの「法律略」で、次のように書いています。

「およそ中世以前では、天皇はいつも朝の早くから殿椅《でんい》に御出になり、また大臣以下の百官もその左右に腰をおろした。それから、階下に机を置かせ、そこに箱を設置された。五畿七道にわたって訴えごとのある者は、極小の民に至るまで、ことごとくが宮城に集まり、政庁に押し寄せ、そして順番に進み出て、政治や生活についてのいろいろな訴えを箱の中に入れて退出した。左右にいた大少弁・少納言・史・外記などが順番にこれを取り出し、天皇の前で読みあげ、群臣たちがこれを議論し、それを聞かれていた天皇が、時をみはからって意見を述べ、その処置を決定された。

訴えが多くて日没になれば、朝堂《ちょうどう》に行かれ、御食事をなされ、群臣たちもまた次の殿舎で食事をすませた。一日の訴訟がすべて処理されると、天皇はなにはばかることなく燕殿《えんでん》（くつろぎの場所）に帰られて、歌舞《かぶ》に興《きょう》じたりして遊ばれ、群臣たちも、なにはばかることなく帰り、自分たちの私宅でゆっくりと手足を伸ばした。訴訟の中に事態が重大で、一日で裁定を下すことの出来ないものがあれば、そのときはすべて遊興は中止される。
思うに天皇は、人々のゆがんだ心を真直《まつすぐ》に正し、無実の罪の者を救うことが、この世の中で一番大切なことであると考えられていた。だから法にたずさわる諸役人は、自らを慎しみ、私心をもって掟を破るようなことは出来なかったのである。平城《へいぜい》天皇の御代に至るまで、いまだかつて、この制度が廃止されたことはなかった。嵯峨天皇の時代になって、はじめてこれが廃止され、訴訟の裁決はすべて外朝の諸臣にまかせ、御自身は宮廷の奥深くに身を置かれ、蔵人という官職を新たに作り報告係に任命された。しかし古い制度もまだそのままにされていた。蔵人は大臣たちの椅子の傍らに坐って、それぞれ諸臣の議論を聴き、自分で勝手に問題を裁定し、ついに天下の権力をその手に握るに至った」と。

是れ皇朝の盛時《せいじ》現実に行はれ候典故《てんこ》にて候処《ところ》、只今太平繁縟《はんじょく》の時とは申しながら、御大名の御身上にてさへ右様《みぎやう》の御勤励《ごきんれい》遊ばされざるは、恐れながら勿体《もったい》なき儀《ぎ》と存じ奉り候。

此の段皇朝のみならず漢土の聖賢の政道を取行はれ候も大抵《たいてい》此の振合《ふりあひ》と相見え、第一(1)舜《しゅん》の(2)二十二臣を命ぜられ候も、(3)舜典《しゅんてん》の文面にて相考へ候へば、(4)四《し》岳十二《がくじふに》牧《もく》其の外諸臣列坐の上の儀と相見え申し候。(5)洪範《こうはん》にも、「汝《なんぢ》則《すなは》ち大疑《たいぎ》あらば謀《はかりごと》を乃《なんぢ》の心に及ぼし、謀《はかりごと》を卿士《けいし》に及ぼし、謀を庶民に及ぼし、謀を卜筮《ぼくぜい》に及ぼせ云々」の文之れあり。

(6)孟子にも、「左右皆賢なりと曰《い》ふも未だ可ならず、諸大夫《しよたいふ》皆賢なりと曰ふも未だ可ならず、国人《こくじん》皆賢《けん》なりと曰ひて然《しか》る後之れを察し、賢なるを見て然る後之れを用ひよ。左右皆不可なりと曰ふも聴くことなかれ、諸大夫皆不可なりと曰ふも聴くことなかれ、国人皆不可なりと曰ひて然る後之れを察し、不可なるを見て然る後之れを去れ。左右皆殺すべしと曰ふも聴くことなかれ、諸大夫皆殺すべしと曰ふも聴くことなかれ、国人皆殺すべしと曰ひて然る後之れを察し、殺すべきを見て然る後之れを殺せ。故《ゆゑ》に国人之れを殺すと曰ふ」と。

(7)又呉子にも、「(8)武侯《ぶこう》嘗《かつ》て事を謀《はか》るに、群臣能《よ》く及ぶものなし、朝《まつりごと》を罷《や》めて喜べる色あり。(9)起《き》進みて曰く、昔、(10)楚の荘王《さうわう》嘗《かつ》て事を謀《はか》りしに群臣能く及ぶものなし、朝《まつりごと》を罷《や》めて憂《うれ》ふる色あり。申侯《しんこう》問ひて曰く、君憂ふる色あるは何ぞや。曰く、寡人《かじん》之れを聞く、世、聖を絶《たや》さず、国、賢に乏しからず、能く其の師を得る者は王たり、能く其の友を得る者は覇《は》たりと。今寡人不才《かじんふさい》にして、而《しか》も群臣及ぶものなし、楚国《そこく》其れ殆《あやふ》からんと。此れ楚王の憂ふる所、而《しか》るに君之れを悦ぶ、臣竊《ひそ》かに懼《おそ》ると。ここに於て武侯慙《は》づる色あり」と。

〈語釈〉

(1) 舜 中国古代聖王の名。堯《ぎょう》の摂政であったが位を譲られ天子となった。のち聖徳君主の代表とされた。
(2) 二十二臣 禹《う》・后稷《こうしょく》・契《せつ》・皐陶《こうよう》をはじめとする、舜の臣下で、彼の施政を手伝った。(3) 舜典 五経の一つである『書経』の篇名。(4) 四岳十二牧 「四岳」は堯の代の、四方(東西南北)諸侯の長官。「十二牧」は、舜の代に、徐・荊・揚など十二国にわかれた、各国の長官のことをさしていう。(5) 洪範 『書経』の篇名。(6) 孟子 中国戦国時代の思想家孟子の言論を、弟子たちが集大成した書物。四書の一つ。以下の引用は「梁恵王」下篇第七章からの文章である。(7) 呉子 中国戦国時代、呉子が著わしたとされる兵法書。後世門人たちによって編集された。以下の引用は「図国」編に出る文章。(8) 武侯 中国戦国時代初期の魏の君主。父の文侯の跡を継いで、魏を発展させた。(9) 起 呉子の名。(10) 荘王 中国春秋時代、楚の国第二十二代の英主。

〈現代語訳〉

これは、わが国の朝廷がまだ隆盛であった時に現実に行なわれていた前例ですが、現在は、太平無事の世の中で、細々としたわずらわしい儀礼の多い時でありますが、御大名の身分の者でさえ、先の『新策《しんさく》』に書かれていましたような、直接政治にたずさわるということを、無視されているのは誠に残念なことです。

このことは、日本の朝廷だけでなく、中国の聖賢が政治を行なう場合も同じことなのです。中国古代の聖王と呼ばれる舜《しゅん》が、二十二臣を任命されたのも『書経《しょきょう》』「舜典《しゅんてん》」篇によれます。

ば、四岳十二牧《しがくじゆうにぼく》そのほか諸臣が列坐している所でのことだったとわかります。また「洪範《こうはん》」

篇でも「もし大きな問題が生じれば、まず自分の心の中でよく考え、ついで、大臣の意見を聞き、庶民の考えを聞き、最後に占いによってうかがいをたてよ」ということが書かれてい

また『孟子《もうし》』にも「左右にいる者が『あの人は賢人である』と言っても、まだこの者を用いてはいけない。朝廷の役人たちが皆『あの人は賢人である』と言っても、まだこの者を用いてはいけない。国中の人が皆『あの人は賢人である』と言った時、はじめて王は、その人物をよく観察し、本当に賢者であることを確かめて、その後にこの者を用いて下さい。左右の者が、『あの人は駄目だ』と言っても、これを聞き入れてはいけない。朝廷の役人たちが皆『あの人は駄目だ』と言っても聞き入れてはいけない。国中の人が皆『あの人は駄目だ』と言うようになって、はじめてこの者をよく観察し、本当に駄目であるということを確かめて、この者をしりぞけて下さい。また左右の人が『あの人は殺すべきだ』と言っても、聞き入れてはいけない。朝廷の役人が皆『あの人は殺すべきだ』と言ってもまだ聞き入れてはいけない。国中の人が皆『あの人は殺すべきだ』と言うようになって、はじめてよくこの者を観察し、本当に殺すべきであると確かめて、その上で殺して下さい。このようにして殺した場合には、王個人や役人たちが殺したのではなく、国の人全部がこれを殺したということになります」と出ています。

また『呉子《ごし》』にも「ある時、武侯《ぶこう》が皆と議論をしたが、群臣たちの中で、誰一人として武

侯より秀れた意見を述べたものはいなかった。退出する時、武侯は得意満面の様子であった。そこで呉起《ごき》が進み出て『昔楚《そ》の荘王《そうおう》が、臣下たちと議論をしたところ、誰一人として荘王より秀れた意見を述べるものはありませんでした。政務が終わって退出するとき、荘王の顔には憂いの色がありました。そこで申侯《しんこう》という臣下が、何故そのような、心配顔をしておられるのですかとたずねました。すると荘王は答えて、どのような時代にも聖人はおり、どのような国にも賢者がいないということはない。聖人を見出して師と出来るものは王となり、賢者を見出し、友に出来るものは覇者となるというではないか。ところが、今のわたしには、この愚かな自分より、秀れた臣下がいないことがわかった。楚国の前途は危機に直面している。とこのように荘王は、臣下の無能を悲しまれたのです。それだのにわが君は、これとは反対に臣下の愚かさを喜んでおられる。だからわたくしは危惧の念を抱かざるを得ません』と言った。そこではじめて、武侯《ぶこう》の顔に慚愧《ざんき》の色がうかんだ」とあります。

是れ等を以ても漢土古昔《こせき》の様子推知《すゐち》せられ候儀に御座候。さりながら(1)舎《しや》を道辺《だうへん》に築《きづ》けば三年成らずと申す古語も之れあり、群議群議と計《ばか》り申し候て取捨折衷《しゆしやせつちゆう》の御決断之れなく候ては、矢張《やは》り迷《まよひ》の種《たね》と相成り万事隳廃《きはい》致し候に付き、右洪範《こうはん》の文中にも、首として謀《はかりごと》を乃《なんぢ》の心に及ぼしと之れあり、又(2)大禹謨《たいうぼ》にも、「朕《ちん》が志《こころざし》先づ定まり、詢《じゆん》謀僉《ぼうみな》同じく、鬼神《きしん》其れ依り、亀筮《きぜい》協《かな》ひ従ふ」と之れあり、又宋儒(3)朱熹《しゆき》も、「天下の大本は陛下の心に在り」と其の君に告げられ候通りにて、今日の事、勤王の大義は群議《ぐんぎ》迄《まで》も之れなく、固《もと》より御決心遊ばされ候事に之れあるべく、付いては二百年来太平の積弊《せきへい》御改革遊ばされ候も、是れ又当然の儀に付き、先づ此の両条を以て群議仰せ付けられ候はば、其の件々に当り得失可否《とくしつかひ》は衆議に御任せ成され、所謂《いわゆる》「時に一語を出して之れを決《た》す」と申す様遊ばされ度く存じ奉り候。

〈語釈〉

（1）舎を道辺に築けば云々　『後漢書』「曹褒伝」に出る。（2）大禹謨　『書経』にある篇名。（3）朱熹　朱子。中国宋代の思想家。宋学の集大成者。幕府は朱子学を官学として採用した。

〈現代語訳〉

これらをみても、中国の古代の様子が推しはかられます。とはいうものの、道ばたに家を建てる時、いちいちそこを通る者が口を出し、それらの意見を取り入れていれば、異論が百出し、遂には家が建ちあがらなくなるという言い伝えもあります。だから、群議群議といって皆の意見を聞いてばかりいて、どの意見を採用し、どの意見を退けるか、またどれとどれとを一つにまとめれば善いかなどと決定を下さなければ、これまたいつまでも、混乱するばかりで、統一がとれず全てが崩れ去ってしまいます。だから、前にあげました『書経』の

「洪範」篇の文中にも、第一人者として、いろいろな問を自分の心にまずおよぼし、という言葉が記されているのです。また「大禹謨《たいうぼ》」篇でも、「わたくしの志がまず定まり、そしてみなに相談すれば同意が得られ鬼神も従い、また占いもかなったものとなってあらわれる」とあります。また宋《そう》の儒学者朱熹《しゅき》も「天下の第一の基礎となるのは、陛下の心です」とその主君に言っています。今日のこと、勤皇の大義は、今さらみなが集まって議論するまでもないことです。だからもちろんその御決心をなされるべきで、それと共に二百年来のこの平和な社会に積り積って来た弊害を、御改革くださいますのも、これまた当然のことであります。まずこの二つのことをもって、みなに議論を仰せ付け下さい。その一つ一つにあたっての得失可否は衆議にお任せになって、お殿様はいわゆる「時をみはからって意見を述べ、その処置を決定される」といった工合にしていただきたいと思います。

　尤《もつと》も此の議は俗吏《ぞくり》の先例旧格《きうかく》に参らざる事に付き、色々沮撓《そたう》仕り候者之れあるべく候へども、是れ等は皆秦《しん》の(1)趙高《てうかう》の見《けん》に御座候。(2)史記の(3)李斯《りし》の伝に曰く、「趙高郎中令《らうちゆうれい》となり、殺す所及び私怨《しゑん》に報ゆること衆多なり。大臣の入朝して事を奏し、之れを毀《き》悪《あく》せんことを恐れ、乃《すなは》ち二世に説きて曰く、天子の貴き所以《ゆゑん》のものは、但《た》だ声を聞くのみにして群臣其の面を見るを得るものなきを以てなり、故に号して朕《ちん》と曰ふなり。且つ陛下春秋に富み未だ必ずしも尽《ことごと》く諸事に通ぜず、今朝廷に坐して譴挙《けんきよ》当らざるものあらば、則《すなは》ち短《たん》を大臣に見《しめ》さん、神明を天下に示す所以《ゆゑん》に非《あら》ず。且つ陛下深く禁中に拱《きよう》し、臣及び侍中《じちゆう》の法を習へる者と事を待ち、事来《きた》れば以て之れを揆《はか》るあり、此《か》くの如くならば則《すなは》ち大臣敢《あ》へて疑事《ぎじ》を奏せず、天下聖主と称せんと。二世其の計《けい》を用ひ、乃《すなは》ち朝廷に坐して大臣を見ず、禁中に居り、趙高《てうかう》常に中に侍《じ》して事を用ふ」と。趙高《てうかう》の事は誰れも悪《にく》み候へども、自《みづか》ら趙高たることは一切《いつさい》心附き申さず候。只今侍《じ》(4)御史《ぎよし》の職、外間より見候へば全く趙高の所為《しよゐ》に御座候。且つ御直裁《ごちよくさい》の論を拒《こば》むに至りては矢張《やは》り趙高の説を祖述仕り候由、孟子の「吾が君能はずとする、之れを賊と謂ふ」とは此の輩の事にて、誠に悪むべき者に御座候。

〈語釈〉

（1）**趙高**　秦の宦官。始皇帝が死んだ時、その詔を変え二世皇帝胡亥を擁し、またのちには子嬰を立て国政を左右した。（2）**史記**　黄帝から前漢の武帝までの事を記した紀伝体の歴史書。司馬遷が書いた。（3）**李斯**　中国秦代の政治家。法治主義者。始皇帝統一ののち丞相となる。始皇帝の政策中、彼の建議になるものが多い。（4）**侍御史**　長州藩の役職名。藩主に近侍する御奥番頭のことで、他藩の御用人にあたる。

〈現代語訳〉

もっともこのことは、旧来の政治のやり方には先例のないことなので、いろいろと反対し妨害する者もありましょうが、これらはみな秦《しん》の趙高《ちょうこう》と同じ輩《やから》です。『史記』の「李斯《りし》」の伝に、「趙高は郎中令《ろうちゅうれい》の職権をもって多くの人を殺し、また多くの私怨をはらした。大臣が朝廷に入って奏上する時、そのことを告げ自分のことを悪くいうのを恐れ、二世皇帝に次のように言った。『天子が貴いのは、群臣たちはただ声を聞くだけで、顔を見ることが出来ないからです。だから天子は自分のことを朕《ちん》と呼ぶのです。陛下はまだお年も若く、世の中の諸般の事情にもよく通じておられません。いま、もし朝廷にお出になって、臣下の譴責《けんせき》や登用に不当な処置があれば、陛下御自身の短所を大臣たちに示されることとなります。これは陛下の神聖英明を天下に示すゆえんではありません。陛下は当分の間、ただ手をこまねいて、宮中の奥深くにお坐りになっていて下さい。そしてわたくしと、法律に習熟した侍中とで、相談事を待ち受け、事が出来《しゅったい》すれば、皆で協議のうえ、適宜に処理すればよいと思います。こうすれば大臣たちもあえて疑わしいことを奏上せず、天下は陛下を聖王《せいおう》だと仰ぎたたえましょう』。二世皇帝は趙高のこの建議を聞き入れ、大臣を引見するために朝廷に出られることをやめ、禁中《きんちゅう》深く引き籠り、趙高は常時宮中に侍して、政務を執行し、万事自分の手によって決裁した」とあります。

趙高のことは誰もが悪く言いますが、自分自身が趙高と同じであるということは、全く気づいていません。お殿様のお側近くに仕えているわが藩の侍御史《じぎょし》の職は、外より見ていますと、まったく趙高のやっていることと同じでございます。そのうえお殿様が直接に御政道にたずさわられるのを拒否するに至りましては、ますます趙高と同じことです。ちょうど

『孟子《もうし》』に「わが主君は、どうせ立派な政治を行なうことなどは出来ないというような者は、これを賊臣《ぞくしん》という」とありますが、全くこの輩《やから》のことでありまして、誠に憎むべき者たちです。

彼の二世の昏暴《こんぼう》、趙高を信用するを以てすら、史記の(1)叔孫通《しゅくそんつう》列伝を閲《けみ》し候へば、(2)陳《ちん》勝《しょう》の山東《さんとう》に起るや、使者以て聞《ぶん》す。二世、博士《はかせ》諸儒生《しょじゅせい》を召して問ひて曰く、「楚《そ》の戍《じゅ》卒《そつ》蘄《き》を攻め陳《ちん》に入る、公に於て如何《いかん》」と。博士諸生三十余人前《すす》みて曰く、「人臣将なし、将即ち反す、罪死赦すことなかれ。願はくは陛下急に兵を発して之れを撃て」と。二世怒りて色を作《な》す。叔孫通前みて曰く、「諸生の言皆非《ひ》なり云々、此れ特《た》だ群盗、鼠竊《そせつ》狗盗《たう》のみ、何ぞ之れを歯牙《しが》の間《かん》に置くに足らんや。郡の守尉《しゅゐ》今に捕へ論ぜん、何ぞ憂ふるに足らん」と。

二世喜びて曰く、「善し」と。尽く諸生に問ふ。諸生或は反なりと言ひ或は盗なりと言ふ。ここに於て二世御史《ぎょし》をして諸生の反なりと言へる者を案じて吏《り》に下さしむ。宜《よろ》しく言ふべき所に非《あら》ずとす。諸〻《もろもろ》の盗なりと言へる者は皆之れを罷《や》む。廼《すなは》ち叔孫通に帛二十四、衣一襲《ひとかさね》を賜ひ、拝して博士と為す。叔孫通已《すで》に宮を出でて舎に反《かへ》る、諸生曰く、「先生何ぞ言《げん》の諛《へつら》へるや」。通曰く、「公知らざるなり。我れ幾《ほとん》ど虎口を脱せざらん」と。廼《すなは》ち亡《に》げ、去りて薛《せつ》に之《ゆ》く、薛《せつ》已に楚に降れりと。

それ二世の面謾《めんまん》を好み覆亡《ふくばう》を顧《かへり》みざると、叔孫通の世に希りて容《よう》を取ると、皆論ずるに足らず候へども、二世すら博士諸生三十余人を召問《せうもん》致し候を見れば、趙高はまだしも只今の侍御史《じぎよし》よりは増《まし》ならんかと存じ奉り候。何分《なにぶん》衆議聞し召されたる上、御直裁遊ばされ候事、是れに過ぎたる急務は御座なく候事。

〈語釈〉

(1)　叔孫通　中国漢時代の政治家。学者。はじめ秦に仕えたが、のち漢に降り博士となる。その粗暴な風俗を改め、政治に秩序を与えた。(2)　陳勝　中国秦末群雄の一人。陽城の人。同僚の呉広と共に兵を挙げ、陳に入って王となり張楚と号した。この反乱が秦滅亡の原因となった。

〈現代語訳〉

かの二世皇帝の道理を欠いた乱暴の数々は、趙高を信用したがためだと言いますが、それにつけても考えさせられることです。『史記』の「叔孫通《しゆくそんつう》」列伝を開いて見ますと、陳勝《ちんしよう》が山東《さんとう》で旗挙げした時のことがのっています。使者が陳勝の反乱を奏上すると、二世皇帝は、学識の高い博士や、もろもろの儒学者を呼び出し、「楚の戍兵《じゆへい》が蘄《き》を攻め、陳に侵入したというが、皆はこのことをどのように思うか」とたずねた。すると博士や儒学者たち、三十人余りが前に進み出て、「帝の臣下には、将たる者はもういません。将であった者は謀反を起こしています。その罪は死罪に相当し、赦《ゆる》すべきではありません。どうか陛下は取り急ぎ出兵なさって、これを撃って下さい」といった。二世皇帝は謀反という言葉を聞くと、顔を真赤にして怒った。すると叔孫通が進み出て、「諸先生の言葉は、みんな間違っています。あれはただ群盗が暴れ、犬やねずみのように人にかくれて物を盗む、小盗人が騒いでいるのにすぎません。郡の守尉《しゅい》がいまにも捕らえ、罪を論告するでしょう。少しも御心配には及びません」と言った。

二世は喜んで「そうだろう」と言い、居あわせた諸生の一人一人に意見を問われた。彼らのある者は謀反であると言い、またある者は盗賊にすぎないと言った。そこで二世は御史に命じて謀反であると言った学者たちを取り調べさせ、下級役人に引き渡した。これは、言ってはならないことを言ったからである。盗賊であると言った学者たちは皆そのままとし、叔孫通には絹二十匹と、衣服一襲《ひとかさね》を賜い、彼を拝して博士にされた。叔孫通が宮殿を退出して、宿舎に帰ると、他の儒学者たちが「先生はどうして、あのようにへつらったことをおっしゃったのですか」と言った。すると彼は「君らは知らないことだが、私はどうにかやっと危い所を逃れることが出来たのだ」と言って、逃げ去り、薛《せつ》に行った。薛はすでに楚に降参していたからである。

これら二世が、人の目の前でいい恰好《かっこう》をするのを好み、国がくつがえされ、亡びることも顧みなかったことや、叔孫通がへつらい、とり入ったことなどは、ともに論じるに足らないことではありますが、この二世でさえ、博士やもろもろの儒学者三十余名を集め、いろいろと意見を述べさせたということは、趙高はまだしも、現在の日本の侍御史《じぎょし》よりも、ましだと思われます。なんといっても、衆議をよくお聞きになった上、御自身で裁下をなされますこと以外に、さしあたって大切なことは、ほかにありません。

今日《こんにち》時務の急と考へ奉り候は、郡奉行・代官を御前《ごぜん》に召出され、御徳意《ごとくい》仰《おほ》せ諭《さと》され候儀《ぎ》に之れあり候。追加、唐の太宗(1)曰く、「朕の為めに民を養ふは、唯だ都督刺史(2)に在り。朕嘗て其の名を屏風に疏して坐臥之れを視、其の官に在るの善悪の跡を得れば皆名の下に注し、以て黜陟《ちゅつちょく》に備ふ。県令は尤も民に親しむことを為す、択ばざるべからず」と。乃ち内外五品以上に命じ、各〻県令たるに堪ふる者を挙げ、名を以て聞せしむ。漢宣《かんせん》(3)は中興の徳、商高《しやうかう》(4)・周宣《しうせん》(5)に比せしが、其の史に見るるものを見候へば、帝閭閻《りよえん》より興り、民事の艱難《かんなん》を知る。励精《れいせい》治を為し、枢機《すうき》周密《しうみつ》にして品式備具《ひんしきびぐ》す。刺史《しし》・守《しゅ》、相を拝するには輒《すなは》ち親しく見問《けんもん》し、常に曰く、「民の其の田里《でんり》に安んじて歎息愁恨《たんそくしうこん》の声なき所以《ゆゑん》は、政平《たひら》かに訟理《をさ》まればなり。我れと此れを共にする者は其れ惟《た》だ良二千石《せき》(6)なり」と。以為《おも》へらく、太守は吏民《りみん》の本《もと》なり、数〻《しばしば》変易すれば則《すなは》ち民安からずと。故に二千石、治理《ちり》の効あれば、輒《すなは》ち璽書《じしょ》を以て勉励《べんれい》し、秩《ちつ》を増し金を賜ひ、公卿欠《こうけいか》くれば則ち諸〻《もろもろ》の表する所を選び次《じ》を以て之れを用ひたり。漢の世の良吏《りやうり》ここに於て盛《さかん》なりと為すと之れあり候。

誠に人君は民事の艱難を知《しろ》し召《め》さるべきは、周公《しゅうこう》(7)の無逸《むいつ》にも相見え候通りに御座候処、閭閻《りょえん》田里の事は郡奉行・代官に御尋ね成《な》され候外《ほか》之れなく候。漢の法、郡に守あり国に相あり、天下の郡国を十三州部に分ち、部毎に刺史《しし》一人之れあり候。大小の事体こそ替り候へども、刺史は只今の郡奉行、守相は代官と思召《おぼしめ》さるべく候。左《さ》候へば郡奉行・代官召出《めしいだ》し仰《おほ》せ付《つ》けられ候は、即ち漢宣の美治《びち》に御座候。代官数〻《しばしば》変易仕り候へば、下民安んじ申さざるは只今も其の通りに付き、是れ亦治効《ちかう》之れあり候者は漢宣の増秩《ぞうちつ》に倣《なら》ひ、平座《ひらざ》は御意座《ぎょいざ》に上《のぼ》され、御意座は両人格・御奏者格《ごそうじゃかく》等賜はり、又は二郡三郡をも兼帯《けんたい》仰せ付けられ度《た》く、璽書《じしょ》・賜金《しきん》に倣《なら》ひ御意《ぎょい》・拝金等をも仰せ付けられ度《た》く存じ奉り候。又二千石を以て公卿《こうけい》に用ふるに倣《なら》ひ、代官より追々御用方へ登せらるべく候。左《さ》候はば良吏の盛《さかん》なるに至り申すべく候。

〈語釈〉

(1) 太宗　唐の第二代皇帝太宗世民。唐の国威のもっとも上った時代を築き、帝国を完成させた。(2) 都督刺史　漢・唐時代に、郡州に派遣された監察官。のちには民政をつかさどり、地方最高行政長官となった。(3) 漢宣　前漢の第十代皇帝孝宣。(4) 商高　商の第二十二代武丁のこと。つまり殷の高宗。(5) 周宣　周の第十一代宣王。(6) 良二千石　一郡の太守。その禄高が二千石であった。(7) 無逸　『書経』の篇名。

〈現代語訳〉

今日、最も急いでなさらなければならない仕事は、郡奉行・代官をお殿様の御前に召し出され、世の中に恵みや情けをおかけになろうとするお殿様のお気持を、よく彼らにさとされることでございます。唐《とう》の太宗《たいそう》は「わたしのために、人民を養ってくれるのは、ただ都督《ととく》や刺史《しし》といった地方官吏である。だからわたしはかつて、彼ら役人の名前を屏風に書いて、坐っている時もねころんでいる時も、たえずこれを眺めていた。なにか官吏として不都合なことがあれば、それをみな名前の下に書きこみ、それを官位異動の参考にと備えた。県令は人民に最も近い接触をするのだから、よい人物を選ばなければならない」と言っております。つまり内外の五品以上の者に命じて、それぞれ県令にふさわしいものを推薦させたのです。前漢《ぜんかん》の孝宣《こうせん》は、漢を中興させ、その徳は、殷《いん》の高宗《こうそう》や周《しゅう》の宣王《せんおう》に比べられていますが、その事績を歴史書をひもといて調べますと、帝は村里の貧しい家の出身で、よく下々の民の暮しの艱難《かんなん》を知っておられました。だから心から民治にはげまれ、その国家の政治は細かな所にまで行き届いており、儀式もすべてちゃんと備わっていました。刺史・守《しゅ》という地方官が御前に出ると、すぐに親しくあれこれおたずねになり、常に「人民が安心して田園郷里で生活し、なんの歎息も出さず、うらみつらみを言わないのは、政治が公平によく治められ、裁判も道理にかなっているからである。自分と共に、この重任を果すことが出来るのは、それはただ立派な地方官だけである」といわれ、また「地方官は一郡の役人や人民の中心になるものである。しばしば替えては、人々が落着いて仕事に精を出すことが出来ない」と考えられた。だから地方官で、政治の上ですぐれた成績をあげれば、すぐそのたびに詔勅《しょうちょく》を出して励まし、その俸禄《ほうろく》を増加し、金を下賜された。もし朝廷の高官に欠員が出来たときは、それぞれ成績のいい地方官の中から、席次にしたがってこれに取り立てられた。漢一代を通じて立派な役人が最も多く輩出したのは、この孝宣皇帝の時であった、と書かれています。

本当に君主というものは、人民の生活の艱難をよく知っていなければなりません。このことは「無逸《むいつ》」篇にも出ていますが、全くその通りです。しかしお殿様の場合、村里の貧しい生活のことは、郡奉行・代官などにお尋ねになるより仕方のないことでございます。漢の制度によりますと、郡に守が置かれ、国に相が置かれ、全国の郡国は十三の州部に分けられ、部ごとに刺史一人が設けられていました。大小の違いはありますが、刺史は今日の日本の郡奉行、守・相は代官とお考えになって下さい。それですから郡奉行・代官らをお呼び出しになれば、すなわち孝宣皇帝が地方官を大切になさったと同じ、立派な御政道ということになります。代官をしばしば替えられては、下々の民が安心出来ない点は、今も昔も同じことです。また、立派に治めている代官には、孝宣皇帝と同じように禄高を増やしてやり、平座《ひらざ》のものは御意座《ぎょいざ》にのぼされ、御意座のものは両人格《りょうにんかく》・御奏者格《ごそうじゃかく》などをお与えになり、また二、三の郡を一緒に合せて治めるようお命じ下さい。また皇帝の印のある賞状や金一封を与えられた中国の例にならい、御意《ぎょい》・拝金などもお与えいただきたいと思います。二千石《せき》を以て政府の高官に用いるという例にならって、代官より、次第次第に御用方へ御登用ください。そうすれば立派な役人が沢山現われるということになります。

又唐の高宗(1)、永徽《えいき》元年、朝集使《てうしふし》を召して謂《い》つて曰く、「朕《ちん》初めて位に即《つ》く、事の百《ひやく》姓《せい》に便ならざるものあらば、悉《ことごと》く宜しく陳ずべし、尽さざるものは更に封奏《ふうそう》せよ」と。(2)是れより日々刺史《しし》十人を引きて閤に入れ、問ふに百姓《ひやくせい》の疾苦《しつく》及び其の政治を以てす、永徽の政、百姓阜安《ふあん》にして貞観《ぢやうぐわん》(3)の遺風ありと之れあり候。高宗も武氏《ぶし》(4)に惑溺《わくでき》せざるの前は右の如くの美政《びせい》之れあり候。

朝集使《てうしふし》と申し候は、乃《すなは》ち刺史《しし》・太守の類、外より入朝して朝班《てうはん》に預《あづか》る者を申し候。尤《もつと》も唐の刺史と申し候は、漢の刺史と名は同じく候へども職は異《こと》にして即ち太守も同様、今の代官に相当《あひあた》り申し候。此の輩を召出され百姓《ひやくせい》不便の事を口陳《こうちん》せしめ、其の尽《つく》さざる所は封奏《ふうそう》させ候儀至極尤《しごくもつと》もの儀にて、日々に刺史十人宛《づつ》召出され候は勤政《きんせい》と申すべき事に御座候。是れ等は全く貞観《ぢやうぐわん》の遺風に御座候。

恐れながら崇文公《すうぶんこう》(5)には貞観の政治を深く御崇尚《ごすうしやう》遊ばされ候由伝承《よしでんしよう》仕り候間、何卒《なにとぞ》崇文公の尊慮をも御察し遊ばされ、代官召出の儀仰せ付けられ度《た》く存じ奉り候。

〈語釈〉

(1) 高宗　中国唐朝第三代皇帝。則天武后を深く愛し、皇后に立てたことから人心を失った。のち、則天武后は国政を自由にした。（2）永徽の政　永徽年間（六五〇〜六五五）高宗が行なった政治。（3）貞観　唐第二代皇帝太宗世民の治世。唐帝国の最盛期にあたる。（4）武氏　則天武后。高宗の死後帝位につき、国号を周とかえ専横をきわめた。（5）崇文公　長州藩十二代藩主毛利斉広。

〈現代語訳〉

また唐の第三代の皇帝高宗は、永徽《えいき》元年、朝集使《ちょうしゅうし》を集めて「わたしは初めて皇帝の位についたが、人民のためになにか不都合なことがあれば、ことごとく申し出るように、言いつくせない場合は、さらに密封した文書で申し出るように」といわれました。これより毎日、刺史十人を御所の役所に呼び寄せ、人民の悩みや苦しみについて、またそれにはどのような政治をすればよいかなどを質問されました。だから永徽時代の政治は、人民たちが安らかに豊かな生活を送れるもので、唐の最も栄えた貞観《じょうがん》時代のようであったそうです。このように高宗も、皇后の則天武后《そくてんぶこう》に溺れるまでは、立派な政治を行なっておられたのです。

朝集使というのは、すなわち刺史・太守と同じような官職で、朝廷の外部から朝列に加わるものをいいます。もっとも唐の刺史というものは、漢時代の刺史と、名は同じですが職は異なっていて、太守も同じことで、今の日本の代官に相当いたします。しかしこれらのものを呼び出され、人民が不便に思っていることを申し述べさせ、また口でいいつくせないところのものは密封した文書で出させるという、これだけのことは、いわば政治をあずかる者としては当然のことなのです。むしろ、毎日刺史十人ずつを呼び出されたということが、政治を熱心に勤められたといえることなのです。これらはまったく貞観時代の秀れた遺風でございます。

恐れながら毛利《もうり》斉広《なりとお》公は、この貞観の政治を深くあがめ尊ばれたということを、お聞きしておりますが、どうぞ斉広公のお考えをもお察し下さいまして、代官呼び出しのこと、お命じ下さいますようお願い申し上げます。

(1)又宣宗《せんそう》は心を民事に尽し治道を精勤《せいきん》し、漢の孝宣《こうせん》の流亜《りうあ》とも称せられ候明主《めいしゆ》に候処、史を按《あん》じ候に、上《じやう》、聡察強記《そうさつきやうき》、嘗《かつ》て密《ひそ》かに学士韋澳《ゐいく》をして州県の境土風物及び諸〻《もろもろ》の利害を纂次《さんじ》せしめて一書と為し、号《なづ》けて処分語《しよぶんご》と曰ふ。刺史入謝《にふしや》して出づる者あり、曰く、「上《じやう》の本州の事を処分するは人を驚かす」と。建州の刺史入りて辞す。上《じやう》問ふ、「建州は京師《けいし》を去る幾何《いくばく》ぞや」、曰く、「八千里」、上曰く、「卿彼《けいかしこ》に到りて政を為す、朕《ちん》皆之れを知る。遠しと謂ふことなかれ、此の階前《かいぜん》は則ち万里なり」と。嘗《かつ》て詔す、「刺史は外に徙《わた》るを得ることなかれ、必ず京《けい》に至りて面察《めんさつ》せしめよ」と。又曰く、「朕刺史多く其の人に非ずして百姓《ひやくせい》の害となるを以て、故《ゆゑ》に一々之れを見て、其の施設する所を訪問し、其の優劣を知りて以て黜陟《ちゆつちよく》を行はんと欲す」と。

上《じやう》、朝《まつりごと》に臨みて群臣に対するに未だ嘗《かつ》て惰容《だよう》あらず。宰相《さいしやう》事を奏する毎に旁《かたへ》に一人もなきも威厳仰ぎ視るべからず。事を奏し畢《をは》れば忽《たちま》ち怡然《いぜん》として閑語一刻許《ばか》り、徐《おもむ》ろに復《ま》た容《かたち》を整へて曰く、「卿《けい》が輩善く之れを為せ、常に卿が輩の朕《ちん》に負《そむ》きて再び相見るを得ざらんことを恐る」と相見え候。

〈語釈〉

（1）宣宗　唐第十六代皇帝。

〈現代語訳〉

唐の宣宗《せんそう》は、心を人民の生活のために深くくばられ、立派な政治を行なおうと一生懸命はげまれた。だから漢時代の孝宣《こうせん》に比較せられるほどの名君でありますが、歴史書を調べて見ますと、宣宗皇帝は、物ごとを見抜くにさとく、またそのうえ記憶力も人並以上であった。たとえばかつてひそかに翰林学士《かんりんがくし》の韋澳《いいく》に、各州、各県の地理風俗物産やその他の利害得失についての書物を編集させ、これに『処分語《しよぶんご》』と名付けられた。ある時、地方官が入朝して宣宗に謁見《えつけん》し、任官のお礼を述べて退出した時、「陛下は、私の任地鄧州《とうしゆう》のことについて、いろいろと適切な処置を下されたが、ほんとうに驚いた」と言った、ということがあります。また建州の地方官が、入朝し謁見の挨拶をした時、宣宗は「建州はこの長安からどれほど離れているか」と質問した。地方官が「八千里離れています」と答えると宣宗は「君が着任後の施政の善悪は、わたしにはすべてわかるぞ。遠く離れていると思って安心するでない。万里の彼方に離れていることも、目の前で行なわれているように、地方の行政の得失は全て手に取るようにわかる」と言った。またかつて、「地方官は、わたしの意見を聞かず勝手に移し変えてはならない。必ず都に来て、わたしに面接するようにさせよ」と言い、あるいは「わたしは、地方官が適任者でない場合は人民に害を与えることになるので、一人一人その施政の状況を調べ、その優劣を判定し、そして功のあるものは位をあげ、功のないものは位を下げるようにしたい」と言われたことが記されています。

また宣宗皇帝が朝儀に臨み、群臣に接する時は、いまだかつてだらけたり、態度を崩したことはなかった。宰相がいろいろ奏上するたびに、たとえその側に誰一人いない時でも、その自《おのずか》らなる威厳は、仰ぎ見ることが出来ないほど凛《りん》としていた。しかし奏上がすむと、たちまちやわらぎくつろいだ態度になって、しばらくは世間話などの雑談をのんびりと話される。それから再びきりっとした態度にかえられ、「君たちは、くれぐれも民治の努力を惜しまないように、君たちが、わたしの信任や期待を裏切り、再び会えないようなことにならないよう、心から祈っている」と言われたともあります。

処分語抔《など》は実に尤《もっと》もなる事にて、人君、代官等に御任せ切りにては、代官に於ても励《はげ》み少なく精勤《せいきん》仕らず候。刺史《しし》をして必ず京《けい》に至りて面察せしむるも甚だ良法に御座候。漢宣《かんせん》(1)・唐高宣《たうのかうせん》等の事御勘合《ごかんがふ》遊ばされ、今日《こんにち》に御施しなされ候はば、民政の美今日に起り申すべく候。勤王の御大業御建て遊ばされ候には、第一百姓《ひやくせい》の歓心を得られ候はでは相捌《あひさば》けざる事にて、牧民《ぼくみん》の職たる者、御上《おかみ》の徳意得《とく》と下々へ申し喩《さと》さずては相《あひ》叶《かな》はざるに付き、郡奉行・代官召出を急務と存じ奉り候。

右召出の初日に、第一に百姓《ひやくせい》を視ること子の如くにせよと一統《いつとう》へ仰《おほ》せ聞《き》けられ然《しか》るべく候。第二日、代官一人或は二三人宛《づつ》召出され、田里の休戚《きうせき》、閭閻《りよえん》の疾苦《しつく》等具《つぶ》さに聞し召し上げられ然《しか》るべく候。第三日、宰判宰判《さいはんさいはん》の急務御問下《おとひさ》げ遊ばされ、事に依り候ては直様《すぐさま》両職へ詮議《せんぎ》仰せ付けられ、又其の人其の人の所勤方《しよきんかた》の善悪をも御直《おんぢき》に御褒《ごはう》貶《へん》遊ばされ候はば、諸代官孰《いづ》れも感憤激励《かんぷんげきれい》仕り、御徳意の流行、置郵《ちいう》して命《めい》を伝ふるよりも速《すみや》かに之れあるべく候事。

〈語釈〉

(1) 唐高宣　唐の高宗・宣宗のこと。

〈現代語訳〉

『処分語』の作成などは実にもっともなことであって、君主が、代官たちに政治のことを任せきりにしていては、代官たちにしても励もうという気力も起こらず、一生懸命に仕事に努めるということをしなくなります。地方官を必ず都によこさせ、面接させるということも、非常にいい方法だと思います。漢の孝宣・唐の高宗・宣宗などの行なったことなどをお考えあわせになって、現在の藩の政治の上で実行いただけましたら、今日も、立派な民衆のための政治が行なわれるというものです。勤皇の大事業をうち建てられるためには、まず第一に民衆の支持がなければ成功出来ない事です。民衆を養い育てる職務にある者は、お殿様の皆の者に対する哀れみやお情けを、直接下々の者たちに申しきかせる役目を負っていますから、郡奉行・代官らを呼び出されることは、今一番大切な仕事だと思います。

そして呼び出しの最初の日に、まず第一に民衆たちを視るのに、自分の子供をみるように優しくせよと一同の者にお命じつけ下さい。第二日目は、代官を一人あるいは二、三人ずつ呼び出され、村里の喜びごとや憂いごと、貧しい村人の悩みや苦しみなどを、事細かくお聞き取り下さい。第三日目は宰判《さいばん》の急務をお問い下げくださって、場合によっては、ただちに両職へ取り調べをお命じ付け下さい。またそれらの役人一人一人の勤務状態を調べ、直接におほめになったり、お叱りになったりすれば、それぞれの代官はいずれも感激、発憤して、仕事に精を出すことと思われます。お殿様の人々に対する温かい心使いは、人づてに伝えるよりも、速やかに皆のもとに届きゆくものと思われます。

但し一人或は二人召出され候儀、代官は一統の事とは申しながら、十数人の内には才不才も之れある事に付き、兼《かね》て人物御詮議《ごせんぎ》仰せ付け置かれ、功者才能《こうじやさいのう》の者を第一に召出され、色々御尋ね遊ばされ、類役《るゐやく》中へも篤《とく》と御徳意《ごとくい》相伝へ候様にと仰せ聞《き》け置かれ、左《さ》候て順々に不才不功の者をも召出され候はば、夫《そ》れ等も追々《おひおひ》心懸け候様相成《あひな》るべく候。兎角《とかく》人君は人才御養ひ立ての御思召、申上げ候迄も之れなく専要《せんえう》の儀と存じ奉り候。

一、君徳《くんとく》の儀、恐れながら御勤政と御講学の二つに之れある儀と存じ奉り候。御在職二十年、是れ等の儀一つとして御行届《おんゆきとど》かせられざる儀之れなく、又古書に所謂《いはゆる》人君の失徳、酒色遊田《しゆしよくいうでん》等、恐れながら間然《かんぜん》申上ぐべき儀も之れなく、君徳の儀に付き愚臣の喋々《てふてふ》仕り候に及ばざる事に候へども、御講学の儀一二条引証《いんしよう》仕り差出し申し候。

御講学の儀、老師宿儒《らうししゆくじゆ》御親《おんした》しみ遊ばされ候段肝要《かんえう》の儀に候へども、只今然《しか》るべき人物迚《とて》も之れなく、(1)山県半七・平田新右衛門等は時勢に諂《へつら》ひ候俗儒《ぞくじゆ》にて、国家の大計勤《きん》王《わう》の大義等へは毫《がう》も心付き申さず候徒《ともがら》に付き、有損無益《いうそんむえき》の人物に御座候。已《や》むことなくんば少壮有志のものを定員之れなく召出され、御小姓《おこしやう》にても之れなく儒官にても之れなく、只々平士《へいし》にて御書物掛《おんしよもつがか》り仰せ付けられ、御前に於て毎夜会読会講《くわいどくくわいかう》等仰せ付けられ度《た》く存じ奉り候。左《さ》候て御一門・(2)益田・(3)福原等、思召次第《おぼしめししだい》時々召出され、其の外大臣の子弟、又在役《ざいやく》の面々にても、御《お》人指《ひとざし》を以て召出仰せ付けられ度《た》く候。

後漢の光武(4)、天下未だ平《たひら》かならざるに方《あた》り已《すで》に文治《ぶんち》に志あり。首《しゆ》として太学《たいがく》を起し古典を稽式《けいしき》し礼楽《れいがく》を修明《しゆめい》す。晩歳《ばんさい》には明堂《めいだう》・霊台《れいだい》・辟雍《へきよう》を起し、粲然《さんぜん》として文物述ぶべし。毎旦《まいたん》朝《まつりごと》を視、日昃《かたむ》きて乃《すなは》ち罷《や》む。数ゝ《しばしば》公卿郎将《こうけいらうしやう》を引きて経理を講論し、夜分にして乃《すなは》ち寐《い》ぬ。皇太子間に乗《じよう》じて諫《いさ》めて曰く、「陛下禹湯《うたう》の明《めい》ありて黄老養性《くわうらうやうせい》の道を失へり」と。上《じやう》曰く、「我れ自《みづか》ら此れを楽しむ、疲《ひ》と為さざるなり」と、史に相見え候。光武の太学・古典・礼楽《れいがく》・明堂《めいだう》・霊台《れいだい》・辟雍《へきよう》等は皆文治《ぶんち》の文物にて、撥乱反正《はつらんはんせい》の初、百度草創《さうさう》の際、已《や》むを得ざるものにて、此の段只今二百年太平の末《すゑ》万事繁文縟《はんぶんじよく》礼《れい》の時とは相異《さうい》にて、今日の手本とは相成り申さず候へども、其の勤政講学は誠《まこと》に人君の良軌《りやうき》に御座候。毎旦《まいたん》朝《まつりごと》を視、日昃《かたむ》きて乃《すなは》ち罷《や》むと申す事は第一条と御考合《ごかうがふ》遊ばさるべく候。又公卿郎将《こうけいらうしやう》を引きて経理を講論すと之れあり候へば、在役《ざいやく》の者召出され候事に御座候。夜分にして乃《すなは》ち寐《い》ぬと之れあり候へば、其の勤学も相知れ申し候。「我れ自《みづか》ら此れを楽しむ、疲《ひ》と為さざるなり」の一語、尤も光武学問の得力を思ひ知られ候事に御座候。

〈語釈〉

(1) 山県半七　江戸末期の儒学者。号は太華。長州藩主の側儒兼明倫館学頭となる。(2) 益田　益田右衛門介。長州藩尊攘派家老。(3) 福原　福原越後。長州藩永代家老。藩政改革派の首脳。(4) 光武　後漢第一代皇帝。漢の再興をはかり、洛陽に都した。後漢二百年の基礎を作った。

〈現代語訳〉

ただし、一人あるいは二人呼び出されることにつきましては、代官はみな同等とはいいますものの、十数名の中には、才能豊かなものや、そうでないものもおりますことですから、前もって人物のお取り調べをお命じになって、功績があって、才能のあるものを第一番目に呼び出され、色々と御尋ねになって、同じ役目のものたちに、よくよくお殿様の人々に対する温かいお心を伝えるようにお命じ下さい。それから順々にあまり才能のない者や、功績のないものを呼び出されれば、それらのものも、次第次第に功を立てようと心懸けるようになることと思います。ともかく、君主が人材を養い育てるものであるという考えは、申し上げるまでもなく重要なことだと思います。

一、君主としての徳については、畏《おそ》れながら政治にはげまれることと、学問をされることの二つにあると思います。お殿様が御在職の二十年の間、これらのことは、なに一つとしておろそかになさったこともなく、また古い書物などによく出ているような、君主が徳を失ったり、酒色に溺れ、遊興にふけられるといったりしたようなことなど、なにひとつ非難を申しあげる点は御座いません。また君主の徳などについて、わたくしのような愚かな臣下が、いらぬことを口出す必要はないのですが、学問をされることにつきまして、一、二引証し、参考までに一言申し上げます。

学問のことは、年老いた師や、年功を積んだ儒学者と親しくされることは大切なことですが、現在のところ、そういった人物といっても誰一人なく、山県太華《やまがたたいか》や平田新右衛門《ひらたしんえもん》などは、時勢にへつらう俗物学者であって、国家の大きな計り事や、勤皇の大義などには、少しも心の及ばない徒《ともがら》ですので、害はあっても益のない人物です。もし出来ますことなれば、若くて志のある者を、人数に制限なく呼び出され、御小姓でもなく、儒官というものでもなく、ただ平士としての身分で、書物掛りをお命じになり、お殿様の前で、毎夜読書会・講読会を開くようお命じなさっていただきたいと思います。そうして御一門、益田右衛門介《ますだうえもんのすけ》・福原越後《ふくはらえちご》などを必要なたびにお呼び出しになり、その他大臣の子弟、また実際に役職についているものたちも、名指しのうえお呼び出しいただきたく思います。

後漢の光武帝《こうぶてい》は、まだ天下が十分に平定されていない時から、すでに学問によって天下を治めようと考えられていました。即位するとまず第一に太学を創建し、古代の書物を研究し、それを手本とされ、礼儀や音楽のことも立派に整えられました。晩年には、明堂《めいどう》・霊台《れいだい》・辟雍《へきよう》を建てられました。これらの輝かしい文物は、後世に語り伝えられるに十分なものでした。帝は毎朝早く朝廷に出て政治をとられ、日が西に傾くまで仕事に精だされました。

またしばしば三公・九卿・五中郎などを呼んで、経書の義理を説き明かし論じ、夜半になってやっと休まれました。皇太子は帝の勉強の過ぎるのを心配して、ひまな折を見て、「陛下は古代の禹《う》王《おう》や湯王《とうおう》のような聡明さをお持ちですが、黄帝《こうてい》や老子のように、性を養い身を保つ道に欠けておられます」と諫めた。すると光武帝は「いやわたしは楽しみながらやっているので、少しも疲れを感じないのだ」といわれたことが歴史書に書かれています。光武帝の太学・古典・礼楽・明堂・霊台・辟雍などは、すべて文治の文物ですが、これは乱世を治め、正しい世の中に返すために、またすべてが新しく始まる時には、やむを得ないものです。このことは今日のように、二百年の平和な時代が続いた末で、すべてが繁雑な規則に縛られている時とは違いますので、現在のわが藩の手本とはなりませんが、その政治にはげまれた態度や、学問を熱心になさったことは、誠に君主の鑑《かがみ》と言っていいものでございます。毎日、午前にはきまりの政治をされ、午後にはおやめになるといったことは、第一のこととお考え遊ばされたことでしょう。また、公卿郎将どもを率いて経書の義理を論じられたと申しますから、その役にある者は召し出されたことでございます。夜分になってようやく寝られたとありますから、その学問に専心された御様子もしのばれます。「わたしは楽しみながらやっているので、少しも疲れを感じないのだ」の一語は、もっともよく光武帝が深く学問をなさっておられたことを、わたくしたちに思い知らせてくれます。

又唐の太宗《たいそう》も是れに似寄り候事之れあり、未だ秦王《しんわう》にて居られ候時、館を開きて以て文学の士を延《まね》き、(1)杜如晦《とじよくわい》・房玄齢《ばうげんれい》・虞世南《ぐせいなん》・褚亮《ちよりやう》・姚志廉《えうしれん》・李玄道《りげんだう》・蔡允恭《さいいんきよう》・薛元《せつげん》敬《けい》・顔相時《がんさうじ》・蘇勖《そきよく》・于志寧《うしねい》・蘇世長《そせいちやう》・薛収《せつしう》・李守素《りしゆそ》・陸徳明《りくとくめい》・孔穎達《くえいだつ》・蓋文達《がいぶんたつ》・許敬《きよけい》宗《しゆう》を文学館学士と為し、分ちて三番と為し、日を更《か》へて直宿せしめ、王暇日《かじつ》には輙《すなは》ち館中に至りて文籍を討論して或は夜分に至る、(2)閻立本《えんりつほん》をして像を図せしめ、褚亮《ちよりやう》をして賛《さん》を為《つく》らしめ、十八学士と号す、士大夫《したいふ》其の選に預《あづか》るを得たる者は、時の人之れを登瀛州《とうえいしう》と謂ふと申す事御座候。

又太宗即位の後弘文館《こうぶんくわん》を置き、四部の書二十余万を聚《あつ》め、天下の文学の士を選び、虞世南《ぐせいなん》等本官を以て学士を兼ね、朝《まつりごと》を聴くの隙《ひま》に、引きて内殿に入れ、前言往行《ぜんげんわうかう》を講論し政事を商搉《しやうかく》し、或は夜分にして乃《すなは》ち罷《や》む、三品《さんぼん》以上の子孫を取りて弘文館学士に充《あ》つとも之れあり、是れ乃ち貞観美治《ぢやうぐわんびち》の一に御座候。

〈語釈〉

（1）**杜如晦**　唐初の名宰相。太宗の即位に力を尽し、貞観の治を現出せしめた。次の「房玄齢」も唐初の名宰相。杜如晦と並び、唐の創業に尽す所多かった。以下、いずれも文学に造詣が深く、唐の太宗はかれらに「十八学士」の名をあたえた。（2）**閻立本**　唐代の画家。中国の伝統的画法に生気を与え、大規模な宮殿障壁画を大成した。

〈現代語訳〉

また唐の太宗もこれに似たことがあります。まだ秦王《しんおう》でおられたころ、館《やかた》を開放して文学者を招き、杜如晦《とじょかい》・房玄齢《ぼうげんれい》・虞世南《ぐせいなん》・褚亮《ちょりょう》・姚志廉《ようしれん》・李玄道《りげんどう》・蔡允恭《さいいんきょう》・薛元敬《せつげんけい》・顔相時《がんそうじ》・蘇《そ》勖《きょく》・于志寧《うしねい》・蘇世長《そせいちょう》・薛収《せつしゅう》・李守素《りしゅそ》・陸徳明《りくとくめい》・孔穎達《くえいだつ》・蓋文達《がいぶんたつ》・許敬宗《きょけいしゅう》を文学館学士とし、三班に分けて、交替に宿直させ、秦王が暇な日には、館においでになって、文学書を講読し、そのあと夜中まで討論をされていたということです。閻立本《えんりつほん》に彼らの肖像を画かせ、また褚亮に賛を作らせ、十八学士と名づけられました。士大夫《したいふ》の中から、これに選ばれると当時の人たちはかれらを登瀛州《とうえいしゅう》と言ったということで御座います。

太宗が即位されてから後は、弘文館《こうぶんかん》を設置され、四部の書二十余万冊を集め、全国から文学に志す者を選び、また虞世南などは本官であるとともに学士を兼ねていました。太宗はかれが朝廷で聴聞するいとまいとまに内殿に呼び寄せられ、昔の聖人の言行などを講じさせそれについて論じあい、いまの政治のやり方といろいろ引き比べてこれまた夜中まで議論されたのです。三品以上の子孫を取り立て、弘文館の学士にあてたともいわれています。これが、すなわち貞観時代の立派な政治の一つに数えられているものなのです。

虞世南等本官を以て学士を兼ぬ、及び政事を商推《しやうかく》す等の儀は尤も面白き事に相見え候。其の外朝廷と内殿と分ち、又三品以上の子孫を弘文館学士に充《あ》つる等の事、皆少しく御変通《ごへんつう》だに成《な》され候はば、今日にても同様にて、又夜分にして乃《すなは》ち罷《や》むるは光武と同様に御座候。扨《さ》て又十八学士の事は当今世子《せいし》へも御進め申上げ度き事に存じ奉り候。特に世子は只今江戸に御在り遊ばされ候儀に付き、御屋敷内の人にては迚《とて》も足り申さざるに付き、幸ひ普《あまね》く天下の名家又列藩の名侯へ御交はり遊ばされ候儀肝要《かんえう》に存じ奉り候。

已に(1)羽倉外記《げき》・(2)安井忠平・(3)吉野立蔵等召寄せられ候御評議に相成り候処、侍御史《じぎよし》の俗論にて破れ候由承《うけたまは》り及び候。此の事果《はた》して実に御座候はば甚だ嘆ずべき事に存じ奉り候。兎角《とかく》人君は読書別《べつ》して御肝要の儀にて、唐の宦者仇士良《くわんじやきうしりやう》が語にても御反省遊ばさるべく候。士良致仕《ちし》す。其の党《ともがら》、帰るを送る。士良之れに教へて曰く、「天子は閑ならしむべからず、常に宜しく奢靡《しやび》を以て之れを娯《たの》しましめ、他事に及ぶに暇《いとま》なからしむべし、慎みて之れをして書を読み儒生《じゆせい》に親近せしむるなかれ、前代の興亡を見て心に憂懼《いうぐ》を知らば則《すなは》ち吾が輩《ともがら》疎斥《せき》せられん」と申す事相見え候。

陳《さ》て又御家来中末々に至るまで断えず上書仰せ付けられ、日々御熟覧遊ばされ候事誠《まこと》に肝要の儀と存じ奉り候。唐書(4)憲宗《けんそう》の皇后郭氏《くわくし》の伝に、(5)武宗《ぶそう》、后の起居を問ひ従容《しようよう》として請ひて曰く、「如何にして盛天子《せいてんし》となるべきか」と。后曰く、「諫臣《かんしん》の章疏《しやうそ》は宜しく審《つまびら》かに覧度《らんたく》すべし、用ふべきは之れを用ひ、不可なるあらば以《もつ》て宰相《さいしやう》に詢《はか》り、直言を拒むことなく偏言《へんげん》を納《い》るることなく、忠良《ちゆうりやう》を以て腹心と為せ、是れ盛天子なり」と。帝再拝し還《かへ》りて諫章《かんしやう》を索《もと》めて之れを閲《けみ》するに、往々遊猟《いうれふ》の事を道《い》ふ、是れより畋幸稀《でんかうまれ》なりと相見え候。

〈語釈〉

(1) 羽倉外記　江戸末期の儒者。簡堂と号した。水野忠邦に用いられ納戸頭となる。幕末攘夷論を唱え『海防私策』を著わした。(2) 安井忠平　儒者。息軒と号した。江戸で昌平黌《しようへいこう》に学び、のちその教授になった。(3) 吉野立蔵　芳野金陵。田中藩本多公に仕え、藩政改革に努めた。のち昌平黌教授となる。(4) 憲宗　唐十一代皇帝憲宗純。(5) 武宗　武宗は憲宗の孫、郭氏は武宗の祖母にあたる。

〈現代語訳〉

虞世南などの本官に学士を兼ねさせ、また政治のことを昔といろいろ引き比べて論じたなどということは、非常に興味深いことだと思われます。そのほか朝廷と内殿とを分け、また三品以上のものの子孫を弘文館学士に充てたということなど、みな少し変更されるだけで、現在でも同じことが出来ると思います。いろいろ議論して夜中になってようやくおやめになったということは、お殿様も光武《こうぶ》帝《てい》も同じことで御座います。さて、また十八学士のことは、現在の若殿にもお勧め申しあげたいと思っています。特に若殿は、いま江戸にいらっしやることで、御屋敷内の人では、十分な御教育ができないことですから、これを幸いに、広く天下の名家や、また列藩の名侯と御交際なさることが、大切だと思います。

　この間、羽倉簡堂《はくらかんどう》・安井息軒《やすいそっけん》・芳野金陵《よしのきんりょう》などを呼び寄せられ、御評議をされたところ、侍《じ》御史《ぎょし》のつまらない議論に打ち負かされたということを聞きました。この事が、本当に真実だとすれば、はなはだ嘆かわしい事で御座います。とにかく、君主は読書に励まれるのが、なによりも肝心なことで、唐の宦者仇士良《かんじゃきゅうしりょう》の言葉でも、反省の材料になさって下さい。つまり士良が仕えを辞して帰郷することになり、宦官《かんがん》の者たちがかれを見送った時、士良は彼らに「天子を暇《ひま》にさせておいてはいけない。常に身分にあまるぜいたくをさせて楽しませ、ほかの事をする暇のないようにすること。静かに読書をしたり、儒学者に親しく近づくようなことをさせてはいけない。過去の国の興亡を知って、憂いおそれることを知れば、その時はわれわれ宦官は排斥されるだろう」と教えて言ったということです。

　さてまた御家来のうち、すえずえの者に至るまで、絶えず思ったことを自由に紙に書いて出させ、毎日それらを御覧になることは、誠に重要なことと思われます。『唐書』憲宗《けんそう》の皇后郭氏《かくし》の伝に、かつて武宗《ぶそう》が祖母にあたる皇后の日常の御生活をうかがったあと、形を正して「どのようにすれば立派な秀れた天子となることができますか」とたずねた。皇后は「臣下に諫《いさ》める者があれば、その一句一句をよく調べ、用いるべきものは取りあげ、用いられないものがあれば、それを宰相に相談し、直接言って来たことを拒むことはせず、また正しくない申し出は取り入れないようにして、真心を一番大切にすること。そうすれば秀れて立派な天子であるといえます」と言った。帝はなんども礼を言って帰り、そこで早速諫言《かんげん》を求め、いろいろ集まった投書をみると、多くは彼の遊猟のことを言っていました。それからは、武宗はあまり狩猟には行かれなかったそうです。

一度郭氏《ひとたびくわくし》の言を聞き、直ちに諫章を閲《けみ》し直ちに畋幸《でんかう》を止められ候段、誠に英敏特達《えいびんとくたつ》の人君と申すべく候。願はくは此の意御用ひ遊ばされ、上書御覧、且《か》つ前に申上げ候会業《くわいげふ》を以て人物御鑑定遊ばされ、御直目附《おぢきめつけ》・番頭《ばんがしら》・御小姓等、御近侍の役々、人物御《ご》擢用《てきよう》遊ばされ度く存じ奉り候。陳《さ》て又近臣の風儀は君徳の発見する所にして、御政道何程《いかほど》厳明にても、後宮《こうきゆう》と近臣と依然たる太平の弊風除《のぞ》き申さず候ては、直ちに御国中へ行はれ候ものに之れなく候。後宮の儀、外人は存じ奉らざる事に付き、敢へて申上げず候間、思召《おぼしめし》を以て先づ万事只今の半減と仰せ出され度く、或は上杉家[1]抔簡朴《などかんぼく》の御家風の由《よし》承り及び候間、彼《か》の方へ御尋ね等《など》遊ばされ、全《まつた》く其の格を此《こ》の御方へ御移しなされ候か。何分にも非常の御省略遊ばされず候ては、今日を異変の初めと仰せ出され候も空文《くうぶん》に相成り恐れ入り奉り候。近臣の儀、私幽囚中《いうしうちゆう》にて委細の儀存じ申さず候へども、有志の士挙《こぞ》つて申し候は、此の度容易ならざる御時節にて、勤王の大業深く御心労遊ばされ候折柄《をりから》、怪しむべきは御奥役人《おんおくやくにん》・御小姓等一向奮励《いつかうふんれい》の様子相見《あひみ》え申さず、依然として衣服容儀《ようぎ》を事として、文武勤倹《ぶんぶきんけん》何こそ平時に異《こと》なる様《やう》も之れなく、御風《ごふう》化《くわ》に薫陶《くんたう》せざるは如何にぞやと申し候。是れ等の儀は御直《おんぢき》にも御警戒仰せ聞《き》けられ度《た》く、又番頭共へ詳《つまびら》かに御諭《おさと》し之れなくては相済まざる事に存じ奉り候。且つ又御小姓中にても心掛《こころがけ》の者は矢張《やは》り前に申上げ候平士《へいし》御書物掛り等の講読会に交《まじ》り、時勢経《けい》義《ぎ》等の談《だん》仕り候様仰せ付けられ度《た》く候。左《さ》候はば君徳已《すで》に彼《か》の輩に及び、彼の輩も亦君徳を補《おぎな》ひ候御一助にも相成り申すべく存じ奉り候。

〈語釈〉

（1）上杉家抔簡朴　上杉家は羽州米沢十五万石をさす。藩主鷹山のとき、率先して倹約の模範を示し、世の注目をあびた。

〈現代語訳〉

皇后の言葉を一度聞いただけで、すぐに投書に目を通し、狩猟をやめられたということは、誠にすぐれた、立派な君主といえます。出来ますことならば、お殿様もこの心懸けをお持ちになって、いろいろと集まっている上書を御覧になって下さい。また前に申しあげました引見をなさって、人物を鑑定され、その上で御《お》直目《じきめ》附《つけ》・番頭・御《お》小姓《こしょう》など、おそば近く仕える役目の者などに、人物と思われる人材を抜擢《ばってき》なさっていただきたいと思います。さてまた、近臣たちの風儀は君主の徳がおのずと現われるものですので、政治をどれほどきびしく取り行なわれましても、現在、後宮《こうきゅう》及び近臣の間に見られる弊風が除かれなくては、すぐに国中がその政治に従うものではありません。後宮のことは、外部の人は知らないことですので、あえて申しあげませんが、よくお考えの上、まず全て現在の半分にするようお命じ下さい。あるいは上杉家などは、すべて質素な家風があるということを聞いておりますので、上杉家にお尋ねなどなさって、そのやり方を取り入れなさってはいかがでしょうか。とにかく思いきって省略されなくては、今日、異変が起こりかけているとおっしゃっても、それは空文になってしまうという心配があります。近臣のことは、わたくしは幽囚中の身ですので、くわしいことは知りませんが、有志のものたちが皆口をそろえて言いますことは、今は容易ならない時代で、勤皇の大業《たいぎょう》のためお殿様も深く心を使っていらっしゃるのに、うなずけないのは、御奥役人《おんおくやくにん》・御小姓などが、一向にそのために努力する様子も見えず、依然として衣服や顔かたちのことばかり気をつかっているということです。また文武や倹約の問題に関しても、なんら平和な時と異なるところがなく、殿様の立派なお考えや行ないに、どうして彼らが感化されないのだろうかと申しています。これらのことは、すぐに御注意していただきたく、また番頭どもにも、よくおさとし下さらなくては、もはやおさまらない事だと思います。かつまた御小姓の中でも、向学心のある者は、やはり前に申しあげました、平士《へいし》御書物《おんしょもつ》掛《がか》りなどの講読会に交わり、時勢や、経義などについて話し合うようお命じ下さるようお願いします。そうすれば、君徳は彼らのうえに及び、彼らもまた君徳を広める助けをするようになることと思います。

一、御《お》目《め》附方《つけかた》改正の事、是れ亦《また》略《ほ》ぼ狂夫の言に申上げ候へども、未だ竭《つく》さず候に付き尚《な》ほ又申上げ候。遠大《ゑんだい》の策略《さくりやく》御定め成《な》され候には、先づ文武《ぶんぶ》興隆《こうりゆう》質素《しつそ》節倹《せつけん》、衣食住品《しな》定《さだめ》等の儀、追々《おひおひ》仰せ出さるべく、且《か》つ年来の虚文《きよぶん》、件々《けんけん》着実に行はれ候様之れあり度く、就《つ》いては御目附の職、最も大関係あることに存じ奉り候。右に付き、

第一、御目附人撰《じんせん》の事。

人を撰ばんとすれば員《かず》を減ずるに如かず。其の人となり剛直にして学問ある人を用ふべし。若し其の人なくば三五人にて可なり。平日の出勤事等闕如《けつじよ》する時は、使番《つかひばん》・物頭《ものがしら》等より補《おぎな》うても相済むべし。真の御目附に至りては容易に其の撰に充《あ》つべからず。

第二、御徒士目附《おかちめつけ》(1)・横目《よこめ》等も其の人を撰ぶべき事。

御徒士目附・横目も御目附に準じ大いに其の員《かず》を減ずべし。目今《もくこん》御徒士目附・横目の悪弊指屈《しくつ》するに勝《た》へず。人物も皆々鄙凡庸陋《ひぼんようろう》なれば、仮令《たとひ》一二人の志士交はり居るも決して益あることなし。熟〻《つらつら》此の弊を一洗することを思ふに、御仕法《おしはふ》替《がへ》を以て一統差除《さしのぞ》かれ、別に御徒士目附十人、横目二十人許りも御撰挙之れあり度《た》く候。十人二十人と申すも其の人なくば、員《かず》必ずしも備へず、且つ年限勤功《ねんげんきんこう》の

法を破り、其の俸給を優にし、大要《たいえう》御目附所を以て栄選《えいせん》の地とする様に之れあり度《た》く存じ奉り候。

〈語釈〉

(1) 横目　横目附の略。徒士目附に所属する役人。

〈現代語訳〉

一、御目附役のものたちの改正について、これもまた、ほぼ『狂夫の言』の中で申し上げましたが、まだ言い足りないこともありますので、また申し上げます。遠大な計画をお決めになるには、まず文武を興隆し、質素倹約に努め、衣食住にほどほどの品を定めるということをつぎつぎにお命じになり、かつ年来の虚飾などのことは着実に行なっていただきたいものです。つきましては、御目附の職は、もっとも関係深いものであると考えます。それですから次のことをよく考慮して頂きたいと思います。

第一、御目附の人選の事。

その人を得ようとすれば、人数を減らす以上の良策はありません。人物が確かで、意志が強固で、学問のある人物を用いること。もしそうした人物がいなければ、三、五人でも結構です。不断の出勤などのために、欠員が出来るときは、使番・物頭などより補えば済むことです。真の御目附に至っては、安易にその選択をしてはいけません。

第二、御徒士目附《おかちめつけ》・横目附《よこめつけ》なども、人物を選ぶべきこと。

　御徒士目附・横目附なども、御目附に準じて、大幅にその人数を減らして下さい。現在の御徒士目附・横目附らの悪弊は指摘するにたえられないものがあります。人物もみな下劣・凡庸ですので、たとえ一、二の志士がその中におりましても、決して利益のあるものではありません。この弊害を一掃するためには、御仕法替《おしほうがえ》をもって、すべてを除かれることが一番だと考えられます。別に御徒士目附十人、横目附二十人ばかりを、新しく選出していただきたいと思います。十人、二十人といっても、その人物がいなければ、必ずしも備える必要はありません。かつ年を限って功労を誉める法をやめ、その俸給を増し、だいたい御目附所が、昇進した一番いい地位とするようにしていただきたいと思います。

第三、御目附数〻御前召出《かずかずごぜんめしいだし》之れあり、御政道の得失、大臣以下の忠佞正邪《ちゆうねいせいじや》、言上《ごんじやう》仰せ付けらるべき事。

　是れ御目附の専務なり。然《しか》れども御人撰に深く御心を用ひられざれば、元来政府の大いに忌《い》み嫌《きら》ひ候事に付き、必ず剛直を忌《い》みて温恭《をんきよう》の人を選挙すべし。只今御直目附にても梨羽《なしは》・佐伯の如き庸劣《ようれつ》の人、政府に害なきを以て身を要地に寓することを得るにて推《お》し知られ、嘆ずべきの甚しきに御座候。此の処甚だ肝要にて、勿論《もちろん》政府と互《たがひ》に攻訐《こうけつ》する様にては宜しからざれども、政府に阿附《あふ》しては御目附立て置かれ候も無益なり。政府の忌憚《きたん》する、全く此の職にあり。又御耳目《おんじもく》の洞《どう》開《かい》するも亦此の職に之れあり候。当今《たうこん》幕府の制、重大の事あれば必ず御目附へ下して評議せしむ。是《これ》を以て癸丑《きちう》・甲寅《かういん》以来外夷《ぐわいい》処置の事に就いても、御目附方より往々《わうわう》正論出でたる由承り及び候。当局者は迷ひ傍観者は得るの意、宜しく然るべき事に御座候。

第四、非法糾弾《きうだん》怠るべからざる段、御前召出《ごぜんめしいだし》の節、毎々《ことごと》御直々《おんぢきぢき》仰せ諭《さと》され度《た》く候事。

衣服・家宅・宴会の事は夫々《それぞれ》御定制もあれども、其の法を犯し奢侈《しやし》に趨《はし》り靡麗《びれい》を事とする者少なからず、近年以て度々質素節倹の戒命下れども其の風《ふう》一向改まらず、改まらざれども一向其の罰行はれず、因循《いんじゆん》因循《いんじゆん》にて相済みたり。然《しか》れども異変の覚悟相定むるに就いては此の事別して要着《えうちやく》なり。何卒《なにとぞ》急々非法糺弾の事始まらずしては、万事の御沙汰は皆空文《くうぶん》に相成り申し候。御沙汰皆空文に相成り候上は、国政なしと申すべく、勿体《もつたい》なき事に存じ奉り候。

〈現代語訳〉

第三、御目附《おめつけ》も幾人も幾人も引見《いんけん》なさって、政治の上でのいろいろな利害や、大臣以下のものたちで、忠実なもの、不忠なもの、正しいもの、不正なものを申し述べるようお命じつけ下さい。

これは御目附のもっぱらの務めです。しかし人選に、よほど注意なさらなければ、元来が藩府のおおいに嫌っていることですから、剛直の人をいやがり、温恭の人を選ぶに決っています。現在の御直目附でも、梨羽《なしば》直衛《なおえ》・佐伯《さえき》丹下《たんげ》のような愚かで人に劣っているような者が、藩府に特に害を与えるということがないので、かなりの地位を与えられることからしてもわかるように、全く嘆かわしいかぎりのことです。ここの所は非常に大切なところで、もちろん藩府と互いに言い争ってはよくありませんが、かといって藩府に媚《こ》びていては、御目附を置かれても無駄なことになります。藩府が忌《い》みはばかるのは、まったくこの職なのです。またお殿様が世間に対してお目を開かれ、耳をこやされるのも、またこの職によるのです。現在の幕府の制度では、重大な事があれば、必ず御目附に下しあたえ評議をさせています。だから嘉永六年（一八五三）及び安政元年（一八五四）以来、外国人の処置についても、御目附方から、しばしば正当な意見が出ていたということです。当局者は判断に迷い、傍観者は正しい判断を得るということですが、まったくその通りで御座います。

第四、非法を働く者を、厳しく取り締ることに関しましては、御前に呼び出された時、そのつどそのつど直接にいい聞かせ納得させていただきたいと思います。

衣服・家宅・宴会などのことは、それぞれ定まった制度もありますが、その規則を破り、奢侈《しやし》にはしり、華やかに飾りたてることばかりに懸命になる者も少なくなく、近年、しばしば質素・倹約の布令が出ましたが、その風潮は一向改まることがありません。また改まることがなくても一向それを罰することもされず、だらだらとそのままにされて来ました。しかしながら、異変に対する覚悟を決めるには、この事はとくに必要なことです。どうかとり急ぎ、非法を厳しく取り締ることをお始めにならなければ、すべての御沙汰は皆空文《くうぶん》になってしまいます。御沙汰が皆空文になれば、藩政もないのと同じで、勿体《もつたい》ないことで御座います。

右御目附改正の議は政府の忌憚《きたん》仕り候儀、且つ御直目附《おんぢきめつけ》の権を撓《たわ》め候にも似《に》候に付き、必ず沮格《そかく》の議起り申すべく候へども、漢土にても漢以来諫大夫《かんたいふ》・諫議大夫《かんぎたいふ》・御史大夫《ぎよしたいふ》等の職之れあり、宰相《さいしやう》の事をも人君の身をも諫諍《かんさう》紀弾することに相見え候へば、是非御目附方改正は仰せ付けられ度《た》く存じ奉り候。

(1)東坡策《とうばさく》、策略五に曰く、五事を陳じて以て採択《さいたく》に備ふ。其の一に曰く、将相の臣は、天子の恃《たの》みて以て治を為す所のものなり、宜しく日夜召して天下の大計を論じ、且《か》つ以て其の人となりを熟観《じゆくくわん》すべし。

其の二に曰く、太守《たいしゆ》・刺史《しし》は、天子の寄《よ》するに遠方の民を以てする所の者なり、其の罷めて帰れるときは、皆当《まさ》に其の政を為す所以《ゆゑん》と民情風俗の安んずる所とを問ひ、亦以《またもつ》て其の才の堪ふる所を揣《はか》り知るべし。

其の三に曰く、左右扈従侍読侍講《こじゆうじとくじかう》の臣は、本《もと》より古今興衰《こうすゐ》の大要を論説するを以てす、以て故事に応じて数に備ふるのみに非ず。経籍《けいせき》の外《ほか》、苟《いやしく》も以て之れに訪《と》ふあるも傷《きづつく》ることなし。

其の四に曰く、吏民《りみん》の上書は苟小《いささか》にても観るべきものあらば、宜しく皆召問優慰《せうもんいうゐ》して以て其の敢言《かんげん》の気を養ふべし。

其の五に曰く、天下の吏一命より以上、其の至賤《しせん》以て自ら朝廷に通ずるなしと雖《いへど》も、然《しか》も人主の為すところ豈《あ》に不可なる所あらんや。其の善なる者を察して卒然《そつぜん》之れを召見《せうけん》し、其の従《よ》りて来る所を知らざらしむ。此くの如くならば則《すなは》ち遠方の賤吏《せんり》も亦務《またつと》めて自《みづか》ら激発して善を為し、位卑《くらゐいや》しく禄薄《ろくうす》く自《みづか》ら上に通ずるに由《よし》なきを以て修飾せざることなし。天下をして天子の善を楽しみ賢を親しみ民を恤《いつく》しむの心孜々《しし》として倦《う》まざること此《か》くの如くなるを習知《しふち》して、翕然《きふぜん》として皆感発する所ありて、君に愛せられて而《しか》も与《とも》に不善を為すべからざるを知らしむれば、亦賢人衆多《しゆうた》にして姦吏衰少《かんりすゐせう》なるをもつて、刑法の外、以て大いに天下の心を慰《なぐさ》むることあらんのみ。

〈語釈〉

（1）東坡策　中国北宋の詩人蘇軾《そしょく》の著。

〈現代語訳〉

右の御目附改正のことは、藩府の忌《い》み嫌うことと申しましたが、これはまた御直目附の力を弱めようとするにも似たもので、必ず強い反対の議論も起こるに違いありませんが、中国でも漢の時代以来、諫大夫《かんたいふ》・諫議大夫《かんぎたいふ》・御史大夫《ぎょしたいふ》などの職があって、宰相の事や、君主の行ないに対しても、もし不都合があればそれを諫《いさ》め、厳しく取り締ったということです。ぜひ御目附方の改正は、実行に移していただきたいと思います。

『東坡策《とうばさく》』の「策略」の五に、五つの規準を取りあげ、その選択の参考にするようにと述べております。その一は、大将や宰相は、天子の信頼をうけて政治を行なうものだから、たえずお呼び出しになって、国としての大きな計画について論じ、そしてその人物をよく観察すること。

その二は、太守《たいしゅ》・刺史《しし》という地方官は、天子に地方の人民の統治を任されているものである。だから任期を終えて帰って来た時、何故そのような政治を行なったのか。民情・風俗が何故平穏であるのか、などを質問し、その返答によって地方官としての才能を推し計るべきである。

その三は、天子のお側《そば》にお仕えする侍読《じどく》・侍講《じこう》という役職の者は、がんらい古今東西の国家の興亡について、その概略を論じるのが役目である。ただ故事をいくつもいくつもあげるだけではない。経学の書物のほかに、どのような質問を受けても、すぐに答えられなくてはならない。

その四は、役人や人民の上書は、どのように些細《ささい》なものでも、いいものは聞き届け、ねぎらいの言葉をかけ、これからも上書しやすくさせること。

その五は、天下の役人は、命令でも出されない限り、その身分が低いために、直接朝廷に出入することは出来ないが、しかし同じ人間のすることである。なにもかも駄目なことばかりするということはない。だから中には立派な行跡をあげる者もいるから、その者をすぐに呼び出され、朝廷のそうした心づかいをわからせるようにすること、そうすれば遠方の身分の低い地方官も、進んで仕事に精を出し、位《くらい》が低いとか、禄《ろく》が少ないとかで朝廷に自分のすることはわからないから、頑張るのは止めようといった気持はなくなる。そして天子が立派な行ないを喜ばれ、賢明さを愛され、民衆を愛される気持は、いついつまでも変らないものだと知って、かれらは皆おおいに感奮するだろう。また君主の愛情を感じ取り、悪いことは出来ないと彼らが思うようになれば、賢明な人々が増え、姦吏《かんり》がほとんどいなくなってしまうので、刑法のほかは、人々の心を心配させるものがなく、皆が安心した暮しが出来るに違いない。

右東坡策《とうばさく》と題し候書に、策略・策別・策断と凡そ二十五策之れあり、宋の蘇軾《そしょく》(1)の著にて誠に善《よ》く宋代の事を説き尽し候。当今《たうこん》に取り候ても甚だ的切《てきせつ》に考へられ候。就中《なかんづく》此の一段抔《など》、私申上げ度《た》き儀は皆々申尽し之れあり候間、何卒《なにとぞ》御熟考の上着実に御施行遊ばされ候はば、私儀幽囚の欣躍《きんやく》は申すにも及ばず、蘇軾も万里の外九原《きうげん》の下にて如何計《いかばか》りか喜び申すべきと存じ奉り候。

七月十日

囚臣　吉田寅次郎矩方再拝

〈語釈〉

(1) 蘇軾　蘇東坡《そとうば》。詩人・政治家。王安石の改革に反対し流された。のち許され翰林学士をへて、兵部尚書などを歴任、中央政界の要職につく。

〈現代語訳〉

右は『東坡策』と題するもので、策略・策別・策断とおよそ二十五策あります。宋の蘇軾《そしょく》の著作で、本当によく宋代の事情を説明しています。これは現在のわが藩でも、まだ十分に参考になるものがあると考えられます。なかでもこのところは、わたくしの申し上げたいと思っていることが、すべて言い尽くされておりますので、どうか御熟考のうえ、着実に実行の運びにもっていっていただきたいと思います。そうしていただければ、わたくし幽囚の身の矩方はもとより、蘇軾も万里の彼方、九原《きゅうげん》の地下で、どのように喜ぶことかと思われます。

七月十日

囚臣　吉田寅次郎矩方再拝

書簡

一　杉百合之助・玉木文之進宛　嘉永四年八月十七日　361
二　杉梅太郎宛　嘉永四年八月十七日　364
三　杉梅太郎宛　嘉永六年六月二十日　368
四　杉梅太郎宛　嘉永六年七月二十八日　375
五　杉梅太郎宛　嘉永六年八月八日　379
六　玉木文之進宛　嘉永六年九月十日　383
七　児玉千代宛　安政元年十二月三日　391
八　杉梅太郎宛　安政二年正月某日　400
九　默霖宛　安政三年九月一日　404
十　月性宛　安政五年正月十九日　408
十一　某宛　安政六年正月十一日　411
十二　入江杉蔵宛　安政六年正月二十三日　413
十三　野村和作宛　安政六年四月四日　417
十四　北山安世宛　安政六年四月七日　420
十五　岡部富太郎宛　安政六年四月九日（?）　423
十六　児玉千代宛　安政六年四月十三日　425
十七　入江杉蔵宛　安政六年四月二十二日頃　430

松陰は、実によく手紙を書いた人である。現在残っているものだけでも六百通をはるかに越えている。今の私たちからみれば、驚くほどの筆達者というほかはない。しかも、それがまことに内容に富んだものだ。また、文章もよく意をつくしている。

この手紙を読んでいると、松陰という人がどのようにして勉強し、どのようにして成長していったかが、まるで手に取るようにわかるのである。江戸についてすぐの手紙では、その日常生活がこまごまと書き記され、私たちに、幕末の武士や知識人たちの生活の姿をまのあたりに見せてくれる。いかにも質素であるが、彼らはひたすら自分の道を歩いてゆく。そこには悩みもあれば、あせりもある。

他藩の人との交際が始まり、江戸の様子がよくわかってくると、そうした社会や人物の批評も入ってくる。兄の杉梅太郎には、特にくわしい手紙が多いが、これは兄弟仲の良さを示すとともに、できるだけ世間や学問のことを知って貰いたいという考えからである。

やがて萩に帰って松下村塾を経営し、多くの弟子たちを教育するようになると、弟子に対する教訓の手紙も多くなってゆく。この場合、松陰は弟子のことを友人と呼んでいるのだ。しかし彼は決して甘くはない。「僕は忠義をする積り、諸友は功業をなす積り」というような言葉が出てくる。そして義絶をするといきまくのである。

喜怒哀楽、それらの感情も率直に出ている。政治もあれば学問もある。そして生と死に関する自己の対処の仕方も語られる。また彼が獄中から妹たちに送った手紙には、女性の生き方に対する深い教訓が示されており、そのほのぼのとした人間性は思わず人々の心をしめらせるほどである。

いま、ここではその六百有余の手紙の中から、彼の考え方を知るに最もふさわしいもの十七通を選んだ。なお、この「書簡」篇は、少しでも多くの書簡を収めたいこと、書簡としての性質上文章が比較的やさしいこと等を考え、あえて現代語訳をつけずに載せることにした。

一　杉百合之助・玉木文之進　宛

嘉永四年（一八五一）八月十七日　　江戸より萩へ

この手紙は、松陰が自分の学問に一層の磨きをかけるため、藩主の東行に従い江戸へ遊学した折、実父と叔父に宛てたものである。二十二歳の青年松陰は、国元と同じく江戸でも猛勉強をしていた。安積艮斎《あさかごんさい》・古賀茶渓《こがさけい》・山鹿素水《やまがそすい》・佐久間象山《さくまぞうざん》と、当時の有名な学者のもとに足を運び、研鑽《けんさん》にいとまがなかった。鳥山新三郎《とりやましんざぶろう》・宮部鼎蔵《みやべていぞう》・長原武《ながはらたけし》・斎藤新太郎《さいとうしんたろう》という、諸藩の学生との交際も始まり、文武の腕を競いあったのである。月二回は藩邸で兵学の講義をし、一の日は『書経《しょきょう》』、五の日は『易経《えききょう》』、八の日は『論語』の輪読会を催し、そのうえ、二の日は安積艮斎の講義を聞く日であった。

この手紙は藩主が江戸を発ち帰藩したことを知らせるとともに、こうした江戸での、超人的な頑張りようを報告したものである。

一筆啓上《いっぴつけいじやう》仕《つかまつ》り候。(1)殿様益〻《ますます》御機嫌克《ごきげんよ》く昨日御発駕《ごはつが》遊ばされ、恐悦至極《きょうえつしごく》に存じ奉り候。追々《おひおひ》御順行と察し奉り候。御国に於《お》ては嘸々《さぞさぞ》御競《おんきほ》ひと羨山《うらやまし》敷く存じ奉り候。爰許《ここもと》秋暑甚《はなはだし》敷く候処《ところ》、(2)昨七ツ前より一雨を得、至つて凌《しの》ぎ好く相成り候間、御地如何《いかが》やと遥念《えうねん》仕り候。

一、伊助固屋も固屋中へ取込み、住居申し候。昨日より(3)壮太も参り候。(4)健作・壮太は伊助が旧舎に住ひ候。(5)恒太・(6)大は旧《もと》よりの処に居り、各〻四畳半一間宛《づつ》へ割拠、此の節改革当分仕舞《しまひ》揚げ候当分暉麗《きれい》なる事、古《いにしへ》より然《しか》り。其の情況御察し成《な》さるべく候事。埒《らち》もなき事にて書冊《しよさつ》衣服共《とも》整々堂々といたし之れあり候間、逐々流弊《おひおひりうへい》出で申さず候様《やう》仕《つかまつ》り度《た》く候。一笑《いつせう》。

一、阿部善七着、未だ緩話《くわんわ》を得ず。

一、隣局林寿（之進）昨日より麻布(7)へ参り候事。炊子《すゐし》は弊舎《へいしや》四人とも佐々木（四郎兵衛）の僕《しもべ》へ相頼み候事。尤《もつと》も少々は費用、上《かみ》より立て下さる由。最初にも別に一僕をも立てらるべくやの評も之れあり候へども、却《かへ》つて煩《はん》を拵《こしら》へ候様《やう》のもの、且《か》つ隣寿除き候へば却つて淋しく相成り候故《ゆゑ》、隣僕も受合ひ候事を好み候由に付き、一僕は之れなき様致《いた》しもらひ候。然《しか》しながら君恩の重き上に又一を添へ候て、報ずる所以《ゆゑん》のもの一つも之れなく、惶恐《くわうきよう》仕り居り候のみに御座候事。

一、中村百合蔵(9)を送る序、中谷松三郎(10)を送る詩、拠《よんどころ》なく認《したた》め遣《つか》はし候へども、意に満たざる処多く候故《ゆゑ》、態《わざ》と録上《ろくじやう》仕らず候。他日改竄《かいざん》の上且々辞理《かつかつじり》相通じ候様にども相成り候はば録上仕るべく候。

一、右御発駕恭悦迄斯《までか》くの如くに御座候。追々書翰《おひおひしよかん》差出し候事に付き、申上ぐべき事之れなく候。是れより一入御煩務《ひとしほごはんむ》と察し奉り候。目を拭《ぬぐ》ふの事も多く之れあるべく、承り候て惰頑《だぐわん》を興起《おこしおき》仕り候様なる事も逐々承知仕《つかまつ》り度《た》く願ひ奉り候。

一、昨夜武士訓を読む。其の内歌多き中に一首、

何事もならぬといふはなきものをならぬといふはなさぬなりけり

一、御発駕後は情思索然《さくぜん》、滑稽《こっけい》も出《い》で申さず候。昨日より四人対坐、書を読む。始終真じめなり。併《しか》し邸中鎮静に相成り、稽古事しみ込み候方と覚えられ候なり。

八月仲七　　頑大百拝具

杉　様
玉木様

〈語釈〉

(1) **殿様**　長州藩主毛利敬親《もうりたかちか》。天保八年（一八三七）に藩主となり、村田清風《むらたせいふう》を登用し藩政改革を行なう。文久元年（一八六一）、長井雅楽《ながいうた》の航海遠略策を朝廷・幕府に建議したが、のち尊攘派に転じ攘夷を決行した。禁門の変によって官位・称号を奪われ、のち回復。(2) **伊助**　中村伊助。牛荘と号した長州藩の儒学者。松陰等の江戸での『中庸』輪読会の指導などにあたった。(3) **壮太**　井上壮太郎。江戸で、松陰とともに学問・武芸に励んだ一人。(4) **健作**　小倉健作。この月の九日に上京して仲間に加わった。「英気勃々《ぼつぼつ》切偲《せっし》の益を得、此の節も一入《ひとしお》相励み申し候」と松陰は評している。のち松陰の妹寿子の壻になる小田村伊之助の弟。(5) **恒太**　宍道恒太。松陰の江戸での勉強仲間。(6) **大**　松陰の幼名大次郎の略。松陰はのち松次郎・寅次郎とも称した。(7) **麻布**　江戸麻布にあった長州藩下屋敷。これに対し上屋敷は桜田にあった。(8) **隣寿**　隣りの宿舎にいる林寿之進。(9) **中村百合蔵**　中村伊助の息子。松陰は「第一等の益友に御座候」といっている。(10) **中谷松三郎**　松陰の門人。名は正亮。松陰の死後、松下村塾塾生の指導に力を入れた。

二　杉梅太郎宛　嘉永四年（一八五一）八月十七日　江戸より萩へ

少々の励み方で、満足するような松陰ではなかった。さらに『中庸』や『大学』を読む会を計画し、その上剣術や馬術の修業もしなければならなかったのである。そう考えると、どうしても許された修学年限が余りにも短かすぎた。そこで実兄杉梅太郎にさらに三年間の遊学希望を述べ、許可が得られるように口説いたのが、この手紙である。ともかく、いかに江戸でしなければならないものが多いか、研究科目をずらりと列挙している。将来の専攻についても、兵学にすべきか、経学にすべきかの迷いを述べている。兵学家の跡目を継いだ松陰にしてみれば、なまじ経学が得意なばかりに、心に迷いが生じたのであろう。

一、(1)矩方身上《しんじやう》の事、(2)梨藤へも略《ほ》ぼ話し置き申し候。其の趣は、愚意には先《ま》づ(3)寅《とら》の御下向《ごげかう》の節《せつ》迄《まで》と存じ奉り候。しかし父叔兄長尊意如何《いかん》をも存ぜざる事に付き、御在国中に叔父《をぢ》等へ右の趣御相談成し下され候様御頼み仕り候。左候《ささふらふ》て(4)丑《うし》の御登りの節、何分《なにぶん》の儀《ぎ》返答承り度く候間、得《とく》と御熟話下さるべく候。愚に於ては素《もと》より天命に任せ候事には候へども、三年の修業位《くらゐ》にて何も出来申す間敷《まじ》く、天下英雄豪傑は多きものにて、其の上に駕出《がしゆつ》仕り候事は中々愚輩の鈍才にては俄《にはか》に出来申すべくとも思はれず、我れ一歩を往けば寇《あだ》も亦《また》一歩をゆくの道理、況《ま》して愚鈍ものは人の十歩百歩の間に漸《やうや》く一歩を移し候位の事にては、三年五年には間に合ひ申す間敷く候。夫《そ》れ故《ゆゑ》死して後《のち》已《や》むを以て自《みづか》ら戒め候事に御座候。しかし是れは外に馳《は》せ人に勝を求むる事に相成り深く懲《ちよう》すべき心に御座候間、一体武士の一身《いっしん》成立いたし候事、何とも覚束《おぼつか》なく候故、愚劣ながらも緩々《ゆるゆる》居り候はば、何か一つどもは得申すべくやと存じ居り候事に御座候。是れ藤太へ話し候意《い》に御座候間、宜敷《よろし》く仰せ合され候様頼み奉り候。

　武士の一身成立覚束なき訳《わけ》左の通り。

一、是れ迄《まで》学問迚《とて》も何一つ出来候事之れなく、僅かに字を識り候迄に御座候。夫《そ》れ故方寸錯《ゆゑはうすんさく》乱如何《らんいかん》ぞや。

先《ま》づ歴史は一つも知り申さず、此れを以て大家の説を聞き候処、本史を読まざれば成らず、(5)通鑑《つがん》や(6)綱目位にては垢ぬけ申さざる由。(7)二十一史亦浩瀚《またかうかん》なるかな。頃日《このごろ》とぼとぼ(8)史記より始め申し候。

史論類、(9)綱鑑の初めを見候ても多きかな。大家は急需《きふじゆ》とは申さず候へども、閑暇《かんか》の節見度《みた》く存じ候。

兵学家は戦国の情合を能々《よくよく》味ひ候事肝要と存じ奉り候。其の情合を味ふは、覚書・軍書・戦記の類、学者衆の埒《らち》もなきものと申され候ものの尋思《じんし》推究《すゐきう》の功を加へ候はば、少々自得の処も之れあるべきかに考へられ候。今(10)武教全書中にも其の情境茫然《ばうぜん》として得心《とくしん》行き申さず候事も之れあり候へども、誰れに問ひても能《よ》く通じ申さず候。此の二条、志のみにて未だ得《え》果《はた》し申さず候。

経学《けいがく》、(11)四書集註位も一読致し候ても夫れでは行《い》け申さず候。宋・明・清諸家種々純儒《じゆんじゆ》之れあり、中にも周程張朱其の外、(12)語録類・文集類、又明・清にも斯道《しだう》を発明するの人何ぞ限りあらん。夫《そ》れ等《ら》の論は(13)六経《りくけい》の精華《せいくわ》を発し候ものにて、又読むべきものの由。

此の二条、志のみ。

漢・唐より明・清迄《まで》文集幾許《いくばく》ぞや。皆々全集も見るべからず候へども、名家の分、文粋文《もんずゐぶん》鈔《せう》ものなどの中に就《つ》きて尤《いう》なるもの全集を窺《うかが》ふべし。

輿地学《よちがく》も一骨折《ひとほねを》れ申すべし。

砲術学も一骨折れ申すべし。

西洋兵書類も一骨折れ申すべし。

本朝武器制も一骨折れ申すべし。

文章も一骨折れ申すべし。

諸大名譜牒《ふてふ》も一骨折れ申すべし。

算術も一骨折れ申すべし。

(14)七書、集訟《しふしよう》を致し候間折訟は片言《かたこと》にては行《い》け申さず候。是れも一骨折れ申すべし。武道の書も説く所異同あれども一部ならず。(15)士道要論・武士訓・(16)武道初心集、漸《やうや》く此の三部をみる。此の外《ほか》何ぞ限りあらん。此れも一骨折れ申すべし。

右思ひ出し次第に記し見候へども、何一つ手に付き居り候事は一つも之れなし。

今から思ひ立ち申すべく候へども、何と定め諸事は棄てやり申すべき事之れなく候。且《か》つ人経学あることを知りて兵学あることを知らず、中谷・椋梨等逢ひ候度毎《たびごと》に経学をすすめ、別れに臨みて殊《こと》に叮嚀《ていねい》の意を致し候処、矩方も兵学をば大概に致し置き、全力を経学に注ぎ候はば一手段之れあるべく候へども、兵学は誠に大事業にて経学の比に非ず。且つ代々相伝の業を恢興《くわいこう》する事を図《はか》らずして顧《かへ》つて他に求むる段、何とも口惜しき次第申さん方もなし。方寸錯乱如何ぞや。

体中の骨何本之れあるかは存ぜず候へども、十本許《ばか》りも折れ候はば、跡《あと》はいかをくひ候猫《ねこ》の様に成り申すべくや。是れも一つの懸念《けねん》。

其の他世上一統の人に且々《かつかつ》並び申し度く候へども、芸術に至りては数を知らず候。詩歌・茶湯・棋《き》・書画・印・立花・能・謡・浄瑠璃《じやうるり》、嗟々《あゝ》、陋《ろう》なるかな。厭《いと》ふべし、厭ふべし。僕学ぶ所未だ要領を得ざるか、一言を得て而《しか》して斯《こ》の心の動揺を定めんと欲す。万祈万祈。（後文闕）

〈語釈〉

（1）**矩方**　松陰の名。（2）**梨藤**　椋梨藤太。藩政の要路についていた。のち俗論党の首謀者となり、松陰門下正義派のため詰腹を切らされる。（3）**寅の御下向**　安政元年（一八五四）、参覲交替で江戸滞在の後、国元に帰ること。（4）**丑の御登り**　嘉永六年（一八五三）、参覲交替で江戸へ出府すること。（5）**通鑑**　『資治通鑑』。周の威烈王の二十三年から、五代後周の世宗の顕徳六年までの、歴代の君臣の事績を、編年体で書いたもの。宋の司馬光が撰した。（6）**綱目**　『資治通鑑綱目』。宋の朱熹が撰したもので五十九巻よりなり、『資治通鑑』にならって作られた。（7）**二十一史**　中国の上古から元時代までの、二十一部よりなる中国の正史。『史記』にはじまり、『元史』に至る。（8）**史記**　周の黄帝から前漢の武帝までのことを記した紀伝体の歴史書。全百三十巻。司馬遷著。(9)綱鑑　『歴史綱鑑補』。明の袁黄が撰したもので、三十九巻よりなる。(10)武教全書　江戸時代前期の儒学者山鹿素行の著書。兵学を講じたもの。(11)四書集註　四書(『大学』『中庸』『論語』『孟子』)の参考書。朱熹が編集した。江戸時代の官学は、すべてこの書を使った。特に義理を重視した解釈を下している。(12)周程張朱　周濂渓・程頤・張栻・朱熹のこと。いずれも宋代の著名な儒学者。(13)六経　五経に『楽経』または『周礼』を加えて呼んだ。(14)七書　『孫子』『呉子』『司馬法』『唐太宗李衛公問対』『尉繚子』『六韜』『三略』のいわゆる武教七書のこと。(15)士道要論　津藩藩儒斎藤拙堂の著作。(16)武道初心集　大道寺友山著の武道書。武士としての根本的な心構え・生き方を述べたもの。

三　杉梅太郎　宛　　嘉永六年(一八五三)六月二十日　江戸より萩へ

嘉永四年(一八五一)十二月、松陰は突然藩の許可を得ないで宮部鼎蔵と共に東北諸国遊歴に旅立った。しかし翌年四月、帰り着いた彼には、亡命の罪により帰国命令が下される。そして士籍を剝奪され、世禄も奪われた。しかし藩主は松陰の才能を惜しみ、十年間の諸国遊学の許可を与えた。そこで再び江戸に遊学した松陰が、その後の動静をくわしく兄に書き送ったのが、この手紙である。浦賀の米艦来航を国元に知らせた、最初の手紙でもあった。腰抜け役人の事態への狼狽振りに、松陰は激しい憤りをぶちまける。この難局に際し、幕府が何も出来ないのであるならば、我々草莽《そうもう》の士が立ち上がるべきだ。そのために力を蓄え、心を練る必要がある。たとえ六十六ヵ国が倒れても、防・長の二国は最後まで戦いぬく、と強い意志を示し、故郷の者たちへの発奮をうながしたものである。

五月二十四日江府到着、屢次《るじ》の尊教拝誦《はいしよう》仕り候。然《しか》る処《ところ》(1)一寸の書相認《あひしたた》め候て(2)瀬能《せのう》氏へ託し候迄《まで》にて、二十五日より鎌府《れんぷ》に赴《おもむ》き候。江戸より鎌府に至る十三里、中山道已来《いらい》練熟の脚《あし》にて安々と朝辰時《たつどき》に発し、日未だ没せざるに達し候。扨《さ》て(3)上人《しやうにん》御事堅剛《けんがう》一昨年に倍し、一段の御事に存じ奉り候。黍粉《きびのこ》之れを呈し候処、山海数千里の処拝味《はいみ》も勿体《もったい》なき由の挨拶《あいさつ》之れあり。矩方亡命一事は出羽源八より御承知の由、頗《すこぶ》る其の詳《しやう》を悉《つく》され候。流石禅学の功其の甲斐《かひ》ありて、其の論甚《はなは》だ吾が心を獲《え》たるものに御座候。自後の処名聞利禄《みやうもんりろく》の念を断ち候へとの事、逗留中《とうりうちゆう》甚だ慇懃《いんぎん》に御教誨《ごけうくわい》之れあり候故、矩方尤《もっと》も其の志なりと、拙作《せっさく》(4)長篇を出《いだ》し候処、朗誦一過、大いに喜ばれ候。上人御学力の処(5)昨年は左程《さほど》に思はず候処、此の節寛々相伺《ゆるゆるあひうかが》ひ大いに感心仕り候。詩文の論など致し候処、禅理に引合せたる高論も出で、修身の工夫、死して後已《や》むの説などに及び候間、禅説も亦《また》此れに外ならざるよし。(6)昌黎《しやうれい》謂ふ所の「形骸を外にし理を以《もつ》て自《おのづか》ら勝つ」の思ひをなし申し候。又(7)徳隣寺《とくりんじ》小僧恵純《ゑじゆん》なるものも円覚寺へ参り居り、此れ亦《また》詩作など心懸け候人にて時々出会《であひ》仕り候。杉家の事能く知り居り候。二十九日、上人・恵純其の他雛僧《すうそう》二人と絵島《えのしま》に遊び申し候。六月朔日《ついたち》、江戸に帰り申し候。二日、御屋しき(8)道家《だうけ》・瀬能《せのう》を訪《と》ふ。三日、(9)佐久間を訪ひ、初めて石州浜田生近沢啓蔵に会ふ。四日、麻布・工藤を訪ふ。新山《にひやま》忠右衛門も麻布に引取り居り候。是《こ》の日晩方《ばんがた》浦賀の警を聞き夜より舟にて彼の地へ赴き候積りの処、風順宜《よろ》しからず、漸く五日朝四ツ時に舟品川に達し候。是れより陸行にて是の日夜四ツ時浦賀に達す。(10)浦賀の事は委敷《くはし》く御聴に達し申すべく候間、幕吏《ばくり》腰脱《こしぬけ》、賊徒《ぞくと》胆驕《たんけう》、国体を失ひ候事千百数《かぞ》ふべからず。佐久間及び近沢生其の他慷慨《かうがい》の徒〔旧知の人なども之れあり〕多く浦賀に会《くわい》し、日々賊の様子、幕府 浦賀奉行 四藩 彦根・会津・河越・忍 の守備などを見、彼れを悪《にく》み此れを悲しみ、悲憤兼ね至る、九日迄《まで》逗留仕り候。御やしきよりは北条源蔵・井上壮太郎参り、委《ゐ》細《さい》彼れ此れの様子穿鑿《せんさく》仕り候。二人高才、加之《しかのみならず》、深重心を用ふること矩方輩の能《よ》く及ぶ所に非《あら》ず。二人の見聞書定めて御国へも疾《と》く達したることと存じ、矩方が如き浅陋《せんろう》の所見をば申上げず候。浦賀の守備は一昨年矩方(11)宮部と之れを論じて曰く、「幕府虚備《きよび》を以て天下に唱《とな》ふ、天下孰《いづ》れか敢《あ》へて響応せん」といひし所に、今日に至り虚備の虚備たる所以《ゆゑん》、天下の人初めて眼を開きて之れを視る。九日栗浜に於て両奉行出張、四藩の海陸軍備を設け、夷書《いしよ》引受の次第、国体を失するの甚《はなはだ》しき、海外新話中に図之れある(12)琦善《きぜん》逆将義律《エリオツト》との対面と同日の話にて、口に上《のぼ》すも尚ほ心を痛む。夫《そ》れは扨《さ》て置き吾が陣の備方《そなへかた》何とも無紀律の極《きはみ》、目に視る尚ほ魂を消す。此れ争《いか》でか醜虜《しうりよ》の侮《あなどり》を招かざらんや。此れ等の事も二子の論定めて備りつらん。九日暮方《くれがた》夷船退出の筈《はず》の処、直ちに内洋(13)に駛入《しにふ》せし故、暮方より江戸へ向ひ走り回《かへ》り申し候。横須賀と云ふ地にて(14)井・北と同道に相成り、十日午時《ひるどき》桜田邸に達し申し候。是れより江戸のさわぎ尤《もつと》も甚し。十三日賊船退帆迄は別邸甚だ混雑のよし、十一十二日には邸《やしき》に至り(15)明良敦《あきらあつ》にも会ひ申し候。井上・北条、銃隊を司り手厚く心配致し候。道家が心配にて、佐久間にて大砲弐門買得に相成り申し候。本藩一ノ手の備方故、都下声名籍々《せきせき》。肥後藩先手物頭《さきてものがしら》都築《つづき》四郎《しらう》打払《うちはらひ》の事に付き、手強《てごは》く公辺へはり込み候趣、是れ亦《また》甚だ高名なり。其の後本藩の様子絶えて承らず。近沢生其の藩の為めに操練《さうれん》を起し候。其の他諸藩操練を起し砲銃を錬《ね》る、家として之れなきはなし。此の類の事書けば覚えず幅《ふく》を累《かさ》ね候故、先づ打置き候。矩方居処暫時《ざんじ》は(16)鳥山に居り申すべく候。佐久間入塾の事冗費《じょうひ》多くして実効之れなき段、近沢生杯《などしき》頻りに止《とど》め申し候。已《すで》に近沢も入塾し未だ両月ならざるに退塾仕り、甚だ不平の条々歴挙仕り候事に御座候。夫《そ》れ故先づかよひで参り候積りなり。

肥人四人分れ来《きた》り、第一に佐分利来る。肥人等詳かに大兄と快論せし状を言ふ。矩方之れを鳥山家に引き同居仕り候。永鳥・末松も来り度々出会《であひ》仕り候。国友も来り候へども未だ面話せず。異変中甚だ繁雑に御座候。前三日より(17)蟹行《かいかう》漸《やうや》く初め申し候。今日寸暇《すんか》を得、高教を読む、乃《すなは》ち之れが答を為《つく》る。曰く、小瘡《せうさう》再発絶えて其の患《わづらひ》なし、万《よろづ》放念を祈る。書物類逐一《ちくいち》落手。(18)良哉の書之れを読む、然《しか》れども此の騒擾中《さうぜうちゅう》未だ答ふる能《あた》はず。(19)業余漫録・(20)外寇議、今未だ用あらず。

(21)阿武行《あぶゆき》愉快と察し奉り候。銅山は国益民益、事、成るを仰ぐのみ。

四円金、(22)瀬能より受取る。

朝議木原を称す、賀すべし。

宮部の書懇復《こんふく》数百言、先日佐分利に託し之れが答を為す。先般河州富田林《とんだばやし》より発する所の書、今以《もつ》て達せず候や、甚だ惜歎《をし》き事に御座候。封中には森田が拙堂《せつだう》に与へて海外異伝を論ずる書之れあり、其の論甚だ雄快なり。

都下近日の事に付き浮説《ふせつ》甚だ盛なるも、総《す》べて言ふに足らず。但《た》だ来夷《らいい》の事、先日は話聖東《ワシントン》国に決し居たる処、又一説に「新カルホレニヤ」と云ふ。此の国未だ三十一州の会盟に与《あづか》らず、因《よ》つて此《こ》の度《たび》本邦との互市を初めたれば其の功を以て会盟に交へ申すべきよし、共和政治の総督より命じたるよし風説《ふうせつ》之れあり。佐久間象山此の説を取る、然れども未だ如何《いかん》を知らず。夷の国書三通之れあるよし、一は漢文に係り、一は蘭文《らんぶん》に係り、一は暎文《えいぶん》に係るよし、此れ亦《また》風説。

佐久間云ふ、「西洋医云はく、病に近源あり、遠源あり。今疾《やまひ》あり、平日血脈粘着《ねんちゃく》する如きは遠源なり、此の頃の暑気にきけ疾起る如きは近源なりと。外夷の我が邦を軽侮する、何ぞ亦《また》此れに異らんや。蓋《けだ》し吾《わ》れ本と巨艦なし、夷我れを侮《あなど》るの遠源なり。今《いま》夷来る、砲台法を失ひ、砲門備はらず、凡百の処置、皆其の当を失ふ、是れ夷我れを侮るの近源なり。夷の我れを侮らざらんを欲せば、宜しく意を此《ここ》に注ぐべし」と。

六月二十日認む　　　頑弟　吉田寅次郎矩方再拝

家大兄　案下

(23)杉・玉木御転宅の事御安心察し奉り候。

(24)治心気先生・来原（良蔵）・中村（道太郎）・□(25)其の他有志の諸兄、近日何の状を為す。浦賀の事、古今未曾有《ここんみぞう》の大変、国威の衰頽《すゐたい》ここに至る、其の由《よし》果して何《いづ》くに在らん。僕(26)文化蝦夷《えぞ》の事を以て之れを今日に比す、彼れは荒陬《くわうすう》に在り、此れは府下に在り。彼れは後に過《あやまち》を悔ゆるの言あり、此れは後に侮《あなどり》を益すの勢あり。然《しか》らば則《すなは》ち辱《じょく》の大小、患《くわん》の浅深知るべきのみ。然り而して幕府の議、塗糊《とこ》因循《いんじゅん》、六十六国の人をして貿々焉《ぼうぼうえん》として適従《てきじゅう》する所を知らざらしむ。志を草野に懐《いだ》く者、何を為さば則ち可ならん。僕謂《い》へらく、「豪傑《がうけつ》の人宜《よろ》しく力を蓄《たくは》ふべし、慷慨《かうがい》の士宜しく心を練るべし。心練れて力蓄へば、仮《たと》ひ六十六国をして辱益〻《ますます》大に、患益〻深からしむとも、長防二国猶《な》ほ能く西隅に屹立《きつりつ》し、以て天下の望を懸けて其の辱を清め其の患を除く、亦許《またあて》にすべきなり。方今昇平《しようへい》三百年、俯察仰観《ふさつぎやうくわん》するに漸く変革の勢を兆《きざ》す。変革の勢の由つて来《きた》る所は漸《ぜん》なり、固《もと》より一日に非ず。而して本邦中に就《つ》いて変革を相するものは百千と雖《いへど》も吾れ憂なくして可なり。今の変革は則ち然らず、頃《このご》ろ東西の事宜《じぎ》を熟知する者に就きて蝦夷・䟽虬《りうきう》を聞けば、則ち皆曰く、「鄂羅《オロシヤ》・暎咭《イギリス》甚だ急、鄂羅・暎咭甚だ急」と。又米利堅《メリケン》の憂あり、而して幕議乃《すなは》ち爾《しか》り。是《こ》の時に方《あた》りて、一打砲・一揚旗皆《みな》幕府の鼻息《はないき》を仰げば、則ち亦瞽者《こしや》の後に緊随《きんずゐ》して、身を転じ泥に塗《まみ》るるに類せざらんや。僕廃残《はいざん》の余、無用の身、与《とも》に此の事を語るべき者なし。唯《た》だ無用の書を読み、無用の事を治し、無用の日月を消すのみ。先生諸兄の如きは断々乎《だんだんこ》として然らず。故《ゆゑ》を以て云々《うんぬん》すること是《か》くの如し。

筆に任せて意を書す、初めより次序なし。先生諸兄以《もつ》て是《ぜ》と為さば則《すなは》ち請ふ、之れを火《や》かれよ、以て非と為さば則ち之れを教へられよ。

寅矩方再拝

山県翁近日如何の状態ぞ。僕知る所の年少志《こころざし》ある者は、久保・中谷・宍道・諫早等に如《し》くはなきも、未だ一書を修するに暇《いとま》あらず。竊《ひそ》かに前書を示すも亦可なり。前書治心気・来[27]・中へ御《お》示《しめ》し。

〈語釈〉

（1）一寸の書　「浦賀へ異船来りたる由に付き、私只今より夜船にて参り申し候。海陸共に路留《みちどめ》にも相成るべくやの風分にて、心甚だ急ぎ飛ぶが如し、飛ぶが如し。

六月四日

御国へもし飛脚参り候はば、此の書直様《すぐさま》御さしだし頼み奉り候。左候へば、僕壮健にて英気勃々の様子も相分るべく候。事急ぎ別に手紙を認むること能はず。」という手紙を指す。（2）瀬能　瀬能吉次郎、長州藩役人。松陰の父の友人。（3）上人　母の兄にあたる伯父竹院上人のこと。鎌倉錦屏山瑞泉寺に住した。（4）長篇『東北遊日記』に収められている詩で、藩の許可なく東北旅行をし、士籍を削られた時の心境をうたったもの。（5）昨年　一昨年の誤り。嘉永四年、はじめての江戸遊学の時の訪問を指す。（6）昌黎　唐時代の文学者・政治家、韓退之。古文復帰の文学運動をおこした。（7）徳隣寺　萩にある。恵純はのち徳隣寺十四世方丈となった。（8）道家　道家竜助。長州藩砲術家。松陰の友人。（9）佐久間　佐久間象山。幕末の兵学者。信州松代藩士。通称は修理。佐藤一斎に朱子学を学び、のち蘭学・洋学を修めた。砲学に通じ、開国論を主張。元治元年（一八六四）、暗殺された。（10）浦賀の事　六月六日道家竜助宛の書簡にくわしく報じている。「今朝高処に登り賊船の様子相窺ひ候処、四艘（二艘は蒸気船、砲二十門余、船長四十間許り。二艘はコルベット、砲二十六門、長さ二十四五間許り）陸を離ること十町以内の処に繋泊し、船の間相距ること五町程なり。」と。（11）宮部　宮部鼎蔵。肥後熊本藩士、山鹿流兵学者。松陰とは江戸で知りあい、東北亡命旅行に同道。のち池田屋騒動で新選組の襲撃にあい自刃。（12）琦善　アヘン戦争の際、広東総督琦善は、イギリスの将エリオットと屈辱的な和議を結ぼうとしたが、主戦派に押され失敗した。（13）内洋　江戸湾。（14）井・北　井上壮太郎。北条源蔵。（15）明良敦　秋良敦之助。藩造船事業に参加し、人車船を創案した。（16）鳥山　江戸桶町河岸にあった鳥山新三郎の家。（17）蟹

行　横文字。蘭学を指す。(18) 良哉　長州藩藩医松岡良哉。(19) 業余漫録　嘉永五年（一八五二）に書かれた松陰の著書。(20) 外寇議　佐久間象山が藩主に出した上書。海防問題について建言したもの。天保十三年（一八四二）十一月のもの。(21) 阿武　萩の奥地。現在の阿武郡の山間奥地。(22) 瀬能　この頃松陰宛の国元からの金子や物品は、藩邸の瀬能宛に送られていた。(23) 杉　杉家は松陰の実家。(24) 治心気先生　山田宇衛門の号。松陰少年時代の兵学の師。(25) □　このところ約八字分、一度書いた後で切りとった痕跡がある。(26) 文化蝦夷の事　文化四年（一八〇七）、ロシア人が樺太・エトロフに訪れたこと。(27) 来・中　来原良蔵・中村道太郎。

四　杉梅太郎　宛　嘉永六年（一八五三）七月二十八日　江戸より萩へ

松陰の国を憂う気持は一層つのり、果断《かだん》なき幕府の態度に怒りはますます燃えあがった。ペリーと幕府との応接の模様を聞き、また幕府への上書を読めば読むほど、松陰は屈辱に身が引き裂かれる思いになった。この感情に駆り立てられ、彼は自分が一介の書生であることを忘れ、藩政を論じ国政を論じる。幕府のたぶらかし策によって、いま一度は、なんとかアメリカの軍艦を追い返すことは出来たが、彼らが来年の春、返書を要求して再びやって来ることは明らかだった。松陰の心は、すでにその時に迎える一戦のことに飛んでいた。

「何人の仕業にや落書様のもの」といって詩を紹介しているが、これは勿論《もちろん》彼が書いたものである。ともかく居ても立ってもいられなかった、松陰の焦慮があふれ出た手紙である。

七月念八夜、人定《しづ》まる後寸楮《すんちょ》を呈し候。

先般浦賀港へ来《きた》る夷人《いじん》よりの上書蘭文の和訳五通、漢文五通写し候て差送《さしおく》り申し候。御熟覧得《とく》と虜情《りよじやう》御考合成さるべく候。拙奴《それがしめ》は扨《さて》も〳〵天下の事今日と成り来り候はと、且つ悲しみ且つ憤《いきどほ》り候のみに御座候。夷人よりの書幾重《いくちよう》復読《ふくどく》仕《つかまつ》り候ても一として許允《きよいん》せらるべき箇条之れなく、若《も》し是れが許允ある様《やう》にては天下の大変、(1)東海を踏みて死するの外《ほか》之れなく候。併《しか》し天朝・幕府にても天下万世の為めを思召し、此の事御許允は断えて之れある間敷《まじ》ければ、是非とも明春は一戦に相定まり申し候。我が昇平柔懦《じうだ》の士民を以て彼の猖獗狡《しやうけつかう》獪《くわい》の賊と戦ふ事、兵未だ接せずして勝敗已《すで》に判然《はんぜん》なり。且《か》つ夷等艦二三十隻も率《ひき》ゐ来《きた》り、伊豆七島初め近海諸島を略し、諸所へ上陸侵掠《しんりやく》し、海運の船をとどめ浦賀港へ一隻も我が船の出来《しゆつらい》せざる如くせば、十日を出《い》でずして江戸中鼎沸《ていふつ》し、餓莩《がへう》相臨み、盗賊昼行く如くなるべし。是《こ》の時に方《あた》りて重ねて浦賀口に進み前請を申《かさ》ねば如何が決すべくや。然れども此れ自《おのづか》ら幕府の鬼算神籌《きさんしんちう》あるべく候。諸藩の上を考ふるに本藩など特に本国も遠ければ一塩《ひとしほ》心に懸り候間、竊《ひそ》かに三策を胸中に蔵し候処、未だ敢へて人に対して語らず。御国の定論何如《ていろんいかん》、承らまほしく侍《はべ》る。扨《さ》て亦《また》江戸地の事のみならず、孰《いづ》れ天下の互解《ぐわかい》遠からざるべし。方今《はうこん》天下疲弊《ひへい》の余、江戸に大戦始まり、諸侯其の役に駆使《くし》せられば必ず命に堪《た》へざらん。且つ又幕府天下の心を失ふこと久し。今般(2)水老公にて旧態を一洗《いつせん》すべけれども、中々(3)扁倉《へんさう》の刀圭《たうけい》にても息の切れたる病人は再生六ヶ敷《むつかし》かるべし。御国に於ても定めて天下当今の事情を察し、有志の人々は夫々《それぞれ》心組《こころぐみ》も之れあるべく候間、定論は承らまほしきなり。扨《さ》て又墨奴《ぼくぬ》と戦ふに陸闘にては必勝の様《やう》に申す俗人もあり、僕其の説を信ぜず。砲銃陣法は西洋の制、天下の通論なるべし。迚《とて》も歩法手法等調はずしては、烈《はげし》敷き砲銃戦には一たまりもたまらざるべし。此の事天下の友人と之れを議し悉《つく》せり。願はくは疑ふなかれ。尤《もっと》も然りと為さざるの定論あらば承らまほしし。

船艦の製造、心は飛ぶが如くに思へども、草莽匹夫《さうまうひつぷ》之れを如何ともするなし。幕《ばく》にも出来る様《やう》なる風聞《ふうぶん》あり、薩には此の節出来中《しゅつらいちゅう》の由、又津には薩より蒸気船の雛形《ひながた》をかり五六人乗《のり》位《くらゐ》の蒸気船を試み候よし。(4)近藤虎十郎云ふ、家君大玉新右衛門大いに蒸気船の事に心を用ひ雛形を作り見たる処、頃《このご》ろ中《ぢゆう》廃せし由。何とぞ同社相謀《あひはか》り是れを試みさせたきものなり。来春の一戦、群臣の屍《かばね》を原野に横ふるは二百年の大恩に報ずる為めなれば更に惜しむべきにもあらず、只《た》だ勿体《もったい》なく思案し奉るは公上の(5)御上なり。何卒《なにとぞ》有志の士は此の時の事なれば如何になりともして江戸に来り、君公の御馬前に附添ひたきものに非ずや。防長の多士何ぞ悠々《いういう》するや。

南部の民変も容易ならざるの事に候。一先《ひとま》づは仙台よりの扱ひにて治まる方に向ひたるよし。然れども連年苛虐《かぎやく》の致す所、未だ其の結局を知らず。之れを要するに内変外患常に相倚《あひよ》り、衰季の光景恐るべし、嘆《なげ》くべし。

頃《このご》ろ何人《なにびと》の仕業《しわざ》にや落書様(6)のものあり、録呈《ろくてい》申し候。御鑑定成さるべく候。

「狡夷《かういノ》遁書《ていしよ》向ツテレ我ニ期ス。国家安危ノ正ニ是ノ時。普天率土《ふてんそつと》孰《いづ》レカ非ザラン三王臣与ニ二王土一。協《あはせ》レ力ヲ誓ツテ当《まさに》レ却《しりぞ》クベシ二狡夷ヲ一。」如今《じよこん》上下浴シ二至治ニ一。綱紀稍《やや》弛《ゆる》ミ弊沓リニ至ル。第一可キレ憂フ是レ壅蔽《ようへい》。臨テレ朝ニ聴クレ政ヲ久シク廃棄ス。大臣悠々《いういう》不レ恤《うれ》ヘ事ヲ。小臣営々徒《いたづら》ニ謀《はか》ルレ利ヲ。外臣含ミテレ憤ヲ胸鬱勃《うつぼつ》。内臣承ウケテレ顔色ヲ柔媚《じうび》。」

此《ノ》弊一洗《シテ》備《そなへ》始《テ》修《をさまル》。造艦購艦非《ズ》レ無《キニ》レ謀。洋人《ノ》砲技称《シ》ニ絶妙《ト》一。器械節制両《ふたつナガラ》無《シ》レ儔《たぐひ》。艦砲《ハ》海防《ノ》最要物。操演但《ただ》須《すべからく》レ及《ブベシ》ニ此秋《こノときニ》一。」古《いにしへ》云《フ》達《シ》ニ四聡《ヲ》一明《ラカニスト》ニ四目《ヲ》一。臣《ハ》是《レ》股肱《ここう》与《ニ》ニ心腹《ニ》一。平明視《テ》レ朝《ヲ》会《シ》ニ群臣《ヲ》一。都愈《いよいよ》吁《く》咈《ふつ》要《ス》ニ輯睦《しふぼくヲ》一。不《ンバ》レ然《ラ》砲雖《いへども》レ利《ト》矢艦雖《モ》レ堅《ト》。皮之不《ル》レ存《セ》毛安《いづくんゾ》属《つかン》。」君不《ヤ》レ聞《カ》碧蹄館《へきていくわん》下《か》諸侯《ノ》功。佐公《ノ》軍鋒《ぐんぼう》独称《リ》レ雄《スト》。原野横《よこたフ》レ尸《しヲ》武臣《ノ》常。努力《シテ》君勿《なかレ》レ忝《はづかしムル》ニ先公《ヲ》一。

評に云《い》はく、満腔《まんかう》の客気《かくき》使ふ所なし、落筆の際《さい》紙に声あり。　吉田寅次郎矩方

吉田寅次郎の吉田寅次郎たる所以《ゆゑん》を知る者は皆此《こ》の書を看《み》よ。

前書平生の知己《ちき》へ御示し願ひ奉り候。此の節事務冗《いそがは》しく作書の閑《ひま》なし。然れども頑健常に倍す、以て念と為すなかれ。扨《さ》て亦家書も久しく得る能《あた》はず、何如やと案じ居り候へども、定めて国家安危の際は何《いつ》こも同じ繁用なる故ならんと察し奉り候。

七月念八　寅二郎

家伯教兄様

(7)吾楼依然《いぜん》江戸を距《へだた》る三十里の東に在り、英気勃々《ぼつぼつ》、前日に比して益すことあるも損ずることなし。(8)別紙は中谷正亮へ御示し頼み奉り候。且つ中谷に一言あり。云はく、「努力して自《みづか》ら其の名に負くなかれ。名は是れ実の賓《ひん》、実なくして名あるは、之れを名を賊《そこな》ふと謂ふ、憎むべきも亦《また》甚し」と。

〈語釈〉

（1）東海を踏みて死する　服従せず、自説を守り抜いていさぎよく死ぬこと。（2）水老公　水戸藩主徳川斉昭。藤田東湖などの人材を登用し藩制改革に努めたが、尊攘的行動のため、弘化元年（一八四四）、幕府より蟄居《ちっきょ》謹慎を命じられた。しかし、嘉永六年（一八五三）、ペリーの浦賀来航に際し免ぜられ、海防顧問として幕政に復した。ここでは斉昭の幕議参加のことをさす。（3）扁倉　戦国時代の名医扁鵲《へんじゃく》と前漢時代の名医倉公《そうこう》のこと。秀れた医者のたとえ。（4）近藤虎十郎　近藤清石。長州藩の神官・国学者・歴史家。大玉新右衛門の第二子に生まれ、のち近藤家の養子となる。『山口県史略』『防長風土誌』の著がある。大正五年没。（5）公上　藩主毛利敬親。（6）落書様のもの　実際は松陰が書いたもので、次行の詩を指す。（7）吾楼江幡五郎。のち那珂通高と改める。松陰が東北亡命の時、宮部鼎蔵とともに水戸で落ち合っている。（8）名中谷正亮の名は、楠正成の「正」と諸葛亮の「亮」とをとって付けられたから。

五　杉梅太郎　宛　嘉永六年（一八五三）八月八日　江戸より萩へ

世情は騒然、幕府は弱腰、それに反して外国人の侵略の噂は高まるばかり。松陰の興奮は一向におさまりそうになかった。ついには藩主に『将及私言』をはじめとして数々の上書を呈出するに至った。藩邸の者たちは、浪人の身の松陰が、謹慎中であるにもかかわらず、身分もわきまえないで建言することに怒り、罰すべきだという。

しかし松陰にとって死はもとより覚悟の上であったから、『急務条義《きゅうむじょうぎ》』『急務策』などの上書を書きあげ、繰り返し建言に努めた。この手紙は、その松陰のやむにやまれぬ心の内を語っている。

ついで兵学の先輩・知友に奮起をうながす。叔父玉木文之進が、当時萩で海防関係の任務についていたので、その叔父にも発奮をうながしている。

明春の事江戸の光景如何《いかが》之れあるべくと御想像在《あ》らせられ候や。扨《さて》も〳〵天下の一大事、今日に立至り憂憤仕り候のみに御座候。孰《いづ》れ明春一戦に就《つ》いても幕《ばく》にも大砲などは追々出来候由なれども、士気の未だ振はざる事甚しきものなり。且《か》つ盗賊横行の噂《うはさ》之れあり、一戦に及び候はば一たまりもたまり申さざる様《やう》考へられ候。迚《とて》も一月《ひとつき》と踏留《ふみとど》まりは六ケ敷《むつかし》かるべきか。併《しか》し此れ等の難処《なんしよ》、本藩など諸侯の先となり一度大義を天下に伸《の》べ度《た》きものと石亀《いしがめ》のぢだんだ、鄙衷御《ひちゆうご》下察《かさつ》祈り奉り候。就いては別紙⑴の通り草卒《さうそつ》の挙に及び申し候。八木甚兵衛へ渡す。然る処甚兵衛取計《とりはから》ひにて覚書をば下げ、⑵将及私言は匿名《とくめい》にして君聴に達したる由、幸甚《かうじん》甚。然れども此れ等の事に依《よ》り吉田寅二郎は出すぎものと謗議《ばうぎ》喧然《けんぜん》、其の災将《まさ》に量《はか》るべからざらんとす。但《た》だ父祖累代食禄《るゐだいしよくろく》の恩を報ずること今日に在るべくと、人言を恤《うれ》ふるに暇《いとま》あらず候。桂小五郎・近藤虎十郎国の為め努力す、崇《たふと》ぶべし、崇ぶべし。瀬能老成沈実《ちんじつ》、善《よ》く時勢を論ず、得やすからざるの人物なり。

明春江戸総崩《そうくづ》れは当然の事にて言を待たず候間、そがなかに本藩の一軍を独立して独往独来《どくわうどくらい》の処置をなさんこと、威を取り覇《は》を定むるも亦《また》此の一挙《いつきよ》に在り。有志の士何ぞ一度爰《ひとたびここ》に来り、君侯の御馬前にて討死して英名を千歳に伝へざるや。且《か》つ君侯の御備《おんそなへ》如何にも御手薄く候様伺《うかが》はれ候間、御国に罷《まか》り居《を》り候人々は何故夫《なにゆゑそ》れが心にかからざるや。心にかかり候はば、何故安心をして臍《ほぞ》を空《そら》にむけて居るろうか。不忠の臣、悪《にく》むべし、悪むべし。北条源蔵・⑶赤川淡水《あはみ》も帰国の由、桂・近藤・⑷弥之介など頻《しき》りに止《とど》め候へども止まり申さず、已《や》むを得ざるの由申し募《つの》り候。桂生などは君を憂ふるの心足らざるより起ると頻りに切歯《せっし》いたし候。肉食者は鄙《いや》し、総じて邸中の人一人として憂憤《いうふん》の人なし、嘆《たん》ずべし、嘆ずべし。明年二三月に至り候はば初めて気が付き申すべく候へども、夫《そ》れでは間に合ひ申さず候。

(5)長崎魯西亜《ロシア》の事如何《いかん》。越後新潟へ七月二十六日に異船五艘来《ごさうきた》るよし、未だ何国なるを知らず。併《しか》し英・払《ふつ》共に参り候様《やう》風説之れあり。

天下は天下の策あり、一国は一国の策あり、一家は一家の策あり、一人は一人の策あり。一人の策を積みて一家の策を成し、一家の策を積みて一国の策をなし、一国の策を積みて天下の策をなし候事、御努力是《こ》れ祈る。

治心気斎先生・中村道太・久保（清太郎）・山県老翁（与一兵衛）・中谷正亮・宍道（恒太）・諫早《いさはや》（生二）・妻木（士保）・児玉順蔵・福原清介如何《いかが》の模様をなす、鉄砲は打つか、学問はするか、兵学は止めはせんか、国家の為め努力此の時に候。(6)玉丈人《たまぢやうじん》海防の事定めて御繁務察し奉り候。何分《なにぶん》ともに御国の事、(7)筑州腹をするゐ、江戸へも拘《かかは》らず万全の備《そなへ》之れなくては叶《かな》はず。殿様御留守にては戦ができん様では、万石余りの知行は只喰《ただぐひ》なり。今は造舟造砲操練《はつか》等の儀、江戸伺《うかが》ひを待つに及ばざるべく察せられ候。(8)越州如何、国の為め努力し、祖先を忝しめざる積《つも》りか。

(9)田上卯兵太・東条英安等大砲懸《がか》りに成りたる由《よし》風説あり、如何。砲銃は西洋に如《し》くはなし、固執《こしふ》するなかれ、固執するなかれ。天下の公論、天下の公論。風《ふ》と思ひ出し感じ候は(10)菊池寂《じやく》阿《あ》なり。其の歌に

故郷《ふるさと》にこよひ計《ばか》りの命とも知らでや人の吾《わ》れを待つらん
こよひをことしと改作し、吾が歌と為して可なり。呵々《かか》。

八月八日認《したた》む　　　　　　　　　　　　吉田寅次郎矩方（花押）

匆々《さうさう》意を悉《つく》さず、後鴻《こうこう》とのみにて閣筆《かくひつ》。

家大兄　案下

尊大人・玉丈人へ別に書なし、多罪海恕《かいじょ》是れ祈る。

併《しか》し西洋砲がよいと云ふと、和流をおしつぶす様《やう》に成り、此れ亦《また》嘆ずべし。和流の上手《じやうず》は西洋をやりても上手、西洋の下手《へた》は和流も下手、何とぞ二つのものを兼ねて固陋偏執《ころうへんしふ》之れなく、国の為め一致して努力させかし。然らざれば不忠の臣なり、之れを斬《き》るも可なり。然れどもも術者は深く咎《とが》むるに足《た》らず。之れを用ふるは人の上たる者に在り。

〈語釈〉
（1）別紙　嘉永六年六月に、藩主に時世を痛論する意見書『将及私言』を差し出した。そのことを指す。（2）将及私言　注1参照。（3）赤川淡水　のちの佐久間佐兵衛。長州藩士。本姓は中村直次郎。元治元年（一八六四）、福原越後に従って上京。脱藩兵の鎮撫にあたったが失敗。帰藩後斬刑に処せられた。（4）弥之介　土屋矢之助。号は蕭海。松陰が下田で米艦乗込に失敗し入獄するや、最も熱心に奔走し、獄卒に門人をあてるなどの気を使った。文久元年（一八六一）、藩校明倫館助教。以後も志士としての活動は盛んであった。（5）長崎魯西亜の事　七月十八日ロシア使節極東艦隊司令長官プチャーチンが、軍艦四隻を率い長崎に来航した。（6）玉丈人　叔父の玉木文之進。この時文之進は長州藩唐船方にあり、藩の海防局に出仕しており、軍事国防のことに忙しかった。また叔父は松陰幼時の学問の師。(7) 筑州　毛利筑前。長州藩家老。国相についていた。(8) 越州　益田右衛門介。萩藩家老。弾正と号した。松陰に兵学を学ぶ。公武間の周旋に力をそそぎ、元治元年(一八六四)、堺町門で会津・薩摩兵に敗れ帰藩。徳山惣持院にて国司信濃とともに屠腹。(9) 田上卯兵太・東条英安　長州藩士。二人とも蘭学者。(10) 菊池寂阿　菊池武時。南北朝時代の勤皇武将。入道して寂阿と号した。従五位下肥後守となる。

六　玉木文之進　宛　嘉永六年(一八五三)九月十日　江戸より萩へ

佐久間象山は、日本が直面している難局打開策として、一日も早く優秀な人材を海外に送り、造艦術・航海術を学ばせ、また軍艦の購入にもあたらせるべきだと主張していた。松陰はこの考えに激しく動かされ、その任務を果せるのは自分以外にないと信じるようになった。幕府はあい変らず旧態依然のままでいた。しかも要職の者はみな固陋《ころう》であり、偏見に満ち満ちている。叔父の玉木文之進もこの一人で、和流兵法主義者であり、また頑固な国粋主義者であった。松陰はこの叔父をなんとか翻心させようと努力する。軍備・戦法の西洋化のためには、西洋の学問が必要であった。松陰も蘭学をはじめるがなかなかはかどらない。その苦心の模様をこの手紙は語っている。この後十八日、坐視するに耐えかねた松陰は、長崎に停泊中のロシアの軍艦に乗り込み渡航を企てようと、江戸を発つ。この手紙はその情熱の秘められたものである。

心事錯乱《さくらん》筆頭に尽し難く、万《よろづ》御推察願ひ奉り候。九月十日薄暮《はくぼ》初夜、寸暇《すんか》を得て此の書を作る。

今の俗吏《ぞくり》は天下国家の御大事を何事とも思はず、己が固陋偏執《ころうへんしふ》を以《もつ》て御上《おかみ》の御不覚とも相成るべき事を組立て候事、実に以て痛哭流涕《つうこくりうてい》長大息に堪《た》へざる事に御座候《ござそうろう》。江戸表《おもて》本藩の武備何とも覚束《おぼつか》なき事のみにて、先づ君臣上下否塞《ひそく》して情意通ぜざる事は今に始まらざる事に御座候。来春必ず大敗績は目前に見え候へども、今に太平気習《きしふ》にて安然《あんぜん》日を渉《わた》る事、巣幕《そうばく》の燕《えん》雀《じやく》とも申すべく、今は早や悪《にく》むに足らず、憐《あはれ》むべきの至りに御座候。扨て又小事とは雖《いへど》も器械は兵勢に関係在る事最も重きものなるに、邸吏《ていり》の議論は西洋の事は分釐《ぶんり》も用ひず、船は和船、銃は和銃、陣法は和陣法とのみ一図に凝《こ》り固まり、洋説をば一切《いつさい》入れず。剰《あまつさ》へ都下の諸名家に一人もかかる愚論之れなき故、風説かは知らざれども、(1)近藤晋一郎を(2)山鹿素水へやり其の説を聞かしむるの論起りしよし。素水が不学無術の佞人《ねいじん》たる事は勿論《もちろん》衆目のみる所、殊《こと》に此の度《たび》和戦の論起りしより(3)筒井紀州に佞《ねい》し、和議の説を唱《とな》へ人心を惑《まど》はし、自《みづか》らの立身出世を謀《はか》る悪《にく》むべき心術、亦《また》近藤も人意に満たざる人物なるにかかることあるは、素水を口実として西洋流を破るべき手段と察せられ候。先日は邸中にて海備芻言《かいびすうげん》大分流行、異《い》なる事と存じ奉り候処《ところ》、今日に至り初めて其の徴候見え申し候。(4)斎藤弥九郎・佐久間修理等も本藩銃砲船馬の事開けざるを甚《はなは》だ気の毒に思ひ呉れ候へども、致方《いたしかた》之れなく、亦《また》肥後人(5)永鳥三平なども同病相憐むの心にて、其の藩の武備も俗論多きより本藩の事をも頻《しき》りに心を用ひ呉れ候。(6)郡覚・道竜・浦家来白井小助など佐久間にて稽古仕《つかまつ》り候。桂小五郎・井上壮太郎、斎藤の説を信じ頻りに心を此の事に用ひ申し候。二人の精忠甚だ愛すべし。来原良蔵・中村百合蔵・栗屋彦太郎等、永鳥等と交よし、毎《つね》に反覆《はんぷく》弁論仕り候。何卒《なにとぞ》何《いづ》れよりなりとも銃砲船馬の四件、西洋にも勝《まさ》り候様いたし度《た》きものと存じ奉り候。(7)清水信濃家来手塚律蔵もと謙蔵と云ふ西洋学も余程《よ ほど》研窮《けんきゅう》、少しなりとも本藩に報《むく》い度《た》き志之れあり候へども、更《さら》に其の路《みち》なく、此の節は(8)佐倉侯の方の出入《でいり》となり居り候。あたら人材を他邦《たこく》の用に供し候事、如何《いか》にも口惜《くちを》しき事に御座候。西洋砲銃のことは一言にて断ずべく、故は、彼れは各国実験を経たる実事、吾《わ》れは太平以来一二の名家座上の空言、此の二つを以て比較致し候へば其の黒白判然に御座候。且つ孫子軍形・兵勢の二篇の理を熟覆《じゅくふく》致し候へば、西洋歩兵隊剣付筒《けんつきづつ》然《しか》らざるを得ざるの訳《わけ》明々に存じ奉り候。全体器械替《かは》れば兵制も従つて替ること必定《ひつぢゃう》の理に御座候へども、何分にも兵理を弁《わきま》へざる砲術家を以《もつ》て、兵理を弁へざる俗吏に説《と》き候ては何も埒《らち》明き申さず、佐久間・斎藤などは大分《だいぶ》兵理は分《わか》りたる男に御座候。扨《さ》て亦《また》如何《いか》にも言ふに忍びざる事には御座候へども、永鳥へ水戸の(9)藤田虎之助が申し候には、長州侯は文武の興隆と云ひ、国政筋《こくせいすぢ》何も残す所なき由にて明君と思ひ込み候処、当今の事に到り兵制さへ変ずる事能《あた》はざる位の様子、凡君《ぼんくん》に相違なしと申し候由。矩方是れを聞き候より骨も筋も之れが為め砕くるの思をなし、熟〻《つらつら》其の由来を相尋ね候へば、椋梨・(10)周布二人の固陋偏執より君上へ迄《まで》も悪名《をめい》を取らせ候事、如何《いか》にも残念至極《しごく》、閑昼静夜に此の事を思ひ廻《めぐら》し候へば、椋梨・周布が頭を刎《は》ねて君上の明を天下に顕《あら》はすべくかと幾度も〳〵思ひ出し候へども、再三思ひかへ候へば器械兵勢の末事を以て国家の名臣を斃《たふ》し候にも忍びず、只々慷嘆《ただただかうたん》するのみ。何卒今の武備は江戸諸侯の人数千人と積《つも》り、

大砲八門　野戦砲六封度《ポンド》、十二封度の間六門長ホウイツスル二十四封度二門　長さ六尺ほど

剣銃千口　士並びに従者雑卒足軽中間皆隊伍に組込み、邸中の人一人も備に組まれざるものなき様にいたし置きたきことなり。

和銃十匁百口　十匁筒中《あた》り名人を撰び本陣諸隊へ分付し、敵の隊長逞兵を狙撃す。

皆々其の製作善美を尽し候。扨《さ》て銃隊砲隊も一々西洋の規則に従ひ、毎日朝六ツより五ツ迄《まで》九ツより八ツ迄七ツより六ツ迄と定め、足軽中間《あしがるちゆうげん》に至る迄、是非とも一日一度宛《づつ》稽古仕らせ候様致《やういた》さずては、来春の野戦は出来申さず。又短兵格闘は本邦の長所なれども、かかる備《そなへ》之れなくては短兵格闘の士も其の長を施《ほどこ》す所御座なく候。又大砲⑪小早《こばや》議論何とも覚束《おぼつか》なし。政府人今以《いまもつ》て其の説を主張すると相聞き申し候。何卒俗論を排撃し、⑫フレガット船二《に》艘《さう》ほど来春迄に御《お》買入《かひいれ》之れなくては相済《あひす》まざる事に御座候。勿論《もちろん》幕府にも三十万石左右の侯国にはフレガット船二艘づつは備へさせ度《た》き積りの由なれども、今は幕府にさへ一隻もなき位の事故、諸藩へ号令すると云ふ訳にも参らず、併《しか》し何卒諸藩より願はれかしとの議論のよし、水⑬府の天狗《てんぐ》山国喜八郎私へ話し申し候。此の好機会あるに政府には船は和船とは何事にて御座候や。実に腸も亦《また》之れが為め九折するのみ。郡(司)覚(之進)話にも御国は井上・田北は⑭西洋を用ふる積りのよし、一段の事に存じ奉り候。孰《いづ》れ御国有相《ありまさ》の「短ホウイツスル」位にては事の用に立ち申さざるに付き、「長ホウイツスル」「野戦砲六封度《ポンド》十二封度」「ヘキサンス」「二十四封度カノン」「八十封度カノン」等追々鋳造《ちうざう》相成らずては相成らざる事に相考へられ候。此の後御鋳造に相成り候はば生兵法《なまびやうはふ》は大怪我《おほけが》の本《もと》に付き、西洋の原書にてしらべ度《た》し量寸尺毛髪もちがはぬ様にいたし度きものに御座候。飜訳書は度量寸尺の間違《まちがひ》山の如くにて引当《ひきあて》には相成らざる故、田上[15]・東条等へ切形《きりかた》を命じたきものに御座候。先日児玉亀之助佐久間へ参り色々話相《はなしあひ》申し候。第一火薬のこと、第二金合のこと、第三銃隊のこと迄論じ候へども、何分話には成り申さず。児玉が苦心は西洋には児童も知る所の規則之れあり、其の規則は児玉等絶えて知らざれば勿論小供あしらひにされ申し候。併《しか》し佐久間諄々《じゅんじゅん》教誨《けうくわい》いたし候へども、児玉未だ心服はせずして還りたる貌付《かほつき》に御座候。何も国の為めなれば、和流家も西洋法を兼ね学ばせ度《た》きことなり。勿論和流に熟したるものは西洋流をやりても上手に御座候へば、和流先生も左《さ》迄屈節《までくっせつ》にもあらず。若《も》し此の論に帰せざれば国の為めの忠臣に非ず。附《つけた》り、金合のこと西洋には銅へ錫《すず》を交《まぜ》るまでに御座候。銅の性はねばりあるものなり、故に迸炸《はうさ》の患《わづらひ》なし。然れども性柔なれば巣中《さうちゅう》あれ安し、故に錫を入るるは其の性を剛にしてあれざる様にする為めなり。然れども錫過《す》ぐれば金もろくして又迸炸の患あり。トタンは入らぬものと承れり。是れ耳学《じがく》なり、未だ深く金類分離術をば学び申さず候間、硝石《せうせき》金合等の事を強《し》ひて分弁せんと欲せば、分離術を学ばざれば事《こと》甚だ疎《そ》なり。是《ここ》を以て佐久間が問難《もんなん》一として児玉子答ふること能《あた》はず、徒《いたづ》らに切歯するのみ。

○矩方事頑健旧《きう》に依《よ》り候間、御放念祈り奉り候事。天下国家危急存亡《ききふそんばう》の際に臨み、平常の言語に暇《いとま》之れなく候。矩方東奔西走国の為めの積《つも》りにて、其の実は国の益にもならず、愧《き》赧《たん》の至りに御座候。

○南部[16]の一揆《いっき》も已《すで》に三発に及び、此の度は十一万人にて盛岡城を取囲み、役人をも打取りたるとの風説に御座候。尤《もっと》も此の頃の風説には又扱《あつかひ》にて一応退陣したるとも聞え申し候。一揆党中に辰吉なるもの歳十八、博学多才、之れが謀主たるよし。安《いづく》んぞ知らん陳《ちん》(17)渉《せう》・呉広《ごくわう》もかかるものに非ざることを。何分是《なにぶんこ》れにても民政海防一を欠《か》いで成らざる事相《あひ》分《わか》り申し候。

幕府(18)にも桜の馬場にて大砲鋳建《ちうけん》相成り、九ケ所たたらを初められたるよし。斎藤弥九郎・高(19)島四郎太夫等日々出勤、江川(20)の引受なり。併《しか》し名目はよけれども其の内には俗論山の如し、迚《とて》も来春大敗績なり。特に和議の燼今以《じんいまもつ》て消え果てず、時々燃え起り候由。水府・阿部等の正論にて僅《わづ》かに維持致し候迄なり。

矩方日々蘭学《らんがく》を修め候へども、中々其の功も墓行《はかゆ》き申さず。又云ふ、砲銃船迄《まで》は先づは天下の通論、馬に至り絶えて其の説を唱ふる者なし、況《いはん》や敢《あ》へて之れを行はんや。水戸には小金原の牧師を用ふる内存《ないぞん》、山国喜八郎内々咄《はな》し申し候。

先日赤川淡水《あかがはあはみ》(21)帰国、応接始末取帰り候に付き、御一覧成さるべし。実に以てあきれ果《は》て申し候。後に佐久間の跋《ばつ》あり、其の人平生の心事あの通りなり。然るに知らざる者は之れを誹謗《ひばう》して止まず、其の人となりを語りては則《すなは》ち之れを阿《おもねる》と謂《い》ふ。嘆《たん》ずべし、嘆ずべし。品川の砲台追々《おひおひ》御承知と存じ奉り候。是れ亦失策の甚しきもの、天下の公論一人の執拗《しつえう》を制すること能はず、廟堂無人《べうだうむじん》と云ふべし。感に触れ候のみ書記《かきしる》し差上げ申し候。家厳・家兄には別に書を呈し申さず候間、然《しか》るべき様御伝聞祈り奉り候。先日淡水帰国の節一書を呈し家兄へ当て候間、孰《いづ》れが先へ達し申すべくや。

飯田翁も益〻《ますます》壮栄の由、国の為め賀すべし。

頑侄矩方再拝

九月十日夜

玉丈人　案下

清水新三郎[22]へ一言の伝声之れあり候間、御序《おついで》に頼み奉り候。先年長崎にて初めて新三郎へ面会、数日邸中に居り候節、新三郎往時を思ひ起し嘆じ候は、百姓一揆[23]の時のことなり。謂《い》へらく、「あれ程の大変の伏したれば其の前兆もあるべきに、御両国食禄の臣幾百千人ぞや、一人としてこれに心付くものなきか、心付かずば不明の甚しきなり。又心付きながら知らぬ貌《かほ》して日を送り、一人として腹をさしだし直諫《ちよくかん》極言して、君上の御心を感悟《かんご》せしむることなく、徒《いたづ》らに君上へ悪名《をめい》をとらせ候は不忠甚しきなり。国家士を養ふ二百年、何の御為めぞや。かかる不明不忠のものに三十六万石をくひつぶさせ候事、如何《いか》にも恐れ多きことならずや」と云ひて涙数行下《すうぎやうくだ》り候事、今以て肝《きも》に銘じて忘れ申さず、郡司（覚之進）生と毎々《まいまい》思ひ出し語り合ひ候事に御座候。然《しか》るに来春の大敗績は恐れながら、君上の御身上も覚束なく、さればとて武門の本職、上は、天朝の為め下は万民の為め一歩も転移遊ばさるべき故なし。かかる場合、豈《あ》に前年百姓一揆の段ならんや。新三郎定めて前言は忘れ申す間敷《まじ》く候、如何《いかが》やと思ひ居り候と御伝声頼み奉り候。

〈語釈〉

（1）近藤晋一郎　国学者。名芳樹。国文学を本居大平に学ぶ。元治元年長州藩藩校明倫館の助教にあげられた。（2）山鹿素水　山鹿流兵学者。山鹿素行の後裔。この頃江戸で塾を開いていた。（3）筒井紀州　筒井政憲。江戸時代後期の南町奉行。川路聖謨とともにロシア使節プチャーチンと会見、交渉にあたった。(4) **斎藤弥九郎**　江戸時代末期の剣客。神道無念流。桃井春蔵・千葉周作とともに幕末三剣客の一人。(5) **永鳥三平**　幕末の志士。名は秀実。肥後熊本の人。(6) **郡覚・道竜・浦**　郡司覚之進・道家竜介・長州藩国老浦靱負《ゆきえ》。(7) **清水信濃**　清水美作親春。国司《くにし》信濃親相。ともに藩の老臣。二人を混合したものか。(8) **佐倉侯**　堀田正睦。江戸時代末期の幕府老中。下総佐倉藩主。井伊直弼大老就任ののちは、安政条約の際の不行届により蟄居を命じられた。(9) **藤田虎之助**　藤田東湖。幕末の儒学者。水戸学派。橋本左内・横井小楠らと交わり、その尊皇攘夷論は尊王派志士の指導理念となった。(10) **周布**　周布政之助。長州藩政改革の指導者。馬関戦争、禁門の変の敗北により、山口郊外で自刃した。(11) **大砲小早議論**　小早船に大砲を積みこみ、戦力を高めようという議論。(12) **フレガット船**　フリゲート船。簡易武装をした小型軍艦。(13) **水府の天狗山国喜八郎**　水戸の天狗党の山国兵部。元治元年、藤田小四郎らと筑波山に挙兵。失敗し越前で斬罪。(14) **井上・田北**　井上与四郎・田北太中。ともに長州藩の海防掛についていた。(15) **田上・東条**　田上宇平太・東条英安。長州藩士。砲術学・蘭学に通じる。(16) **南部の一揆**　南部領三閉伊地方の大一揆。二万五千人が参加した。およそ八千人は仙台領に越訴し、藩政改革を要求した。(17) **陳渉・呉広**　中国秦時代の人。秦の滅亡の原因となる乱を起こした。二人を列記して事の端初をなすことをいう。(18) **幕府にも云々**　嘉永六年（一八五三）八月、幕府は高島秋帆の禁錮を解き、江戸湯島桜之馬場に大砲鋳造所を設けた。(19) **高島四郎太夫**　高島秋帆。幕末の砲術家。長崎の人。安政三年（一八五六）、講武所砲術指南役になった。(20) **江川**　江川太郎左衛門。名は英竜。伊豆韮山の代官。海防に意を用い、秋帆に砲術を学び、江戸で教授した。(21) **応接始末**　嘉永六年（一八五三）六月九日、久里浜で行なわれたペリーら米使節との会見の模様を記した始末書。(22) **清水新三郎**　長州藩役人。嘉永三年（一八五〇）、松陰が九州を訪れた時、長崎聞役についていた。(23) **百姓一揆**　天保二年（一八三一）、山口・三田尻の皮騒動に端を発し、防長全土に一揆が拡大し、各所で庄屋・問屋が打ち壊された。

七　児玉千代宛　安政元年（一八五四）十二月三日　野山獄中より萩松本へ

松陰には四人の妹が居た。一番上が千代、ついで寿子・艶子・文子である。艶子はすでに幼死していたので、実質は三人の妹であった。千代は松陰と二歳違いで、児玉初之進の妻になっており、次の寿子は小田村伊之助に嫁し、一番下の文子は、こののちに久坂玄瑞の妻となった。

この千代に宛てた手紙は、松陰の女性観がよく示されたものとして有名である。たんに兄の立場からの訓戒といったものではなく、妹たちに対する深い愛情があふれており、繊細な松陰の神経が感じ取れる。獄中にあって、常に国事のことに胸を痛め、ペリー船乗り込みの失敗に憂憤していた松陰も、やはり家族のことを思う時は、国事の鬼ではなく一人の優しい人間に立ち返っていた。

十一月二十七日と日づけ御座候御手紙、並びに九ねぶ・三かん・かつをぶしともに、昨ばん相とどき、かこひの内はともし《（灯）》くらく候へども、大がい相わかり候まま、そもじの心の中をさつしやり、なみだが出てやみかね、夜着《よぎ》をかむりてふせり候へども、如何《いか》にもたへかね、又起きて御文くりかへし見候て、いよ〳〵涙にむせび、つひに夫《そ》れなりに寐入《ねい》り候へども、ま《（間）》なくめがさめ、よもすがらね《（寝）》入り申さず、色々なる事思ひ出し申し候。わもじは、父母様やあに様の御かげにて、きものもあたたかに、給物《たべもの》もゆたかに、あまつさへ筆かみ書もつ[1]まで何一つふそくこれなく、寒きにもきけ申さず候間、御安心成《な》さるべく候。そもじの御家おばさまも、御なくなりなられ候事なれば、そもじ万《ばん》たん心懸け候はでは相すまぬ事、ことにおぢさまも年まし御よはひ高く成らせられ候事ゆゑ、別して御孝養を尽し候へかし。又万子[2]も日々ふとり申すべく候へば、心を用ひてそだて候へ。赤穴[3]のばあさまは御まめに候や、御老人の御事、万事気をつけて上げ候へ。かかる御らう人は家の重はう《（宝）》と申すものにて、きんにも玉にもかへらるるものに之れなく候。そもじ事は、いとけなきをりより心得よろしきものとおもひ、一しほ親しくおもひ候ひしが、此のほど御文拝し入らざる事までも申し進め候なり。

三日　　　　　　　　　　　　　　大にい

別にくだらぬ事三四まいしたためつかはし候間、おととさまか梅にい[4]様に、読みよき様に写《うつ》してもらひ候へ、少しは心得の種にもなり申すべく候。扨《さ》て御たようの中にも、手習よみものなどは心がけ候へ。正月には、一日どもはやぶ入り出来申すべくや。どうぞあに様の御きう日をえらび参り候て、心得になる噺《はなし》ども聞き候へ。拙《それがし》も其の日分《わか》り候はば、昔噺《むかしばなし》なりともしたためて遣《つか》はし申すべし。又正月にはいづくにもつまらぬ遊事をするものに候間、夫《そ》れよりは何か心得になるほんなりとも読んでもらひ候へ。[5]貝原先生の大和俗訓・家道訓などは、丸き耳にもよくきこゆるものに候。又浄るりぼんなども心得ありてきき候へば、ずゐぶん役にたつものに候。

扨《さ》て又別にしたためたる文に付き、うたをよみ候間ここにしるし侍《はべ》りぬ。

　頼もしや誠の心かよふらん文みぬ先きに君を思ひて

右のしたためたるは、そもじを思ひ候よりふでをとりぬるが、其のよ《（夜）》、そもじの文の到来せしは定めて誠の心の文より先きに参りたるにやと、いとたのもしくぞんじ候まま、かくよみたり。

三日

凡《およ》そ人の子のかしこきもおろかなるもよきもあしきも、大てい父母のをしへに依る事なり。就中《なかんづく》男子は多くは父の教を受け、女子は多くは母のをしへを受くること、また其の大がいなり。さりながら、男子女子ともに十歳已下《いか》は母のをしへをうくること一しほおほし。故《ゆゑ》は父はおごそかに母はしたし、父はつねに外に出で、母は常に内にあればなり。然《しか》れば子の賢愚善悪に関《あづか》る所なれば、母の教ゆるがせにすべからず。併《しか》しその教といふも、十歳已下の小児の事なれば、言語にてさとすべきにもあらず。只《た》だ正しきを以《もつ》てかんずるの外《ほか》あるべからず。昔聖人の作法には胎教と申す事あり。子胎内にやどれば、母は言語立居《ものいひたちゐ》(形)より給《たべ》ものなどに至るまで万事心を用ひ、正しからぬ事なき様にすれば、生るる子、なりすがたただしく、きりやう人に勝《まさ》るとなり。物しらぬ人の心にては、胎内に舎《やど》れるみききもせずものもいはぬものの、母が行《おこなひ》を正しくしたりとてなどか通ずべきと思ふべけれど、こは道理を知らぬゆゑ合点《がてん》ゆかぬなり。凡そ人は天地の正しき気を得て形を拵《こしら》へ、天地の正しき理を得て心を拵へたるものなれば、正しきは習はず教へずして自《みづか》ら持得る道具なり。ゆゑに母の行ただしければ、自らかんずること更《さら》にうたがふべきあらず。是れを正を以て正しきを感ずると申すなり。まして生れ出て目もみえ耳もきこえ口ものいふに到りては、たとへ小児なればとて何とて正しきに感ぜざるべきや。扨《さ》て又正しきは人の持前とは申せども、人は至つてさときもの故、正しからぬ事に感ずるも又速《すみや》かなり、能々心得《よくよくこころう》べきことならずや。因《よ》つて茲《ここ》に人の母たるものの行ふべき大切なる事を記す。此の他ちひさきことは記さずとも、人々弁《わきま》ふる所なれば略し置きぬ。いろはたとへにも氏よりはそだちと申す事あり、子供をそだつる事は大切なる事なり。

一、夫を敬ひ舅姑《しうとしうとめ》に事《つか》ふるは至つての大切なる事にて、婦《よめ》たるものの行これに過ぎたる事なし。然《しか》れども是れは誰しも心得ぬものなれば申さずともすむべし。扨《さ》てかんにやう《（肝要）》は、元祖《ぐわんそ》已下《いか》代々の先祖を敬ふべし。先祖をゆるがせにすれば其の家必ず衰ふるものなり。凡そ人の家の先祖と申すものは、或《あるひ》は馬に乗り槍《やり》を提《さ》げ、数多度《あまたたび》の戦場にて身命を擲《なげう》ち主恩の為めに働きたるか、或は数十年役儀を精勤し尋常《よのつね》ならぬ績《いさをし》を立てたるか、或は武芸人《ひと》にすぐれたるか、文学世《よ》にきこえたるか、何にもせよ一かたならぬことありてこそ、百石なり五十石なり知行を賜はり、子孫に伝へたるなり。その以下の先祖と申すものも、夫々《それぞれ》御奉公其の節をとげたればこそ、元祖同様に知行を賜はりぬる事なり。この所を能々《よくよく》考へ、この一粒も先祖の御蔭と申すことを寐《ね》ても醒《さ》めても忘るる事なく、その正月命《しやうつきめい》日《にち》には先祖の事を思ひ出し、身を潔《きよ》くし体《からだ》を清め是れを祭り奉りなどすべし。又一事を行ふにも先祖へ告《の》り奉りて後《のち》行ふ様にすべし。さすれば自《おのづか》ら邪事《よこしまごと》なく、する事なす事皆道理に叶《かな》ひて、其の家自ら繁昌するものなり。もしこのこころえなく己が心まかせに吾儘《わがまま》一杯を働きなば、如何《いか》で其の家衰微せざらんや。聖人の教は死去《しにさ》りて世に居給はぬ親先祖に事《つか》ふること、現在の親祖父に事ふ如くすべしとあり。今親祖父現在し給へば何事も思召《おぼしめし》を伺《うかが》ひてこそ行ふべきに、世に居給はぬとて先祖の御心をも察し奉らず吾儘計《ばか》り働くは、是《こ》れを先祖を死せりとすと申す、勿体《もつたい》なき事どもなり。

註、婦人は己《おの》が生れたる家を出でて人の家にゆきたる身なり。然れば己が生れたる家の先祖の大切なる事は、生れ落つるとより弁《わきま》へ知るべけれど、ややもすればゆきたる家の先祖の大切なる事は思ひ付かぬ事もあらん、能々《よくよく》心得べし。人の家にゆきたれば、ゆきたる家が己が家なり。故に其の家の先祖は己が先祖なり。ゆるがせにする事なかれ。又先祖の行状功績《いさをし》等をも委《くは》しく心得置き、子供等へ昔噺の如く噺《はな》し聞かすべし。大いに益ある事なり。

一、神明を崇《あが》め尊ぶべし。大日本《やまと》と申す国は神国と申し奉りて、神々様の開き給へる御国なり。然ればこの尊き御国に生れたるものは貴きとなく、賤《いや》しきとなく、神々様をおろそかにしてはすまぬことなり。併し世俗にも神信心といふ事する人もあれど、大てい心得違ふなり。神前に詣《まう》でて拍手《かしはで》を打ち、立身出世を祈りたり、長命富貴を祈りたりするは皆大間違なり。神と申すものは正直なる事を好み、又清浄なる事を好み給ふ。夫《そ》れ故神を拝むには先《ま》づ己が心を正直にし、又己が体を清浄にして、外に何の心もなくただ謹《つつし》み拝むべし。是れを誠の神信心と申すなり。その信心が積りゆけば二六時中己が心が正直にて体が清浄になる、是れを徳と申すなり。

(6)菅丞相《くわんしようじやう》の御歌に、「心だに誠の道に叶《かな》ひなば祈らずとても神や守らん」。又俗語に、「神は正直の頭《かうべ》に舍《やど》る」といひ、「信あれば徳あり」といふ、能々考へて見るべし。扨て又仏と申すものは信仰するに及ばぬ事なり。されど強《あなが》ち人にさからうて仏をそしるも入《い》らぬ事なり。

一、親族を睦《むつま》じくする事大切なり。是れも大てい人の心得たる事なり。併《しか》し従兄弟《いとこ》と申すもの、兄弟へさしつづいて親しむべき事なり。然るに世の中従兄弟となれば甚だ疎《うと》きものおほし。能々考へて見るべし、吾《わ》が従兄弟と申すは父母の侄《をひ》なり。祖父母よりみれば同じく孫なり。さすれば父母・祖父母の心になりて見れば、従兄弟をば決してうとくはならぬなり。併しながら従兄弟のうときと申すは、元来父母・祖父母の教の行きとどかぬなり。子を教ふるもの心得べきなり。凡そ人の力と思ふものは兄弟に過ぎたるはなし。もし不幸にして兄弟なきものは従兄弟にしくはなし。従兄弟・兄弟は年齢も互に似寄りて、もの学《まなび》ては師匠の教を受けし事をさらへ、事を相談しては父母の命《おほせ》をそむかぬごとく計《はか》らふ、皆他人にてとどく事にあらず。此の処を能く考ふべき事なり。

茲《ここ》に一つの物語あり。吐《と》谷渾《こくこん》と申す夷国《えびすくに》の阿《あ》豺《さい》と申す人、子二十人あり。病気大切なりければ、弟の慕《ぼ》利《り》延《えん》を召《よび》て申すには「汝壱本《なんぢいつぽん》の矢をとりてをれ」。慕利延これを折りたれば、又申すには「汝十九本の矢をとりてをれ」。慕利延折る事あたはず。阿豺申すには「汝等能《よ》く心得よ、一本立なれば折りやすし、数本集まれば折りがたし、皆々一致して国を固《かた》めよかし」と。国にても家にても道理は同じ事なり。とかく婦人の詞《ことば》よりして親族不和となる事おほし、忘るべからず。

右に記しぬるは先祖を尊ぶと、神明を崇《あが》むると、親族を睦《むつま》じくすると、已上《いじやう》三事なり。

是れが子供をそだつる上に大切なる事なり。父母たるもの此の行あれば、小供は誰れ教ふるとなく自《おのづか》ら正しき事を見習ひて、かしこくもよくもなるものなり。扨《さ》て又子供やや成長して人の申す事も耳に入《い》る様《やう》になりたらば、右等の事を本《もと》とし古今の種々なる物語致しきかすべし。小供の時聞きたる事は年を取りても忘れぬものなれば、埒《らち》もなき事を申し聞かすよりは少しなりとも善き事を聞かするにしくはなし。

杉の家法に世の及びがたき美事あり。第一には先祖を尊び給ひ、第二に神明を崇め給ひ、第三に親族を睦じくし給ひ、第四に文学を好み給ひ、第五に仏法に惑《まど》ひ給はず、第六田畠の事を親《みづか》らし給ふの類なり。是れ等の事吾《わ》なみ兄弟の仰ぎのつとるべき所なり。皆々能く心懸け候へ、是れ則《すなは》ち孝行と申すものなり。

此の書付は阿千代(7)・阿寿等へ示し申すべくとて先日より胸中にたくはへ候処、所詮《しよせん》読書の閑《ひま》なく夫《そ》れきりにいたし置き候。昨朝無事故風《ふ》と思ひ付き認《したた》め懸《か》け候。又暮程《くれほど》に見候へば余り拙《つたな》き故止《や》め申すべくと存じ候処、夜中阿千代が文を見、涙を流し、所謂《いはゆる》鬼の目にも涙とやら云ふしにて、頻《しき》りになつかしく相成り候故、拙《つたな》きながら妹等へ遣《つか》はし申し度《た》く存じ候。久しく胸中に蓄《たくは》へたるを昨《きのふ》風《ふ》と筆を下し、其の夜千代が文参り候事、精誠の感通かとも思はれ候。拙きは何んとせう、御閑御座候はば半枚五行位に読みよきやうに御認め、両妹などへ御与へ遣はさる間布《まじ》くや。恐れながら尊大人へ御頼み仕り然るべくや、万々《ばんばん》宜《よろ》しく頼み奉り候。

三日　　寅じ

(8)姪阿万に与ふ

万也《まんや》当《ニ》二日《ニ》長《ズベシ》一。不《ルコト》レ見又一年。已《すでニ》免《はなレ》二父母《ノ》懐《ヲ》一。未《いまダ》レ立《タズ》二師傅《しふノ》前《ニ》一。仲父《ちゆうふ》坐《シ》二牢狴《らうへいニ》一。晨夕《しんせき》守《ル》二遺編《ヲ》一。愛《スルモ》レ汝《なんぢヲ》 無《シ》レ助《クル》レ之《ヲ》。道《いヒテ》レ古《ヲ》附《ス》二詩篇《ニ》一。王尊叱《しつシ》二九折《ヲ》一。孟母楽《ム》二三遷《ヲ》一。分陰《ふんいん》師《トシ》二陶侃《たうかんヲ》一。一経慕《フ》二韋《ゐ》賢《けんヲ》一。忠孝誠《ニ》可《シ》レ貴《ブ》。学問為《リ》二之《ガ》先一。万也汝善《よク》聴《ケ》。長江有《リ》二深淵一。

大二郎もの

阿妹千世より息《そく》万へ歌よみて給へ《一号きくそぢやない》と申し遣はしければ　のりかた

たらちねのたまふその名はあだならず千世《ちよ》万世《よろづよ》へとめよ其の名を

発句《ほつく》の事に付き申しこされ候趣《おもむき》承知致し候。どうぞ心懸けられ候へかしとぞんじ候。さして六ケ敷《むつかし》き事にはあるまじく候。存じ候所を申すべし。発句は趣向《しゆかう》をたててすべし。題に相応の趣向あるべし。たとへば梅の句なれば梅は体なり、夫《そ》れへ橋にてももつてむかふが則ち趣向なり、あとは句作りと心得べし。柳の句なれば柳は体なり、浪《なみ》は用なり、趣向なり、これへ句作りを付けてすべし。

浪《五文字》にたつ、涼しさ《七もじ》持ちて、柳かな《五文字》

古池に、蛙《かはづ》飛びこむ、水の音　古池は題なり、蛙は趣向なり、あとは句作りなり。

発句はただ心に思ふままを作るべし。

発句には必ず季節と申すものを入れねばあしし。春夏秋冬の類なり。春雨《はるさめ》、春風、秋の暮、冬枯《ふゆがれ》など、其《そ》の外《ほか》秋なれば、菊、熟柿《じくし》、霧《きり》、月、うら枯《がれ》、初鴨《はつかも》、尾花《をばな》、新酒《しんしゅ》、露時雨《つゆしぐれ》などのるゐ、一々数へがたし。此の間(9)当所にて出来たる発句左に出す。

うら枯や、只《ただ》さう／＼と、秋の風　　題うら枯

糸車、手もおだれけり、秋のくれ　　同秋の暮

初鴨《はつかも》の、行くかた哀し、秋間暮《あきまぐれ》　　同初　鴨

広野ゆく、吾《わ》が袖《そで》寒き、尾花哉　　同尾　花

朝霧《あさぎり》に、跡先《あとさき》知れぬ、縄手哉《なはてかな》　　同霧

図《はか》らずも、木の葉をちらす、秋の風　　同秋　風

珍《めづ》らしう、呼ばれて誉《ほ》める、新酒哉　　同新　酒

朝ぎりに、ぬれる帽子や、暮の秋　　同ゆく秋

此のるゐにて御考へ候て一二句読みて見給へ。

〈語釈〉

(1) 御家　千代が嫁していた児玉家をいう。(2) 万子　千代の長男万吉。(3) 赤穴　舅児玉太兵衛の妻の実家。(4) 梅にい様　実兄杉梅太郎。(5) 貝原先生　貝原益軒。江戸時代の儒学者。福岡藩の人。はじめ薬学を学ぶ。福岡藩医となり経済・教育にも手をのばした。(6) 菅丞相　菅原道真。平安時代の公卿、学者。遣唐使廃止の建議をした。(7) 阿寿　松陰の二番目の妹寿。小田村伊之助の妻となった。「阿」の文字は人を

親しく呼ぶときにつける。(8) 姪阿万に与ふ　甥の万吉に与えた詩。「万や当《まさ》に日に長ずべし。／見ざること又一年。／已に父母の懐を免《はな》れ。／未だ師傅の前に立たず。／仲父は牢狴に坐し。／晨夕遺編を守る。／汝を愛するも之を助くる無し。／古を道《い》いて詩篇に附す。／王尊九折を叱し。／孟母三遷を楽しむ。／分陰陶侃を師とし。／一経韋賢を慕う。／忠孝誠に貴ぶ可し。／学問は之が先為《た》り。／万や汝善く聴け。／長江深淵有り」。(9) 当所　野山獄。松陰は獄中で俳句の秀れたものを師に立て、句会を設けていた。その時の作品で、松陰自身の句以外も含まれている。

八　杉梅太郎宛　安政二年（一八五五）正月某日　野山獄中より萩松本へ

松陰の向学心は、その死に至るまで、遂に消え去ることはなかった。獄中にあっても普段と変わることなく、いやそれ以上に熱心に勉強に励み、読書に多くの時間が費された。この手紙は松陰が、兄の経学のすすめに対して返事を出したものである。かつて松陰は兵学と経学のいずれを選ぶべきかと悩んだことがあった。数年の研鑽によって、松陰は史学こそ学問の中心になるべきだと考えるに至ったのである。その松陰の学問観を知る上で、この手紙は興味深い。兄が経学を重要視するのに対し、松陰はあくまでも歴史学を主張している。最後に読書に多忙な獄中での様子を、嬉々として書いている。

久保より何よりの品下され其の器物返上仕り候間、悪しからず御礼頼み奉り候。

○経学《けいがく》へ基《もとづ》かぬ学文《がくもん》にては捌《さば》け申さずとの御事、寅(1)も左様《さやう》思はぬにても御座なく候。像山翁《ざうざんをう》経学者にて、往年従遊せし時も論語を熟読すべき由段々《だんだん》かたり、寅其の時は甚だ然《しか》らずと申し、歴史を読んで賢豪《けんがう》の事を観《み》て志気を激発するに如《し》かずとのみ申し居り候処、象山云《い》はく、「夫《そ》れでは間違が出来る」と。然れども遂《つひ》に其の言に従はず。象山又(2)羽倉を随分《ずゐぶん》誉め候へども、道を論ずる時は其の徒《いたづ》らに歴史に耽《ふけ》り経術に疎《そ》なるを誹《そし》り、又兵を論ずれば其の徒らに漢土を知りて西洋を知らざるを誹る。象山と同じく獄に繋《つな》がれし時、交代寄合(3)本堂内蔵助家来《けらい》何がしが事を論ずるにも、春秋の大義を以《もつ》て、「学に深きに非ざれば是《ここ》に至り難し。彼れ無学ものにや、其の善く是れを為すは奇なり」と。何某百姓牢へ入り且つ一夜居りたるのみにて出牢せし故、姓名等も審かにせず、遺憾とす。生国は加州人のよし。其の復讐の事実は母に密夫ありて其の父を殺す、其の子怒って出奔し謀を尽し、遂に其の密夫を殺すを得たり。此の処六ケ敷《むつかし》き所にて、密夫を殺せば実の母も必ず官より罪を得る事灼然なり。然れば実父の復讐はなしたれども、又実母の命を失はすること孝子の道に非ずと、此れ流俗の見なり。浮屠日命なども此の俗見を免かれず。象山則ち春秋の大義を挙げて曰く、「実母と雖も已に賦に党するは亦讐なり、断然決せずんばあるべからず」と。象山毎事経術を以て事を論ずる、此くの如し。扨て其の何某は頗る奇なり。対吏の時、吏、母の状を問ふ。何某唯だ云はく、「其の所在を知らず」と。吏之れを置きて復た問はず。蓋し孝子の心を保全するなり。又肥後《ひご》に到りし時、(4)横井平四郎が党某《たうぼう》、頻《しき》りに寅に経学を進む。又平四郎が学風も大略承り置けり。朱子学をすると言ふ日には、今の(5)明倫館《めいりんくわん》あたりの風では少し憾《うら》みあり。夫れで寅も一つ遣《やつ》て見ようかと思はぬにてもなし。然れども史を観るの益あるに若《し》かずと思ふ心遂《つひ》に止まず。已《すで》に孔子も空言より行事が親切著明とて春秋を作り、孟子も動《やや》ともすれば、(6)伊尹《いゐん》・周公・伯夷《はくい》・柳下恵《りうかけい》を初め昔聖賢の事実のみを称道す。然れば心を励まし気を養ふは、遂に賢豪の事実にしくものなし。抑〻《そもそも》高説の経学へ基かぬ学文にては捌けぬとある捌けぬ廉々《れんれん》何事にや、詳《つまびら》かに教を承りたし。今竊《ひそ》かに其の件々を挙げて見、又論評を下すこと左の如し。

一、経術に通ぜざれば、道を見ること分明ならず。平生は忠孝節義も罵《ののし》れども、大節に臨みて保《ほ》し難《がた》し。

寅は謂《い》へらく、道は見得て分明、践《ふ》み得て真切ならんことを要す。分明と真切とは経書を読む読まずにあらず、平生の工夫覚悟にあり。必ず死生《ししやう》の途に於《おい》て分毫《ふんがう》も惑《まど》ふ所なくば、其の大略を得たり。寅此《ここ》に於ては見得て分明、敢《あ》へて古人に恥《は》ぢず。況《いはん》や(7)靖献遺言《せいけんゐごん》や外(8)史の平氏伝此の間みる所に就いて云ふを見るに付けても、愈〻益〻《いよいよますます》激昂《げきかう》す。

一、経術に通ぜざれば、断じ難きの事を断ずる能《あた》はず。人間の事には六ヶ敷き事あるものなり。本邦南北朝、又神器の論、又北条や尊氏の譜代《ふだい》の家来の処置、又異国にても歴代の簒《さん》譲《じやう》、(9)三国の正統、其の外《ほか》色々あり。寅は謂へらく、春秋は読まざるべからず。其れ以下歴代の史を歴観《れきくわん》し、其の断じ難き所は古人の衆論を以て己《おの》が工夫を加へば、人間の大義自ら明かならん。又経書を読むに勝らんか。

又経学と云ふにも和漢とも色々あり。古今の衆説を湊会《そうくわい》折衷《せつちゆう》して或は考拠《かうきよ》をなし、或は援引《ゑんいん》をなして一家の説を立つるものあり、又純一に(10)朱学を尊奉《そんぽう》し、理や性や気や心や天や太極や五行や陰陽やのことを、根を尋ね葉を拾ひ精研《せいけん》するもあり。又大義のある処を専《もつぱ》らに論じ、春秋を主とし又(11)三礼《さんらい》等を究《きは》め経済有用の学をするも亦《また》経術なり。高説、経術とばかりありて其の詳を云はず。其の言簡奥《かんあう》、寅等の如き悟る能はず。願はくは更に其の詳説《しやうせつ》を得たし。全体歴史家者と云へば重みがなく、経学者と云へば高大なる故、兎角《とかく》経学経学と云ふ悪習あり。是れは偽作《ぎさく》なり、尤《もつと》も悪《にく》むべきなり。凡《およ》そ学問と云ふは手博《てびろ》きことにて、寅自ら才力を顧みるに中々博学と云ふ今には数経に通ずるを博学と云ふ、亦其の意なりことは迚《とて》も出来難し。先づ歴史学とか朱子学とか、春秋か書経か易か、漢の世専門の学あり、寅謂ふに、真に精研せんと思はば皓首に至るとも一経か二経の外は迚も及び難し根本とする処を定めねば相成らず、あれもやりかけ、これもかじりくさしにして頓《とん》と首張《くびは》りくさし、帯には短し手拭《てぬぐひ》には長し、糞《ふん》どしにするは惜《を》し、仕様《しやう》のなき代物《しろもの》と相成るべし。何も御教示待ち奉り候。正月早々から多忙《たばう》多忙、外史も読まねばならず、詩も作りたし、信玄全集（亦福川の本のよし）も借つたし、遺言も覆読《ふくどく》し懸《か》けた。(12)入蜀記《につしよくき》一読甚だ面白し、今一読と思ひ候。中庸も初めの方二三枚読懸《よみか》けあり、大学は一読詩も吟詠《ぎんえい》したし。扨《さ》て夫《そ》れに又どうも唐土の歴史が読みたい。喜ぶべきは春永《はるなが》〳〵。

〈語釈〉

(1) 寅　寅次郎。松陰自身のこと。(2) 羽倉　通称は外記。簡堂と号した。水野忠邦が老中のとき、納戸頭となる。のち『海防私策』を著わし攘夷論を唱えた。(3) 寄合　旗本で家禄三千石以上または布衣《ほい》以上の者で、無職の者をいう。(4) 横井平四郎　横井小楠。幕末の政治家・思想家。熊本藩士。のち招かれて福井藩の政治顧問となり、藩政改革を指導した。明治新政府の徴士・参与となったが保守派に暗殺された。(5) 明

倫館　長州藩藩校。(6) 伊尹・周公・伯夷・柳下恵　それぞれ殷・周・殷・魯につかえた賢相。(7) 靖献遺言　江戸時代初期の儒学者浅見絅斎の著書。楚の屈原から明の方孝孺《ほうこうじゅ》まで、不遇であったが節義を失わなかった八人の遺文・略伝を記す。また日本歴代の忠臣・義士の行状も附載されている。(8) 外史　江戸時代後期の史論家頼山陽の著書『日本外史』。漢文体による武家時代史。志士たちに与えた思想的影響は大きい。(9) 三国　漢時代末に興った魏・呉・蜀の三国をいう。(10) 朱学　朱子学。宋の朱熹がはじめた。(11) 三礼　儀礼・周礼・礼記。(12) 入蜀記　宋時代の詩人陸放翁の紀行書。

九　黙霖宛　安政三年（一八五六）九月一日　萩松本より旅先へ

安芸の傑僧といわれた宇都宮黙霖《うつのみやもくりん》は、松陰の国体思想に大きな影響を与えた。松陰との出逢いは安政二年九月で、萩を訪れ、土屋蕭海の家に逗留していた黙霖が、松陰の『幽囚録』を読み感激したことに始まる。松陰・黙霖の往復書簡は、松陰の思想的な発展の経過を知る上で重要なものであり、二人の間に交わされた『勤王問答』は有名である。黙霖は松陰の誤りを鋭く指摘し、松陰も熟考のすえ、承服すべきものに対しては素直な態度をとっている。

この手紙も、前半は黙霖の教導に対して、松陰が謝意を述べたものである。また後半では、長州藩が古くから皇室と深い関係を持っていたこと及び松陰の皇室に対する忠誠心と、暗に討幕の意志を表明している。この黙霖は、安政の大獄によって松陰らとともに捕らえられるが、僧籍の身をもって許された。

客月《かくげつ》念四日の書忙手拆読《ぼうしゆたくどく》、反復上人の厚情に感泣《かんきふ》、謝する所を知らず候。一々申すも暢舌《ちやうぜつ》に近ければ略す。(1)奚疑園の事は僕が曲説《きよくせつ》、(2)仏澄の事は僕が誤読、何も弁ずべき様なし。両条とも(3)前次の貴書にて悉《ことごと》く発蒙《はつもう》致し候。今書又々詳悉《しやうしつ》仰せ下され、忝《かたじけな》く其の賜《たまもの》を拝し候。こののちは復せずして可なり。誤読は粗心と浅見に坐するなれば、当《まさ》に往《のち》は之れを慎むべきのみ。前次実に未だ(4)王民の王民たる所以《ゆゑん》を知らざりし故、強《し》ひて当世の用とせんとせしこと、仏澄を以て誣《し》ふるの起りにて、僕前言の失、多く此の中より来る。然れども今亦《また》其の非を暁《さと》る、幸に懸念《けねん》するなかれ。此の事上人蕭海《せうかい》を去る前夜略《ほ》ぼ申上げ候。多言を待たずして上人蓋《けだ》し之れを知らん。

○高教多少の事あり、一々感銘、然れども一句に尽し畢《をは》る。「五六年中、読書を務め神気を養ひ、以て朝廷を崇奉《すうほう》するの素志《そし》を堅固にし、切に妄動《まうどう》を禁じ、切に冗語《じようご》を誡《いまし》めん。其れ是れのみ」と。

僕(5)三余七生等の意、素《もと》より茲《ここ》に志なしと謂《い》はず。然れども操を立つること固ならず、兎《と》角妄《かくまう》に出で冗《じよう》に渉《わた》る、嘆ずべし。因《よ》つて一話あり。上人念六夜回錫《くわいしやく》萩に入られしことは即夜承《よろ》り候。是れより先き僕深く厚意に感じ、須佐へ向け一書を贈らんとせしかども都合宜しからず候処へ幸ひ御回錫故、例を破りて一面すべしと色々父兄に向ひ議論も致し候へども、官禁弛《ゆる》め難《がた》く、僕鬱悶炎発《うつもんえんはつ》、五内《ごだい》焚《や》くるが如し。而《しか》して上人書を留めて高踏《かうたふ》す。之れを読みて憮《ぶ》然《ぜん》、結末に至りて茫然自失《ばうぜんじしつ》、噫《ああ》、是れ亦妄動《またまうどう》なりしとて絶倒致し候。是れ上人の慮《おもんぱか》る所ならん、然れども上人は放狂に託して優悠《いういう》せらるるよし。僕は絶えて放狂せず、却《かへ》つて妄動にて時々神気を鼓舞《こぶ》するの気味もあり。唯《た》だ前に云ふ所の感銘に至りては決して徒然《つれづれ》には属し中さず候。御気遣《おきづか》ひ下さる間敷《まじ》く候。

已下《いか》別事《べつじ》

上人は定めて御存知ならん、且つ他人より見ては笑ふべき事なれども、鄙藩《ひはん》にては栄例故《ゆゑ》申上げ候。鄙藩にては先祖洞春寺殿(6)永禄三年、正親町院《おほぎまちゐん》(7)御即位の料を献ぜられ候時の旧例に任《まか》せ、今に至るまで勧修寺家(8)執奏《しつそう》あり。毎歳年頭歳暮の御祝儀白がね百両づつ之れを献ぜられ、女房奉書も勧修寺家に対せられ差出《さしいだ》され候等の事に感じ候にや、主人代々　天家尊崇の志は厚くあれども、所謂《いはゆる》時勢時勢の腐儒俗吏《ふじゆぞくり》に事々誤られ申し候。就中甲寅《なかんづくきのえとら》秋摂津《せつつ》の海へ魯賊《ろぞく》の船来り候節、家臣共《かしんども》と会議の上、早速物頭《ものがしら》一組京城守護の為め上京致させ、　天気伺《うかがひ》をも仕り度く願出で候処、是れは関東の差図《さしづ》に任《まか》すべしとの事故、関東へ申達《まをしたつ》し候処、関東の教には、　天気伺には及ばずとの事にて、物頭は一組を率《そつ》して空《むな》しく帰る。他の大藩いかがありしにや、僕之れを　詳《つまびら》かにせず。鄙藩主人　天朝を尊奉するの微衷《びちゆう》は斯《か》くの如し。其の事ならざるは僕輩臣民の罪なり。且《か》つ又《また》事の起源存ぜず候へども、鄙藩世子(9)《せいし》近年長門守に任ぜられ、　天朝より口宣下《こうせんげ》され候。是れ亦鄙藩にては曠古《くわうこ》の事にて、九重の叡慮《えいりよ》何如《いかん》と只々《ただただ》感泣惶恐《かんきふくわうきよう》するのみ。僕此の事他日云ふべし。僕　天家に心を傾くるも、初発は是れなり。多言すれば涙涙《るゐるゐ》、当主の特恩を受け候事海嶽《かいがく》未《いま》だ比する所を知らず。小少より講《かう》筵《えん》に侍し親しく奨励を蒙《かうむ》りし身分にて、特に当主の志は全く　皇室を奉ずるに在り。　皇室に於ても鄙藩を視ること洞春寺殿の旧時に異らせ給はざるにやと、彼れを思ひ此れを思ひ候へば、寝て寐《ね》られざる程に骨髄《こつずゐ》に徹し勿体《もつたい》なく候。尚《な》ほ是れに就いては申し度きこと多しと雖《いへど》も、他日天縁を得るの日ならでは申し難く候。此の物語は知らざる者へは必ず〳〵御無用に御座候。前に申上げ候通り他人より見ては咲《わら》ふべき事なれども、鄙藩にては独り然らざるなり。富永より上人へ呈し候書も一見仕《つかまつ》り候、御復書之れなき由も黙識せり。有隣も折角《せっかく》復書なきを怪《あや》しみ居りし様子なり。両度の御伝語は其の儘《まま》差越し示し申し候。且つ上人深く足下に感ず、自今愈〻益〻《いよいよますます》　皇室を尊崇あらば往復を仮《か》らずして黙契の日あらんと御申しなるよしを繰返し申し遣はし置き候。有隣頗《すこぶ》る敏慧《びんけい》、他日必ず自ら悟るの時あらんと存じ候。此の書貴寺へ向け持出し置き候。何《いづ》れの日か上人の手に到らんや、到るの日僕が故態を認めて給へ。贈《おく》らるる鏡は時々取出し、自ら照して高心を照さんと欲するのみ。

九月朔日認む　　　　　　　　二十一回寅再拝

安芸王民霖公　座下

菊

千里経て香《か》なり届けや菊の花

此の菊僕の手栽なり、然れども亦《また》天公の雨露《うろ》を受けて発《ひら》くもの。

潤《うるほひ》は御園に均《ひと》し野辺の菊

〈語釈〉

(1)　奚疑園の事　安政三年八月十八日、黙霖宛の手紙の内容を指す。「上人、園に名づけて奚疑と謂ふ、蓋し淵明帰去の義に取れるなり。然れども淵明に取る所のものは、国亡びて賊に臣たらざるに在り、帰去に取るあるに非ざるなり。而して上人は其の奚疑を取る。僕私かに心愴然として之れを悲しむ。已に又仏澄に取りて自ら比す」この松陰の手紙に対し默霖が反論をし、その説に降参したことをいう。陶淵明の「帰去来辞」の末尾に「夫の天命を楽しんで復た奚ぞ疑はん」とある。（2）仏澄の事　十八日の默霖との往復書簡で「僕此の御心を余りに残念に存じ、覚えず仏澄に比せしは実に過言妄語なり」と述べるのに対し默霖は「過言には非ず。足下文をあやまりよむなり。前後の文勢にてよく知れる文を曲げて吾れを誣ふるを云ふ」と答えている。（3）前次の貴書　默霖の松陰宛の手紙。「幸に再び両眼を開いて之れを見よ。思半ばに過ぎむ。僕未だ自ら仏澄に比せざるなり。而して足下の言の短き、僕明答たるを知らず。敢て乞ふ、更に明答を致せ。抑も石勒は人臣にして君上を蔑にす。其の敬する所は仏澄なり。僕死すと雖も仏澄たるを欲せざる。前後の勢太だ審かなり」とある。（4）王民　默霖の号。（5）三余七生　松陰の『野山獄文稿』にある「三余説」及び『震幽室文稿』の「七生説」のこと。前者は現在の自分の身には余るものとして、君主の恩・日月の光・生命の三つをとりあげ、これに感謝の気持を現わしたもの。後者は、国威伸長のための自分の意志は、綿々と受けつがれ、決して肉体のように消えさるものではないと書いたもの。（6）洞春寺殿　毛利元就。戦国時代の武将。初め大内氏に仕えたが、のち大内氏の跡をついで、周防・長門をはじめ中国地方十ヵ国を有する、天下最大の大名となった。（7）正親町院　第百六代天皇。永禄三年一月、毛利元就の献上金によって即位した。（8）勧修寺家　藤原冬嗣の六男良門の子孫。正親町天皇即位の時、毛利元就の即位料献納の伝奏役を務めた。（9）世子　長州藩世子定広。のち元徳と改める。幕末常に藩主にかわり、藩士の指導にあたった。

十　月　性　宛　安政五年（一八五八）正月十九日　萩松本より周防遠崎へ

安政二年（一八五五）十二月十五日、松陰は獄を許され、杉家に禁錮ということになった。しかし謹慎の身であったが、かれは子弟の教育に力をそそぎ、また近隣の者たちも密かに松陰のもとに通い、その教えを進んで受けた。安政四年（一八五七）十月、ハリスが江戸城に入り、和親通商のことを強要したと聞くや、再び松陰の憂憤の情は燃えあがり、松下村塾の門弟たちと、時勢の討論・研究を盛んに行なうようになった。そのため藩校明倫館との対立は深まり、かれらは松陰らの討論会を徒党の集まりであると非難するに至った。

海防僧とあだ名された攘夷論僧月性と、松陰は在獄中から文通をはじめていた。この明倫館との対立という事態に、熱烈な攘夷論者である月性を萩に呼び、調停を頼むとともに、同志たちの志気を一層盛り上げようと松陰は考えたのである。これはその催促の手紙である。月性はこれに応え、二月の中旬に萩にやって来た。その尊皇攘夷論に、人々は大きな感動をうけ、松陰の計画は図に当ったのである。

爰《ここ》に大いに困迫《こんぱく》仕り候事体《じたい》出来《しゆつたい》申し候。先便にも略《ほ》ぼ申上げ候通り、六十四国(1)は悉《ことごと》く墨夷《ぼくい》に相成り候とも、二国(2)計《ばか》りは確乎《かくこ》として特立《とくりつ》して、天下恢復《くわいふく》万国撻伐《たつばつ》の基本と相成り候様にと同志と商議仕り候処、時勢時勢と申す論起り、道太(3)・松如大いに不同意。尤《もつと》も松如一夕《いつせき》来宿、道太も一日来話、其の節は同心の申分《まをしぶん》に候処爾後《じご》大いに其の説を変じ、僕等を徒党を結び候様申し触れ、又僕を胸中閑日月《かんじつげつ》なしと詈《ののし》り、種々の悪言家兄に集まり申し候。而《しか》して政府の諸公は陳叔宝《ちんしゆくはう》(4)の遺風を慕はれ候か、詩酒の会陸続《りくぞく》之れあり候。拙者《せつしや》は近来は丸《まる》に慷慨《かうがい》は打止め、時務も論ぜず、上人の不興を蒙《かうむ》り候程に之れあり候処、此の節の夷情《いじやう》にては中々黙々仕《つかまつ》り難く、今は死生も毀誉《きよ》も拘《かかは》らず、一向に皇国君家へ一身差上げ申し候。而《しか》して道太・松如不同心にては僕は孤立狗死《いぬじに》に相違《さうゐ》之《こ》れなく、夫れも恨《うら》みず候へども、吾《わ》れ死せば本藩は悉《ことごと》く淪胥《りんしよ》と覚え候。是れに仍《よ》り来原（良蔵）生至極《しごく》慕はしく存じ候処、来原の書中には委曲《ゐきよく》之れなく候へども、墨夷に吾が国を開いて貰《もら》ふを愉快とするに似たり。此の所吾が師象山甚だ活眼《くわつがん》あり。大意吾が国より人を開くは妙、左候《ささふら》へば通信通市も心の儘《まま》なり。人に開かれ涙出でて呉《ご》に妻《めあは》す分にて迚《とて》も国は持ちこたへ得ざるとなり。僕其の説に服す。又此の内の伊娑菩喩《イソップゆ》言得《げんとく》と見候へば一々今日の夷情尽《つく》せり。いかんせん。左候へば僕が一身は申すに足らず候へども、神国も吾が藩も今日限りに相成り申し候。上人何卒《なにとぞ》(5)金革の事は去喪《きよさう》の義も之れある事に候間、早速御決策《ごけつさく》御出府は出来申す間布《まじ》くや。左候はば天下の大計《たいけい》一夕の話に決し度く存じ奉り候。若《も》し上人御憐愍《ごれんびん》之れなく候へば、僕誠に恥づべきの至りに候へども徒然の死を遂げ、天下の士に愍笑《びんせう》せらるるなり。悲しいかな。慷慨《かうがい》極まり語に倫次《りんじ》なく候。御推読御垂察《ごすゐさつ》頼み奉り候。

応接書二巻差出し申し候。ミニストルを江都におき、(6)万国の通商、政府に拘《かかは》らず勝手に出来候へば、神州も実に是れきりに御座候。何とも一措置《いちそち》なくて相済み申すべくや。幾重に思ひかへ候ても、此の時大和魂《やまとだましひ》を発せねば最早《もはや》時は之れなき様覚え申し候。秋良へ別に書なく候間、近日の措置は如何《いか》に候や、覚束なく候。何卒《なにとぞ》上人の御出府を希《ねが》ひ候。御出府手間《てま》取《ど》り候はば御高論の大意相伺《あひうかが》ひ度《た》く存じ奉り候。二十一回猛士は大体膝《ひざ》を屈せぬ男子、事に沮喪《そさう》はせぬ男子なるが、此《こ》の度《たび》道太・良蔵等に論をきき志気大いに沮喪、上人の前に膝の屈するを覚えず候。併《しか》し是れも一腔《いつかう》の忠の字かと御愍笑下さるべく候。

正月十九日　　　　二十一回生

清狂老上人　座下

〈語釈〉

（1）六十四国云々　全国六十六国のうち六十四国（幕府）はアメリカの要求をいれ、和親条約締結のための勅許を願い出た。（2）二国　周防・長門の二国。（3）道太・松如　中村道太郎・土屋蕭海。（4）陳叔宝　周代の陳国の君主で、詩《し》酒管弦《しゅかんげん》に耽《ふけ》り、ついに国を亡ぼした。（5）金革　金は戈・刀をいい、革は甲冑の類をいい、ともに兵器を指す。転じて戦争の意味となる。（6）万国　各藩をいう。

十一　某宛　安政六年（一八五九）正月十一日　野山獄中より

安政の大獄の魔手は、松陰の身にも及んだ。安政五年（一八五八）十二月五日、かれのもとに再び投獄令が届き、松陰は行動の自由を失うのである。しかも時勢は幕府専制という、かれの恐れていた方向に突き進んでいた。それを食い止めるためには皆が立ちあがらねばならない。それにはまず藩主の江戸参覲《さんきん》を止めることであった。藩府はただ幕府を恐れ、いいなりになろうとしている。江戸で藩主が人質にされれば、思うように勤王の実をあげることは出来ない。それなのに蹶起しようとする志士もいない。久坂玄瑞も中谷正亮も高杉晋作も自重論を唱え、師である松陰に反対する。それが松陰にはますます腹立たしかった。その憤懣やる方のない気持が、この手紙となって現われた。

宛名は不明であるが、同志のものに宛てたものであろう。後半も欠文になっている。「僕は忠義をする積り」の一語は、まさに松陰の真実吐露であったろう。

今日は亡友重輔（1）が命日なり。僕生《せい》を獄舎《ごくしゃ》に偸《ぬす》み、亡友に九泉《きゅうせん》に恥《は》づるなり。最早《もはや》国家の一大変と申すものに付き、（2）清末《きよすゑ》・岩国に走るも苦しからず、恐れながら君公へ輿《よ》訴《そ》も苦しからず。国相府の定算何如《いかん》。御参府論も夫《そ》れなりにして置く積りか。国相府尚ほ命《めい》脈《みゃく》あらば、君公へ申上げ様《やう》も之れあるべき事、（3）前田諸人も役目を捨てて論ずる事は迚《とて》も出来まじ、併《しか》し浅智な事。今日極論役目を替《か》ふる事相成り候へば、行府の奸吏《かんり》傾覆《けいふく》の後は立派な事なるが、夫れが出来ぬとは扨《さて》も〳〵。沢山な御家来の事、吾《わ》が輩《はい》のみが忠臣に之れなく候。吾が輩皆に先駆《さきがけ》て死んで見せたら観感して起るものもあらん。夫れがなき程では何方《なんぼう》時を待ちたりとて時はこぬなり。且つ今の逆焔《ぎゃくえん》は誰れが是れを激したるぞ、吾が輩に非《あら》ずや。吾が輩なければ此の逆焔千年立つてもなし。吾が輩あれば此の逆焔はいつでもある。忠義と申すものは鬼の留守の間に茶にして呑むやうなものではなし。吾が輩屏息《へいそく》すれば逆焔も屏息せようが、吾が輩再び勃興すれば逆焔も再び勃興する、幾度も同様なり。其の内には御参府も相成り、仮令《たとひ》天下無事にて御帰国が出来候とも、吾が輩逆焔と相抗するは矢張《やは》り前の通りなり。其の内に　天朝の御論もどうとか片付くか寐込《ねこ》むか、なんにしても勤王の間に合ひ申さず候。桂は僕無二の同志友なれど先夜此の談に及ぶこと能《あた》はず、今以《もっ》て残念に覚え候。江戸居の諸友久坂・中谷・高杉なども皆僕と所見違ふなり。其の分れる所は僕は忠義をする積り、諸友は功業をなす積り。さりながら人々各〻長ずる所あり、諸友を不可とするには非ず。尤《もっと》も功業をなす積りの人は天下皆是れ。忠義をなす積りは唯《た》だ吾が同志数人のみ。吾れ等功業に足らずして忠義に余りあり。幾回《いくへ》も罪名論行詰《ゆきつ》めざる事、僕一生の過《あやまち》なり。（後文闕）

〈語釈〉

(1) 重輔　金子重輔。志士。変名渋木松太郎。安政元年（一八五四）、松陰とともに米艦に乗り込み渡航を企てたが失敗、下田で獄についた。囚人となり松陰とともに東海道を下り萩岩倉獄《いわくらごく》で獄死した。(2) 清末・岩国　清末は長州藩三支藩の一つ。一万石。承応二年（一六五三）、長府藩三代綱元が、叔父元知に新田一万石を分与したのに始まる。岩国は吉川監物《きっかわけんもつ》の城下。吉川氏は毛利家家老と称し、立藩しなかったが、事実上は長州支藩の形をとっていた。(3) 前田諸人　前田孫右衛門。直目附・用談役など藩の要職につく。藩主の信頼厚く、また志士たちに対する理解が深かった。禁門の変の責を負い、野山獄に斬られた。

十二　入江杉蔵　宛　安政六年（一八五九）正月二十三日　野山獄中より萩へ

入江杉蔵は松陰晩年の愛弟子である。牢囚の身の松陰には、いかに策を立て、行動に移ろうとしても、その自由がなかった。そのうえかつての愛弟子であった高杉晋作・久坂玄瑞をはじめとする面々は、松陰の熱烈な感情に水をさすようなことばかりをいった。だから松陰は行動への情熱に燃えている入江杉蔵に盛んに指令を出す。この手紙の冒頭にある清末策《きよすえさく》とは、毛利末家の一つである清末に、同志が立て籠りいろいろと策をめぐらす本拠にしようというものであった。その実行に際していろいろと注意を与えたものである。また桂小五郎《かつらこごろう》（木戸孝允《きどたかよし》）の慎重主義に対して、強い不満を述べている。同志との間の意思の疎通があまりうまく行かず、いら立っている松陰の内面がよくうかがえる。

此の書桂へも御見せ然《しか》るべく候。

二十三日

清末策《きよすゑさく》は元来同囚安富惣輔と申すものの案じ付きなり。此の男吉田人にて清末の事詳《つまびら》かに話し居り候。大臣とても屋敷に若党一人ども外《ほか》は居らず。家中一和威権《ゐけん》がましき事更《さら》になし。何故《なぜ》と云ふに、小藩にて家中殊《こと》に少なく、旅役等も毎々《まいまい》いたす故、人物が能《よ》く砕けて居る。又侯へ謁《えつ》する事も吾が藩の弾相《だんじやう》へ謁するよりも易《やす》しと安富云へり。又侯は豊後日出《ひぢ》より来られ賢明と申す事。帆足(1)の門人とか申す事なれば文字も少しはあるべし。且《か》つ御国中故《ゆゑ》、願なしに行きても容易に亡命《ばうめい》の御沙汰《ごさた》にも相成る間布《まじ》く候へば、俵山入湯の積りにて行き、ちと味を試み、其の後大事を託す手立《てだて》もあらん。(2)佐世・岡部へ任せ度《た》き考へも其の意なり。桂なれば此の上なし。さりながら在役人は在郷行何如《ざいがうゆきいかが》あらんか。亡命体《ばうめいてい》にて彼方《かなた》をのつけにむかつかせては事出来難《ことできがた》し。夫《そ》れ故成《ゆゑな》るべき丈《た》けは穏かに臍《ほぞ》の下へ煎《に》えこむやうに説き付ける事肝要なり。且《か》つ一二人の言のみにては彼方にも朋党《ほうたう》の疑もあるべし。夫れ故第一に大義、第二に時勢、第三に急務、扨《さ》て夫《そ》れから撰充論《せんじゆうろん》等へかかり、得《とく》と呑込《のみこ》ませ、扨て夫れから段々手を下し君公へ御上書も成さるべし、両相へ書翰《しよかん》も与へらるべし、出府も御願成《な》さるべし。両政府の手元か御直目《おんぢきめ》附《つけ》など御《お》呼寄《よびよ》せも成さるべし。左候《ささふらふ》て吾が輩の事無理を強《し》ふるに非ず、朋党の偏私《へんし》に非ず、妄動《まうどう》乱を好むに非ざる事明白に相成り候はば必ず大策成就すべし。陳《さ》て是れから桂を論ずべし。毎度申す来原・桂なれば此の上なく候へども、五年の別れ一夕の話にて何分議論心情百一を尽《つく》さざる事殊《こと》に残念なり。先《ま》づ桂水戸の朋党を畏《おそ》れ、余り踏込むと却《かへ》つて覆轍《ふくてつ》を踏むと考へ居《を》り候様《やう》存じ候。予が[3]擬明史抄の書後を同志へ見せ、桂へも見せ度く存ずるは此の故なり。」又[4]周布・長井江戸に在る故御参府ありても迚《とて》も失体はせぬと安心するかも計《はか》り難《がた》く、左《さ》あればどうも争ひ難し。」吾が是《こ》れ迄《まで》の処置、[5]厳囚・投獄両紀事の次第一々同意にはあるまじ、過激と思ふ所あるべし、無策と思ふ所あるべし。是れも承りたし。」余は今のあり様では迚も勤王も攘夷《じやうい》も出来るものではないから、此の局を一破《ひとやぶ》り破つてのけて、扨《さ》て夫《そ》れから仕事は出来ると思へども、桂の見《けん》は恐《おそ》らくは只今《ただいま》の姿にて一人を誅《ちゆう》せず旨《うま》くやる積りならん。」君公が尊攘《そんじやう》成《な》されがたければ吾《わ》が輩《はい》一旗挙げて其の端《たん》を開き、然《しか》る後《のち》君公の御出馬を願ふに止《とど》まると思ふ。桂は無智《むち》無策《むさく》と云ふべし。」是れ等の件々其の意中具《つぶ》さに承り、吾が心事も陳《の》べん。二三日程も談じ詰《つ》めたら誠に快事であらう、互に善き学問でもあらう。何をせうも書を与へても復書もなし、心事も申し来《きた》らず候へば、ついむざと清末策を云うても同意の程計《はか》り難く候。○又一事は事を密にすると心を打明けるとの工合と、人の間諜《かんてふ》を畏《おそ》れずして己《おの》れの斥堠《せきこう》を遠くする論、大事破れた時善後の手段等一々申述べざれば清末策談合し難きなり。○[6]徳山は委《くは》しくは知らねど人物軽薄の様相見え候。且《か》つ嫉妬《しつと》深き国風と中谷老翁毎々《まいまい》申され候。尤《もつと》も佐世などの説如何《いかん》。○岩国妙らしし、一策ありたし。併《しか》し是れも清末程《ほど》に手みやすくは行くまい。〇清末呉々《くれぐ》も宜敷《よろし》く候。広江章吉、此の人今《いま》何役を勤めるか。曾《かつ》て学校明倫館にも来り居り、小田村知己《ちき》なり。此の事心得居るべし。尤《もつと》も此の事一応小田村へも申し候へども同意にもなし。小田村人《ひと》となり正直すぎるに困る。憤激の余りには心事を奸吏《かんり》へ吐《は》き散《ちら》し、却《かへ》つて奸吏を恐らかし、益々《ますます》備をさする弊あり。中には此の事同志の妨《さまた》げに相成る事あり。併し権謀《けんぼう》なき所は天地に対すべし。〇道太も権謀あり、惜《を》しむべし。〇僕愚人故《ゆゑ》権謀ある人を大いに畏れるなり。桂・来原一点の権謀なし、是れ妙たる所以《ゆゑん》なり。〇権謀と申すは実は無策なれど策ある貌《かほ》をし、直言極論はせざれども直論貌をすることなり。人を陥《おと》すに至りては申す迄《まで》もなし。〇吾れ人を観るの眼ありて人を知るの断なし。富永の爰《ここ》に至るも獄中より略《ほ》ぼ知る、其の後告げ知らせたる人もあり。然るに断ずる能《あた》はず。周布のことも幼時已《すで》に之れを知り、遂に絶交も得せざりし。余十六七の時、〔7〕公輔と同じく故越州の座に於《おい》て海防を論ず。公輔云《い》はく、「天地間の気運自《おのづか》ら盛衰あり。今外夷《ぐわいい》盛んにして吾が国衰ふ、今之れを如何《いかん》ともするなし。其の衰ふるを待つに如《し》かず」と。此の論余と合はず。又言路《げんろ》を論ず。公輔曰《う》く、「昔人《せきじん》、聾《ろう》を患ふる者あり、一《いつ》旦《たん》聾瘳《い》えて聡他日に陪《くは》はるや、復《ま》た前日の聾を思ふも得べからず。今の壅蔽《ようへい》は其れ猶《な》ほ聾のごときか。言路大いに開かば、吾れ他日の復《ま》た聾を思はんことを恐るるなり」と。吾れ時に甚《はなはだ》しくは喜ばず、然れども断然目して奸物《かんぶつ》と為すこと能はざりき。此の事家兄に問ふべし、能く知らん。眼あり断なきの病《へい》自《みづか》ら嘆《たん》ずるのみ。是れは無用の談なり。

〈語釈〉
（1）帆足　帆足万理。江戸時代後期の理学者。儒者。（2）佐世・岡部　佐世八十郎（のちの前原一誠）・岡部富太郎。（3）擬明史抄　松陰の著『擬明史列伝抄』のこと。清の汪琬が書いた『擬明史列伝』から、松陰が五十七人の伝を取り出し抄録したもの。（4）周布・長井　周布政之助・長井雅楽。周布は長州藩藩政改革の指導者。馬関戦争・禁門の変の敗北により自刃。長井は幕末長州藩の政治家。文久元年、航海遠略策により藩論を代表、公武間を周旋した。のち尊攘派台頭により失脚。切腹した。（5）厳囚・投獄両紀事　安政六年に松陰が著述した『己未文稿』に出ている。（6）徳山　毛利淡路守元蕃《もとみつ》の城下。四万石。（7）公輔　周布政之助。

十三　野村和作　宛　安政六年（一八五九）四月四日　野山獄中より岩倉獄中へ

入江杉蔵の弟であった野村和作も、多くの諸友や松陰の門弟たちが、松陰を敬しながらも遠ざかっていったのに対し、よく最後まで松陰を信じ、変わることなくその命に従った一人である。一方、松陰の方は、世の中の動きがすべて彼の望む方向とは逆に進むので、憂憤は日に日に募るばかりであった。しかも誰一人決起しようとしない。一月二十四日に絶食をして周囲の者を心配させたことがあったが、それも死をもって同志を目覚めさせ、抗議しようと意図したものであったようである。

野村和作に藩主へ直訴をさせようと、大原公要駕《おおはらこうようが》策《さく》を計画し、その実行のため和作を脱走させたのは二月二十四日であった。しかしこのため兄の杉蔵は捕らえられ、入獄ということになった。次いで野村和作も三月二十二日に捕縛される。松陰が絶望的な気持になったのも当然だった。真剣に死を考えるようになった松陰のその内心を直接伝える手紙である。

死は一生の結局なり、故《ゆゑ》に亦難《またかた》し。一句絶妙。〇片時も居る事うるさく、此の語の間に合ひ候へば、赤面失言なり。併《しか》しながら平生《へいぜい》の知己《ちき》一人も知つて呉《く》れる人なく、一人も尊攘《そんじやう》して呉れる人なく、実に些《すこし》も楽しい事はないではないか。難儀《なんぎ》な、歯がゆい、夫れ故ついこんな軽薄の言を吐《は》いた。吾《わ》が心を恕《ゆる》し、而《しか》して吾《わ》が過《あやまち》を宥《ゆる》せ。已来は申す間《ま》布《じ》く候。〇天下将《まさ》に乱麻《らんま》ならんとす、此の事見るに忍びず、故に死ぬると。此の明《あき》らめ大いに吾れと相違なり。天下乱麻とならば大いに吾が輩力を竭《けつ》すべき所なり、豈《あ》に死すべけんや。唯今《ただいま》の勢は和漢古今歴史にて見及ばぬ悪兆《あくてう》にて、治世から乱世なしに直《すぐ》に亡国になるべし。是《こ》れが苦心なり。何となれば、外墨夷《ぐわいぼくい》幕府を箝制《かんせい》し、幕府、天朝と諸侯とを箝制し、諸侯、国中の志士仁人を箝制す。夫《そ》れ故今の諸侯が心ならずも幕府に制せられて、天朝へ不忠をする如《ごと》く、往先《ゆくさき》墨夷へ制せられようかと夫れのみ痛心なり。天と云《い》はうか、人と云はうか。漢土が胡《こ》元《げん》・満清《まんしん》に一民一土も屈すべき訳はなけれど、人物及ばざれば如何《いかん》せん、遂《つひ》に宋明滅亡《そうみんめつぱう》に及べり。吾が毛利の臣民も武運拙《つたな》ければ関ケ原一敗の為めに徳川に屈す。併《しか》し異国の事は沙汰《さた》に及ばず。徳川も　天朝より征夷に任ぜられたる上は私怨《しゑん》を挟《はさ》むべからざるなり。独り苦心は墨夷大統領は実に今の将軍よりは智あり、来使は堀田・間部(1)よりは才あり。是れでは遂に一矢《し》一鏃《ぞく》を費《つひや》さず降参するも無理からず。是れは国朝にて先例なきことなれば人輙《たやす》く信ぜざれども、宋の遼《れう》・金・元に亡《ほろ》ぶるも此の姿なり。其の間には張浚《ちやうしゆん》(2)・韓侂胄《かんたくちゆう》など無策の戦をして国脈を蹙《ちぢ》めたる事もあれど、多くは和親中にて亡びたり。只今の勢は大名に岳飛《がくひ》(3)・韓世《かんせい》忠《ちゆう》もなければ、一戦なしに墨夷に屈するなり。墨夷もし徳川を滅せず深く援救して兵械糧食を与へ属国とする時は坐《ゐ》ながら滅する道理なり。故に人は吾れを以て乱を好むとも云ふべけれど、草莽崛起《さうまうくつき》の豪傑《がうけつ》ありて神州の墨夷の支配を受けぬ様にありたし。然れども他国人共《ども》崛起して吾が藩人虚空《こくう》にして居るなり。吾が藩に忠臣あらば早くいづれにか崛起して外より吾が藩を救ふ手段あるべし。何卒《なにとぞ》乱麻となれかし。乱麻となる勢御見《おんみ》据《す》ゑ候か。治世から直《ぢき》に亡国にはならぬか、此の所僕大いに惑《まど》ふ所なり。○此の内の金川(4)人民の不折合は頼むべからず候。初めはどこも不折合なれど、交易は所の繁昌する事なれば、人心は二三年ならずして安穏帰服するなり。是れが悔《くや》し〱。是れが去年の時を失うたる残念なる所以なり。○僕が死を求むるは生きて事をなすべき目途《めど》なし。死んで人を感ずる一理あらんかと申す所と、此《こ》の度《たび》の大事に一人も死ぬもののなき、余《あま》りも余りも日本人が臆病《おくびやう》になり切つたがむごいから、一人なりと死んで見せたら朋友故旧《こきう》生残つたもの共《ども》、少しは力を致して呉《く》れうかと云ふ迄《まで》なり。○楊椒山（集）近日取寄せ送るべし。○安富は二月二十七日大島へ遠島、足下の跡《あと》を追ふ積りなれど敗露《はいろ》の由、今は未《いま》だ何とも申し難く、他日得《とく》と申し遣はすべく候。此の男酒色の失あり、吾《わ》れ甚だ之れを憂ふ。然れども胆力気魄《きはく》愛すべし、愛すべし。去後同囚に問ふに、富永去つて僕の来《きた》らぬ間にも夜学甚だ勉強せし趣を皆人《ひと》云ひて、根気強き人と云ふ。理或《あるひ》は然《しか》らん。吾が輩他日事を挙ぐるの日あらば、此の事別紙にいふ此の男必ず用ひ所あるなり。夫《そ》れ迄《まで》に自らやるか否《いな》や、未だ詳《つまびら》かならず候。

四日

朔日《ついたち》の書、作間・弥二今夕持ち来る。尚《な》ほ又小田村よりの書・拙書とも御見せ致し候。実に小田村も久坂も吾れを外にして居ると見えて何とも明答はなし。要駕策(5)と別に詳密の書を遣はし候へども同断《どうだん》。夫れでは時を待つの是非も、和作の義不義も、尊攘《そんじやう》の出来る出来ぬも、何もかもさつぱり分《わか》り申さず候。

〈語釈〉

(1) 間部　間部《まなべ》詮勝《あきかつ》。幕府老中。越前鯖江藩主。将軍継嗣問題、安政の条約問題という難局にあたり、尊攘派を弾圧した。(2) 張浚　宋の人。宋の回復をはかって金と戦ったが、秦檜に貶された。(3) 岳飛　宋代の武将。忠義に厚く、勇名をあげた。(4) 金川　神奈川。(5) 要駕策　安政六年（一八五九）一月、毛利公の参覲途上を利用し、駕を京都に迎えて尊皇攘夷の気勢をあげようとはかるもの。

十四　北山安世　宛　　安政六年（一八五九）四月七日　　野山獄中より萩へ

多くの門人たちは松陰を敬遠するようになった。時事問題について論じるにも、その話し相手は限られ、松陰はいつか生死の問題にのみ集中するようになっていた。その折から、かつての知友であった、佐久間象山の甥《おい》北山安世が、長崎の帰りに萩に立ち寄った。もし会うことが出来れば六年振りの再会である。話したいことは山ほどあり、なんとか滅入る気持を晴らしたいと松陰は思った。とにかく是非とも面会したいとこの手紙では書いている。

そして四月十一日の夜、松陰は密かに北山に会う。その喜びは早速翌日の手紙で「昨夜は望外の奇夢」と書き送られた。この北山とは二十一日にも松陰は密会している。

幽囚中懸料《けんれう》の論なれば隔靴《かくくわ》の所多からん。さりながら天下の大勢は大略知れたるもの、実に神州の陸沈《りくちん》憂ふべきの至りなり。幕府遂《つひ》に人なし、瑣屑《させつ》の事は可なりに弁じも致すべけれども、宇宙を達観《たつくわん》して大略を展《の》ぶるの人なし。外夷控馭《こうぎよ》最も其の宜《よろ》しきを失ひ著々《ちやくちやく》人に制せられること計《ばか》り、癸丑《きちう》・甲寅《かふいん》より已《すで》に六七年に及べども今に航海の事なし。華盛頓《ワシントン》がどこにあるやら、竜動《ロンドン》が如何《いか》なる処やら、画《ゑ》そらごとにて何の控馭を能《よ》くなさんや。然れども幕府の吏皆肉食の鄙夫《ひふ》と紈袴《ぐわんこ》の子弟のみなれば、就中《なかんづく》一二の傑物ありとも、衆楚《しゆうそ》の囂々《がうがう》、一斉人《いちせいじん》の能《よ》く克《か》つべきに非《あら》ず。因《よ》って思ふ、東晋・南朝及び趙宋《てうそう》などの中原を恢復《くわいふく》得《え》せぬも勢なり。況《いはん》や今の徳川をや。徳川存する内は遂に墨・魯・暗・仏に制せらるることどれ程に立ち行くべくも計《はか》り難《がた》し、実に長大息なり。幸に上に(1)明天子あり。深く爰《ここ》に叡慮《えいりよ》を悩まされたれども搢紳《しんしん》衣魚の陋習《ろうしふ》は幕府より更《さら》に甚しく、但《た》だ外夷を近づけては神国の汙《けが》れと申す事計《ばか》りにて、上古の雄図遠略等は少しも思召《おぼしめ》し出《いだ》されず、事の成らぬも固《もと》より其の所なり。列藩の諸侯に至りては征夷の鼻息を仰ぐ迄《まで》にて何の建前《たてまへ》もなし。征夷外夷に降参すれば其の後に従ひて降参する外に手段なし。独立不羈《ふき》三千年来の大日本、一朝人《ひと》の羈縛《きばく》を受くること、血性ある者視《み》るに忍ぶべけんや。那波列翁《ナポレオン》(2)を起してフレーヘードを唱《とな》へねば腹悶《ふくもん》医し難し。僕固《もと》より其の成すべからざるは知れども、昨年以来微力相応に粉骨砕身すれど一も裨益《ひえき》なし。徒《いたづ》らに岸獄《がんごく》に坐《ざ》するを得るのみ。此の余の処置妄言《まうげん》すれば則《すなは》ち族(3)せられんなれども、今の幕府も諸侯も最早《もはや》酔人なれば扶持《ふち》の術《すべ》なし。草莽崛起の人を望む外《ほか》頼みなし。されど本藩の恩と　天朝の徳とは何如《いか》にしても忘るるに方なし。草莽崛起の力を以《もつ》て近くは本藩を維持し、遠くは　天朝の中興を輔佐し奉れば、匹夫の諒《まこと》に負くが如くなれど、神州に大功ある人と云ふべし。此の人要するに(4)管仲已下《いか》には立たざるなり。外夷の事情何如。余が所見にては墨夷の処置大いに次序ある様《やう》見ゆ。且つ立国の方も宜しく、国又《また》甚だ古からず、最も強敵なるべしと思ふ。藩人崎遊せし者多く暗夷《あんい》の無力を誇張す。魯夷は大国の風と云ふべきかなれども稍《やや》迂濶《うくわつ》を覚《おぼ》ゆ。高見何如。墨夷も登城せし「ハルリス」は僕深く畏《おそ》れず、虚言甚だ多し。征夷府中に是《こ》れをさへ弁折の人なきは嘆ずべし。然れども「ハルリス」の言逐一《ちくいち》行はるる時は神州実に危し。「ハルリス」の言虚喝《きよかつ》ならば幸なり、何如。墨夷東洋に一地もなければ、爪哇《ジャワ》や日本を懇望《こんまう》するは実に彼れに在りて已《や》むを得ざるのことならん。右愚《みぎぐ》按逐一《あんちくいち》述べがたし。大要今の儘にては神州陸沈疑なし。恢復の策は(5)劉項《りうかう》・那波列翁《ナポレオン》等に非《あら》ざれば出来がたし。而《しか》して今未だ爰《ここ》に着眼の人を見ず。老兄は奇見異識の士なれば一説を聞かんことを願ふなり。己未四月七日

辱交弟寅二白す

北山君　座下

僕在獄なれば拝面実に難し。且《か》つ臭穢《しうゑ》の地来顧《らいこ》を辱《かたじけな》うすることは失礼の極《きはみ》なり。さりながら御来過の節必ず拝面心事を尽《つく》すべくと去年来大きに渇望《かつばう》せし宿志《しゆくし》なれば、何卒《なにとぞ》事を成したきは海山《うみやま》なり。委細《ゐさい》品川生へ心事申付け置きたれば御高聴を希《ねが》ふのみ。賤著《せんちよ》応接書弁《べん》

駁《ばく》、品川生へ附し置き候。御一見《ごいっけん》頼み奉り候。

〈語釈〉

(1)暗　イギリス。(2)フレーヘード　自由の意。オランダ語。(3)族せられん　家族の者にまで罪の及ぶこと。(4)管仲　春秋時代斉の国の賢相。桓公が天下をとるため、大いに働いた。(5)劉項　漢の高祖劉邦と楚の項羽。ともに秦を滅ぼし楚王となった。のち不仲となり垓下《がいか》の戦で劉邦が勝利をおさめ、天下を統一した。

十五　岡部富太郎　宛　安政六年（一八五九）四月九日（？）　野山獄中より萩へ

憤懣やるかたない松陰が、諸友・門下生と絶交し、また絶食によって赤心を披瀝し、誠意を天に問うたものの、事態は一向に好転のきざしはなかった。死すら、自分の力によってもはやどうにもならなくなったのである。かつて自分の事で人の力に頼ったことのなかった松陰も、ついにここに至って、自分の死の周旋を人頼みしなければならなくなった。その悲痛な感情がにじみ出た手紙である。

僕容易に人を絶交する様《やう》に久坂などに云ひて不満を云ふけれど、義卿(1)豈《あ》に容易に人を絶交せんや。殊に来原(2)・桂などは僕が尊信することは諸友具《つぶ》さに知る所。然《しか》れども諸友かかる大機(3)会を態《わざ》と取外《とりはづ》し、今公の勤王をさせぬなれば、僕どうも何如《いかが》に思うても胸がながぬではないか。諸友は殿様はいづれの御代も同様に思ふべけれど、勤王も今日には限らぬ、時を待て、時を待つもよろし、義卿は今公へは殊恩《しゆおん》を蒙《かうむ》り居る身分なれば、今公の外に報じ奉るべき赤心はなく候。元来罪人なれば国事など論ずべきには非《あら》ざれども、今公罪人を以て罪臣を見給はねば、罪臣豈《あ》に罪人を以て自《みづか》ら待たんや。是れ等の話は諸友に云うてはだめな事、夫《そ》れよりはいつそ絶交するが増《まし》といふ事なり。吾れ今公の為めに得死なぬが一生の遺憾《ゐかん》なり。此の所を深察して佐世と申合せ、僕を死罪になる様に謀《はか》り下さるべく候はば、知己の感万代《ばんだい》忘れ申さず候。久坂などあれ程の無情な男とは実に失望の至り、吾が情も少しは知つてくれてもよかりさうなものに粗暴とか権謀術数《けんぼうじゆつすう》とか巧詐《かうさ》とか云うて、高《たか》で人を相対にはせぬ。僕素《もと》より愚戇《ぐたう》なれば久坂などの歯牙《しが》に懸けぬも無理からぬ事。幾度云ふも勿体《もつたい》なきは君公の御上《おのぼ》り已来《いらい》、御在国は奸吏《かんり》の盛りなり、其の後は又御倦勤《ごけんきん》も計《はか》り難し。なんぎな事なんぎな事。勿体なけれども世子様《せいしさま》の御世になれば、長井（雅楽）の老奸《らうかん》があれば望なし。吾《わ》が輩《はい》永獄にて死して名なからんよりは、一死は切に望む所なり。(3)村・保・坂へ陣じたも此の情なれど明答なし。吾が情は毫《がう》も御察しないと見える。吾《わ》れ生年三十、未《いま》だ曾《かつ》て自分の事を人に頼んだ覚《おぼえ》はない。今日自殺することが出来ぬ計《ばか》りで、諸友へ一死を頼めども、一人も周旋して呉《く》れる人なし。恨《うら》めし〳〵。

吾が輩へ死を賜ふ周旋も六ヶ敷《むつかし》き事には之《そ》れなく候へば、村・保へ申し遣はし置き候通り、和作一条表方御糺明《ごきうめい》に相成り候へば夫れでよし。然《しか》る時は和作余を引くべし。(4)余一度目附《めつけ》へ相対しさへすれば、三十年来の憤慨《ふんがい》一時に吐《は》けば、死罪は立所《たちどころ》に至る。霖公の所謂《いはゆる》口吃生《こうきつせい》が懸河《けんが》の弁をすると云ふが此の時なり。

〈語釈〉

（1）義卿　松陰。（2）来原　来原良蔵。志士。藩の兵制改革に力を尽くした。江戸桜田邸で自刃。（3）村・保・坂　小田村伊之助。久保久清。久坂玄瑞。（4）霖公　黙霖。

十六　児玉千代　宛　安政六年（一八五九）四月十三日　野山獄中より萩松本へ

妹の千代は、松陰に観音様を信仰すれば災難をのがれることが出来るといい、是非信仰するようにとすすめた。そして御饌米《ごせんまい》まで送って寄こした。松陰はその温かい気持に素直に感謝しながらも、信仰というものの本質を冷静に説いて聞かせ、千代を教育している。

これも先の安政元年（一八五四）十二月三日の千代宛の手紙とともに、松陰が女性に与えた訓戒として有名なものである。

申し度《た》き事は中々尽き申さぬが、先《ま》づ九枚で置き申し候。

此の間は御文下され、観音さまの御《ご》せん米《まい》、三日のうち精進《しやうじん》にていただき候様との御事、御深切の御こころざし感じ入り申し候。精進潔斎《けつさい》などは随分《ずゐぶん》心[1]の堅まり候ものにて宜《よろし》敷き事とぞんじ候に付き、拙者《せつしや》も二月二十五日より三月晦日《みそか》まで少々志の候へば酒肴共《しゆかうども》一向給《た》べ申さず、其の間一度霊神様御祭のもの頂戴《ちやうだい》致し候ばかりに御座候。まして三日の精進は左《さ》まで六《むつ》ケ敷《かし》き事にも之れなく、御深せつの事に候へば相はたし度《た》く存じ候へども、当所にては当り前の精進の外にまた精進と申し候へば、連中又は番人ども何故《なにゆゑ》かと怪《あや》しみ尋ね候に付き、夫《そ》れを夫れと相こたへ候事面どうに存じ候故、八日は幸ひ御精（進）日なれば其の日一日にいただき申し候。抑〻《そもそも》観音信仰せよとの事は定めて禍《わざはひ》をよけ候ためにあるべく、是れには大きに論ある事に候へば委《ゐ》細《さい》申し進ずべく候。拙者未《いま》だ観音経は読み申さず候へども、法華経第二十五の巻普門品《ふもんぼん》と申す篇に、悉《ことごと》く観音力と申す事高大《かうだい》に陳《の》べて之れあり候。大意は観音を念じ候へば、縄目《なはめ》にかかり候へば忽《たちま》ちぷつ〳〵と縄が切れ、人屋《ひとや》へ捕はれ候へば忽ち錠《ぢやう》鍵《けん》がはづれ、首の座へ直《なほ》り候へば忽ち刀がちんぢに折れるなど申してこれあり候。是《こ》れは拙者江戸の人や（屋）にて此の経は幾度もくり返し読みて見候へども始終此の趣に候。夫《そ》れ故《ゆゑ》凡人《ぼんじん》は是れより難有き事はないとて信仰するも無理はなく候。さりながら仏のをしへは奇妙な仕懸《しかけ》にて、大乗《だいじよう》小乗《せうじよう》と二つ分《わか》ちて、小乗は下《げ》こんの人への教、大乗は上根の人へのをしへと定め之れあり候。小乗にて申し候へば、観音は右の経文の通りのものと心得、ひたもの信仰さするに御座候。是れは人に信を起さする為めなり。信を起さするとは一心に難有き事ぢやとのみ思ひ込み余念《よねん》他慮《たりよ》なき事にて、一心不乱と申すも此の事なり。人は一心不乱になりさへすれば何事へ臨み候てもちつとも頓着《とんぢやく》はなく、縄目も人屋も首の座も平気になれ候から、世の中に如何《いか》に難題苦患の候ても、それに退転《たいてん》して不忠不孝無礼無道等仕る気遣《きづか》ひはない。されど初めから凡夫に一心不乱ぢやの不退転ぢやのと申し聞かせてもさつぱり耳に入らぬもの故に、仮に観おん様を拵《こしら》へて人の信を起させ候教に御座候。是れを方便とも申し候。是れに付いて法花経《ほつけきやう》に都上りのたとへ之れあり、至極《しごく》面白く候へども、事長ければ略し申し候。扨《さ》て又大乗と申し候時は出世法と申す事が肝要に御座候。出世と申し候ても立身出世など申す事には御座なく候。其の初めは釈迦《しやか》が天竺王《てんぢくわう》の若殿に候処、若き時から感のつよき人にて、老人を見ては吾が身も往先《ゆくさき》は老人に成らうかと悲しみ、死人を見ては吾がみも往先は死なうかと悲しみ、虫けらの死んだの草木の枯れたのまでに悲しみを起し、是非に生老病死が此の世の習《ならひ》なれば、此の世を出でねばすまぬと志を立て候て、年二十五の時位を棄てて山へ入り、右の生老病死を免《まぬ》かれる修行をしに参られ候。是れにも色々難有き話があれども事長ければ略す。左候《ささふらふ》て三十出山とて僅《わづ》か五年の間に生老病死を免かれる事を悟《さと》り、生れもせねば老いもせず病も死にもせぬ事を悟り出て来て、夫れから世の人を教化せられた。是れが出世法ぢや。故に出世せねば済世《さいせい》が出来ぬと申すも此の事なり。済世といふは則《すなは》ち此の世の人を済度《さいど》する事に御座候。扨《さ》て其の死なぬと申すは近く申さば、釈迦の孔子のと申す御方々は今日まで生きて御座《ござ》る故、人が尊とみもすれば難有がりもする、おそれもする。果して死なぬではないか。孔子の教もやはり此の通りに候へども事長し、略す。死なぬ人なれば縄目も人屋も首の座も前に申す観音経の通りではござらぬか。楠正成公ぢやの大石良雄ぢやのと申す人々は刃ものに身を失はれ候へども今以《もつ》て生きてござる。乃《すなは》ち刀のちんぢに折れた証拠でござる。陳《さ》て又禍福《くわふく》は縄《なは》の如しといふ事を御さとりがよろしく候。禍は福の種、福は禍の種に候。人間万(2)事塞翁《さいをう》が馬に御座候。此のわけは物知りに問うて知るべし。拙者なんど人屋にて死に候へば禍《わざはひ》のやうなものに候へども、又一方には学問も出来、己れのため人のため後の世へも残り、且々《かつ〳〵》死なぬ人々の仲間入りも出来候へば、福此の上もない事に候。人屋を出で候へば又如何《いか》なる禍のこようやら知れ申さず候。勿論其の禍の中には又福も交《まじ》り候へども、所せん一生の間難儀《なんぎ》さへすれば先の福があるなり。何の効げん《(験)》もない事に観音へ頼んで福を求める様《やう》の事は必ず必ず無益に存じ候。尤《もつと》も右の通りに申し候へば身勝手な申分《まをしぶん》、不孝な申分とも御存じがあらう。ここに又論がある。易の道は満盈《まんえい》と申す事を大いにきらふなり。御互に七人兄弟中に拙者は罪人、芳(3)は夭折《わかじに》、敏(4)は啞子《あし》、否様《ぶざま》の悪い様なものなれど、又跡《あと》四人はいづれも可《か》也《なり》に世を亘《わた》られ、特に兄様・そもじ・小田村(5)は両人づつも子供があれば不足は申されぬ。世の中の六七人も兄弟のある家を見くらべよ。是れ程にも参らぬ人は多いもの、近くはそもじの家にても高須《たかす》抔《など》にても、兄弟内には否様《ぶざま》の悪い人も随分あるもの。然れば父母兄弟の代りに拙者・芳・敏の三人が禍をかるう《(負ふ)》たと御思ひ候へば、父母様の御心もすすめる訳では御座らぬか。且《か》つ杉は随分多福の家なれば、拙者の身上《しんしやう》よりは却《かへ》つて杉が気遣《きづか》ひなものぢやないか。拙者身上は前に申す通り、つめ《(詰)》が牢死、牢死しても死なぬ仲間なれば後世の福はずゐぶんあるが、杉は今では御父子とも御役にて何も不足のない中なれば、子供等がいつも此の様なものと思うて、昔山宅(6)にて父様母様の昼夜御苦労成《な》された事を話して聞かせても真とは思はぬ程なれば、此の先五十年七十年の事を得《とく》と手を組んで案じて見やれ、気遣ひなものではないか。去年も端午の客の多いのに人は目出度《めでた》い〳〵と嬉貌《うれしかほ》すれど、拙者はどうも先の先が気遣ひでたまらんから、始終稽古場へかがんで人の知らぬ所では独り落涙した程の事でありた。若《も》しや万一小太郎(7)でも父祖に似ぬやうな事が有つたら、杉の家も危い〳〵。父母様の御苦労を知つて居るもの兄弟にてもそもじまでぢや。小田村でさへ山宅の事はよく覚えまい。まして久坂(8)なんどは尚《な》ほ以《もつ》ての事。されば拙者の気遣ひに観音様を念ずるよりは、兄弟をひ(甥)めひ(姪)の間へ、楽が苦の種、福は禍の本《もと》と申す事を得《とく》と申してきかせる方が肝要ぢや。そして又一つ拙者不孝ながら、孝に当る事がある。兄弟内に一人でも否様《ぶざま》の悪い人があると、跡の兄弟も自然と心が和《やはら》いで孝行でもする様になる。兄弟も睦《むつま》じくなるものぢや。夫れで是れからは拙者は兄弟の代りに此の世の禍を受け合ふから、兄弟中は拙者の代りに父母へ孝行して呉《く》れるがよい。左様《さやう》あれば縮《つづま》る所兄弟中皆よくなりて果《はて》は父母様の御仕合《おしあは》せ、又子供が見習ひ候へば子孫のため是《こ》れ程《ほど》目出度い事はないではないか。能々《よく〳〵》御《ご》勘弁《かんべん》候(9)て、小田村・久坂なんどへも此の文御見《おみ》せ。仏法信仰はよい事ぢやが、仏法にまよはぬ様に心学本なりと折々御見候へかし。心学本に、

長閑《のどか》さよ願ひなき身の神詣《かみまうで》

神へ願ふよりは身で行ふがよろしく候。

十三日したたむ。

〈語釈〉

(1) 志　野村和作は、安政六年二月二十四日、要駕策を実行するため、大原重徳への松陰の書面を持って京都に向かった。松陰はその成功を祈念していた。(2) 人間万事塞翁が馬　人間の社会では、吉凶禍福が転変

し、一定していないことをいう。吉が凶になったり、福がたちまち禍《わざわい》になったりするをいう。(3)芳松陰の妹艶、満二歳で死亡。(4)敏　杉敏三郎。松陰の弟。「啞子」は運に恵まれていないことをいう。(5)小田村　妹寿子。(6)山宅　松陰の誕生地である松本村東光寺のうしろの護国山にあった樹々亭をいう。(7)小太郎　兄杉梅太郎の長男。松陰の死後吉田家を継ぐ。明治九年、秋月の乱に参加し、戦死した。享年十九歳。(8)久坂　妹文子。久坂玄瑞の妻になっていた。(9)心学　江戸時代、石田梅岩がはじめたもので、神学・儒教・仏教の三教を融合し、その教えを平易なことばや通俗的な比喩によって説いた庶民教育。

十七　入江杉蔵　宛　安政六年(一八五九)四月二十二日頃　野山獄中より岩倉獄中へ

この手紙は、ついに生死を超越し、何事も自然のままに任せようという、あきらめの心境に達した松陰の内面を伝える。入江杉蔵はのち元治元年(一八六四)の禁門の変に倒れた。

余《あま》り怒りよるとと〳〵腹もなんにも立たぬ様になる。吾《わ》れは腹はもう立てぬ。併《しか》し又立てたら夫《そ》れも自然と恕《ゆる》して呉《く》れ。

(1)自然説

子遠子遠、憤慨《ふんがい》する事は止むべし。義卿は命が惜《を》しいか、腹がきまらぬか、学問が進んだか、忠孝の心が薄く成つたか、他人の評は何ともあれ、自然ときめた。死を求めもせず、死を辞しもせず、獄に在つては獄で出来る事をする、獄を出《いで》ては出て出来る事をする。時は云はず勢は云はず、出来る事をして行き当《あた》つれば、又獄になりと首の座になりと行く所に行く。吾《わ》が公《きみ》に直《ただち》に尊攘《そんじやう》をなされよといふは無理なり。尊攘の出来る様な事を拵へて差上げるがよし。平生《へいぜい》の同志は無理に吾が公に尊攘をつき付けて。出来ねば夫《そ》れで自分も止めにする。無理につき付けて見た事是《こ》れ迄《まで》は義卿も同様。是れからは手段をかへる。周布・前田輩に向つて言うたは幾重も吾《わ》れが不明。然《しか》れども其の時は御存じ通り皆已《や》むべからざる次第あり。矢張《やは》り自然ぢや。吾れを永牢して出さねば夫れも自然。出してくれれば、はや覆轍《ふくてつ》は踏《ふ》まぬ。政府は勿論、食禄《しよくろく》の人に対しては何も言はぬ。又其の時の曲折は今から言はれはせぬ。大意は足下江戸にて案じ付いた通り。又吾《わ》が輩《はい》未だ　勅諚《ちよくぢやう》を聞かぬ内の手段なり。

○我れ若《も》し南支(2)の夢に入《い》らば天子に直《ぢき》に言上すべし。其の次は吾が公に言上すべし。其の他大原卿(3)などは曾《かつ》て知己《ちき》を以《もつ》て許されたれば兎《と》に角《かく》一言すべし。其《そ》の外《ほか》には言はず。今からは人が温言して来れば温言して答ふ。厲色《れいしよく》して来れば瞑目《めいもく》して居る。怒声して来れば黙然《もくねん》して居る。彼の輩《やから》は実に較《くら》ぶるに足らず、悪《にく》むに足らず。頻りに和議を言うて来る。子遠・和作の誠心には感じて居るとて頻りに弁じて来る。吾れ未だ一言を答へざれども、是れは自然の道に非ざる故温然《をんぜん》として答ふる積りぢや。如何《いかん》。僕も諸友に先だちて来獄したれば少しは人より罪重けれども、未だ死罪を賜《たま》はらぬは未だ忠義の罪軽きなり。今死を求むるは微功にて重賞を求むといふものなり。今からもつと積まねば死は賜はらぬと存じ候。

○○が愚兄にも久保にも弥二(4)にも、眷々《けんけん》と吾れと杉蔵が書の出るを戒めた様子《やうす》、夫れは激論に恐れたと見える怯夫《けふふ》なり。足下兄弟の書は久保か小田村かに託し直に江戸に往くべし。国府の怯夫迚《とて》も取次ぎは致さずと存じ候。

〈語釈〉

（1）子遠　入江杉蔵の字名。通称は九一。元治元年、禁門の変の時、鷹司邸で銃弾に当り死んだ。（2）南支の夢　後醍醐天皇が笠置の山で、南枝の霊夢を見て楠木正成を召されたという故事。（3）大原卿　大原重徳。幕末期の尊皇倒幕派公卿。（4）弥二　品川弥二郎。松陰の死後、薩摩藩との連合に力を尽くす。維新後顕官を歴任し、内務大臣にもなった。

参考文献

吉田松陰に関する著書は極めて多い。それを一々あげるとなると、到底私の力では尽くせないほどにある。それは、一つには明治維新を語るに松陰を抜きにしては考えられないからであろう。しかし、なによりも基本的な文献は、その原典につくべきである。

山口県教育会編『吉田松陰全集』全十巻　岩波書店　昭和十一年
同上『吉田松陰全集』全十二巻　岩波書店　昭和十五年

前者の方が原典であるが、漢文で書かれたものや漢文混りの文章があって、一般には容易に理解できないので、それを仮名交り文に書き改めたのが普及版としての後者である。

しかし、松陰の思想を最も鋭い角度からとらえようとすれば、それは『講孟余話』と松陰の書簡であろうが、それを先の全集のなかから抜き出して、簡単に手に入るものとした本がある。それは、ともに広瀬豊氏の校訂で、

『講孟余話』岩波文庫　昭和十八年
『吉田松陰書簡集』岩波文庫　昭和十二年

であるが、この中、前者の方は近く、私の解説で刊行されることになっている。

つぎに、松陰の伝記をあげるならば、古いところでは徳富蘇峰のものがあげられよう。

徳富蘇峰『吉田松陰』民友社　明治二十六年

蘇峰は、この書の巻末で「彼が殉難者としての血を濺《そそ》ぎしより三十余年。維新の大業半ば荒廃し、更らに第二の維新を要するの時節は迫りぬ。第二の吉田松陰を要する時節は来りぬ。彼の孤墳は、今既に動きつゝあるを見ずや」と記している。松陰を時代の革命児としてとらえた最初の本であるが、同時に、それが常に現代に生きていることを訴えんとした警世の書ともなっている。その後、松陰に関するものや伝記は、数限りなく書かれたが、そのなかより、二、三のものを選べば、

玖村敏雄『吉田松陰』岩波書店　昭和十一年

本書は『吉田松陰全集』の編纂にあたった著者が、その第一巻に附した伝記を補筆して成ったものである。著者が教育学者であったことからして、そうした観点が強く押し出されているが、しかしその伝記的著述としては最もよく整頓されており、史料の面からいっても十分に研究が行きわたっている。しかし、蘇峰のいう「革命児松陰」の印象はうすい。

藤井貞文『吉田松陰』地人書館　昭和十八年

戦時中に書かれたもので、「維新勤皇遺文選書」のなかの一冊である。戦時中にあって、いかに松陰が解釈されたかということを知る材料である。筆者は、本来は手堅い歴史家である。しかし、戦時中の精神作興運動の一翼につらなった著述になっていることは否定し難い。

奈良本辰也『吉田松陰』岩波新書　昭和二十六年

この書のあとがきで「かつて私が学んだ近代歴史学はあまりにも多くの英雄や偉人を抹殺した。冷徹な科学の思惟が、遠慮会釈もなくこれらの偶像を破壊したことは、一種の爽快感を感じ

させずにはおかなかった。しかし、そのために歴史学が単なる学問、それも研究室の学問になり下ったことの不幸は、今日いくら嘆いても嘆きたりるものではない。われわれの歴史学を国家・社会に有用な学たらしめるためには、その破壊した偶像の廃墟の中に、新しく血の通った人間像をうち立てることだ。わたくしは、松陰に惹かれるその情熱を持って、この新しい仕事にとりかかりたいと思っている」と書いている。

河上徹太郎『吉田松陰』文藝春秋　昭和四十三年

「武と儒による人間像」という副題がついている。松陰を一つの完成した姿においてとらえ、これをあらゆる方面から解明しようとしたものである。橋本左内・佐久間象山・山鹿素行などとの対比から『講孟余話』の中心課題に至るまで、独自の手法で、この松陰の人間像にせまろうとしている。

この他、吉田松陰の思想を扱ったものは、限りなくある。池田諭『吉田松陰』、市井三郎『「明治維新」の哲学』、中沢護人『幕末の思想家』、朝日新聞社朝日ジャーナル編集部『日本の思想家1』等々、幕末から明治にかけての思想をとりあつかうところには必ず松陰がある。私自身でも、岩波新書以後、松陰について書いた論文は、二十篇をこえるであろう。

あとがき

私が吉田松陰に関心を持つようになったのは、小学校に入る以前からのことである。父が松陰の崇拝者であったことから、たびたび松陰についての話を聞いていた。そして、小学校二年のときに教わった矢田部という老先生は、これもまた維新の頃の話をよくしてくれた。この矢田部先生は、代用教員であったが、郷土の歴史に興味を持ち、その方面ではなかなかの物知りであったし、実際にもその維新の戦争を見聞されたようであった。というのは、私の生れた瀬戸内海の周防大島は、慶応二年（一八六六）の第二次長州征伐で、幕府軍の海からの攻撃をうけたところであった。そしてそれを撃退したのが、奇兵隊なのである。

高杉晋作の名前は当然のことだし、その先生である吉田松陰はまるで神様のような気がしていた。そして、いくつかの松陰に関する書物も読むようになっていた。しかし、いまそれらの書物の著者などについては少しも記憶がない。ただ、徳富蘇峰という名前だけは覚えているようであるが、これは文章がむずかしかったので、小学生の頭には理解できなかった。

そのようなことが潜在意識としても続いていたのであろう。私は、いつか松陰について書いてみたいと思うようになっていた。そうして書かれたのが一九五一年八月に出版された『吉田松陰』（岩波新書）である。私は、この本に若い情熱をたたきつけるようにしてそれを書き上げた。

そして、この松陰を書いたあとでも、幾つかの小篇を書いているが、そうしたものを発表する場合、いつも思うのは、松陰の原典のことであった。松陰は、彼自身、決して文章を飾ろうという意志などはなかった。むしろ高杉晋作などがあまりに名文を書くと、それを戒めるくらいであった。

しかし、彼の自分を飾らない文章、そして何事をも一生懸命に考えて書く心の文章は、なかなかの名文章であるといってよいのである。それは、数多くの書簡、あるいは『留魂録』などを読めばわかるであろう。また、彼の思想も、その生《なま》のままを知って貰う必要があるのである。

いまから百年以上も前に「独立不羈三千年来の大日本、一朝人の羈縛を受くること、血性ある者視るに忍ぶべけんや。那波列翁《ナポレオン》を起してフレーヘード（自由）を唱へねば腹悶医し難し」といった松陰の精神はいまも私たちの血につながるものをもっている。

本書が多くの人々に親しまれて、そうした松陰の生《なま》の思想に直接ふれる機会となることを切望してやまない。なお、本書は楢林忠男君に多くの箇所で助力を願っている。記して感謝の意を表したいと思っている。

奈良本辰也

吉田松陰関係略年表

西暦	年号	年齢	松陰関係事項	国内事項	外国事項
一八三〇	天保 一	1	八月四日（陽暦九月二十日）、長門国萩松本村に生まれる。	一月、水戸藩主徳川斉昭、藩政改革に着手	パリ七月革命。ベルギー独立宣言
一八三四	〃 五	5	叔父吉田大助賢良（山鹿流兵学師範）の養子となる	二月、江戸大火。大道寺友山、『武道初心集』刊行	リヨン・パリで暴動
一八三五	〃 六	6	六月、吉田家を嗣ぐ。家禄五十七石六斗。大次郎と改称	四月、大塩平八郎『洗心洞箚記』刊行	モールス、有線電信機を発明
一八三九	〃 一〇	10	十一月、はじめて藩校明倫館に出勤し、家学を教授する	十二月、蛮社の獄。渡辺崋山・高野長英ら捕らわれる	林則徐、アヘン貿易を厳禁
一八四〇	〃 一一	11	はじめて藩主毛利慶親の前で『武教全書』戦法篇を講義し、強い賞賛をうける	一月、間部詮勝、幕府老中となる 二月、幕府、全国の人口調査	アヘン戦争勃発
一八四二	〃 一三	13	叔父玉木文之進、家学後見役となる	七月、異国船打払令を解く	アヘン戦争終る
一八四四	弘化 一	15	藩主の親試があり『武教全書』及び『孫子』を講じて激賞される	五月、徳川斉昭、謹慎を命じられる	清国、米国と望厦条約、仏国と黄埔条約を結ぶ
一八四六	〃 三	17	三月、山田亦介より長沼流兵学の免許をうける。佐藤寛作らに『兵要録』、飯田猪之助に西洋陣法を学	二月、江川太郎左衛門、伊豆七島巡視。五月、アメリカ提督ビッドル、浦賀に来	英国、穀物法廃止。米国、メキシコと開戦

			ぶ。また守永弥右衛門より萩野流砲術の伝授をうける	航、国交を求む。幕府拒否	
一八四七	〃　四	18	九月、平内府論を書き明倫館文学秋試を受け丙科に入る。十月、林真人より『大星目録』の免許返伝をうける	六月、オランダ船長崎に入航。風説書を提出し幕府外交に忠告を与える	仏国・米国に金融恐慌おこる
一八四八	嘉永　一	19	はじめて独立の師範となる	三月、外国船しきりに沿海出没	仏国、二月革命
一八四九	〃　二	20	三月、御手当御内用掛を命じられる。六月、須佐・大津・赤馬ケ関などの海岸巡視。十月、門人を率い城東羽賀台で演習	五月、幕府、外国船打払令復活の可否を諮問、海防論大いにおこる	ローマ共和国設立宣言。英国、航海条例を廃止
一八五〇	〃　三	21	藩主の親試があり、五月に『中庸』、八月に『武教全書』守城篇を講義。藩主大いに感動。八月二十五日、九州遊学に立つ。十二月、萩に帰る	十月、佐賀藩、反射炉を築造。高野長英自殺。十二月、江川太郎左衛門、韮山に反射炉を築く	太平天国の乱おこる
一八五一	〃　四	22	一月、極秘三重伝の印可をうける。藩主に山鹿流兵学の皆伝をさずける。三月、兵学研究のため藩主に従い東行。四月、江戸着。安積艮斎・山鹿素水・佐久間象山・古賀茶渓な	一月、中浜万次郎、米国より帰る。八月、薩摩藩、精錬所を設置	洪秀全、永安に入り国号を太平天国と称す。ルイ・ナポレオン、クーデターに成功

			どに学ぶ。十二月、東北へ亡命		
一八五二	嘉永 五	23	四月、江戸に帰る。帰国命令が下り萩に帰る。謹慎しつつ国史の研究に没頭。十二月、亡命の罪により士籍・世禄を奪われる。通称を松次郎と改める	二月、水戸藩『大日本史』を朝廷・幕府に献上。六月、和蘭商館長クルチウス、アメリカ使節の来航を予告	ルイ・ナポレオン皇帝となる（第二帝政時代）
一八五三	〃 六	24	一月、諸国遊学の許可を得て萩を発つ。寅次(二)郎と改称。六月、アメリカ船来航を聞き浦賀に直行。この頃佐久間象山に洋学を学ぶ。九月、ロシア艦乗り込みのため長崎へ行く。十二月、京都に入り梁川星巌・梅田雲浜・鵜飼吉左衛門などと交わる	六月、ペリー軍艦四隻を率いて浦賀に来航。七月、幕府、米国国書を諸大名に示し意見を聞く。プチャーチン軍艦四隻を率いて長崎に来航。九月、幕府、大船建造の禁を解く	太平天国、南京を占領。クリミア戦争はじまる。曾国藩、郷勇を組織する
一八五四	安政 一	25	三月、金子重輔と米国軍艦に乗り込み海外渡航を企てるが失敗し、自首。四月、江戸伝馬町の獄舎に投獄される。九月、幕府、松陰・重輔・象山の罪を断じ自藩幽閉を申しつける。十月、萩野山獄につながれる。十一月、二十一回猛士の説を作り発憤の理由をのべる	一月、ペリー軍艦六隻を率いて浦賀に再来。三月、幕府、米国と日米和親条約（神奈川条約）を調印。八月、幕府、英国と和親条約締結。十二月、幕府、露国と和親条約締結	英国・仏国、露国に宣戦布告

一八五五	〃　二	26	一月、金子重輔獄死。松陰かれを追悼し行状記及び詩を作る。三月、僧月性と識りあう。四月、野山獄中で獄囚のため『孟子』の講義をする。九月、僧黙霖と識りあう。十二月、藩府、松陰を野山獄から出し杉家への禁錮を命じる	一月、江川太郎左衛門没す。二月、幕府、全蝦夷地を収公する。十月、江戸大地震、藤田東湖災死	パリ万国博覧会。セヴァストポリ要塞陥落
一八五六	〃　三	27	四月、七生説を作り七生報国の信念を示す。六月、『講孟余話』を著わす。八月、幽室において近親子弟に『武教全書』を講義する。十二月、梅田雲浜萩に来て松陰と会見。この年松下村塾出来る	二月、幕府、洋学所を蕃書調所と改称。七月、米国総領事ハリス、下田に着任。十月、幕府老中堀田正睦を外国事務取扱・海防月番専任とする	クリミア戦争終る。アロー号事件おこる
一八五七	〃　四	28	七月、松陰の尽力により富永有隣、獄を免ぜられ、松下村塾の師となる。十一月、松下村塾を主宰する。十二月、妹文、久坂玄瑞と結婚	五月、下田協約を締結する。六月、老中阿部正弘没す。七月、長崎に製鉄所を置く。十月、ハリス、将軍に謁見、大統領の国書提出。十二月、幕府、米国と通商条約を結ぶことを朝廷に報告	セポイの反乱おこる。ヨーロッパに経済恐慌おこる
一八五八	〃　五	29	一月、『狂夫之言』を作る。五月、	一月、幕府、堀田正睦を上	清国、露国とアイグ

			『対策』『愚論』を梁川星巌に送る。十月、赤根武人を亡命させ伏見の獄舎を破る策を与える。十一月、間部要撃策をたて同志十七名の血盟書を作る。十二月、借牢の形式で投獄令が出る。松陰、獄に下る。水戸の密使が萩を訪れ、松陰、獄中より彼らと画策しようとしてならず	京させ条約の勅許を請わせる。三月、京都朝廷、条約調印に不許可を表明。四月、井伊直弼、大老に就任。六月、幕府、日米通商条約に調印。水戸・尾張・越前の藩主、登城して井伊直弼に調印の不可を説く。紀伊慶福を将軍継嗣に定める。七月、将軍家定・島津斉彬没す。八月、水戸に密勅下る。九月、間部詮勝、上京して志士の逮捕をはじめる	ン条約結ぶ。インド、英国王の直轄地となる（ムガール帝国滅亡）。大西洋横断海底電線開通
一八五九	安政 六	30	一月十五日、要駕策を立案。大高・平島の二士、来萩。門生ら奔走のかいなく不成功。二十四日、時事を憤慨して絶食。二月二十四日、門人野村和作に要駕策を決行させるため大原重徳への書面を携え、京都に向かわせる。二十八日、和作の兄入江杉蔵、右の策動のため岩倉獄に投獄さ	二月、幕府、天皇・青蓮院宮尊融法親王らを謹慎させる。五月、幕府、神奈川・長崎・箱館を開港。露・仏・英・蘭・米国の貿易を許す。七月、幕府、水戸斉昭父子を罰し藩士安島帯刀を死刑にする。九月、武家	仏国、サイゴンを占領。オーストリア、サルディニアを攻撃（イタリア統一戦争はじまる）。ミル『自由論』、ダーウィン『種の起源』刊行

れる。三月二十二日、和作、投獄される。この頃門人の多く、松陰に批判的となり敬遠離反の傾向が強まる。松陰、そのために苦悩。五月二十四日、東送の命令下る。六月二十四日、江戸到着、桜田の藩邸に入る。七月九日、幕吏の訊問を受け、伝馬町の獄舎につながれる。十月十六日、口書の読み聞かせが行なわれる。十月二十六日、『留魂録』を作る。二十七日（陽暦十一月二十一日）朝、評定所に於て罪状の申し渡しが行なわれる。

　十一時前後伝馬町獄舎に於て刑死。二十九日、尾寺新之丞・飯田正伯・桂小五郎・伊藤利輔ら、遺骸受け取りに奔走。小塚原回向院下屋敷常行庵に葬られる

諸法度を発布。梅田雲浜獄死。十月、橋本左内・頼三樹三郎ら処刑さる

KODANSHA

本書の原本は、一九六九年五月、筑摩書房より「日本の思想」第十九巻『吉田松陰集』として刊行されました。なお、原本所収の「講孟余話（抄）」は割愛しました。

奈良本辰也（ならもと　たつや）

1913～2001。山口県生まれ。京都帝国大学文学部史学科卒業。元立命館大学教授。専門は日本近世思想史，幕末維新史。編著書に『日本近世史研究』『近世封建社会史論』『維新史の課題』『吉田松陰』『日本経済史』『二宮尊徳』『部落問題入門』『高杉晋作』『明治維新論』『変革者の思想』『武士道の系譜』『町人の実力』『葉隠』などがある。

講談社学術文庫

定価はカバーに表示してあります。

吉田《よしだ》松陰《しょういん》著作選《ちょさくせん》

留魂録《りゅうこんろく》・幽囚録《ゆうしゅうろく》・回顧録《かいころく》

奈良本《ならもと》辰也《たつや》

2013年11月11日　第1刷発行
2024年12月10日　第7刷発行

発行者　篠木和久
発行所　株式会社講談社
東京都文京区音羽 2-12-21 〒112-8001
電話　編集（03）5395-3512
販売（03）5395-5817
業務（03）5395-3615

装　幀　蟹江征治
印　刷　株式会社ＫＰＳプロダクツ
製　本　株式会社国宝社
本文データ制作　講談社デジタル製作

ISBN978-4-06-292202-9

「講談社学術文庫」の刊行に当たって

これは、学術をポケットに入れることをモットーとして生まれた文庫である。学術は少年の心を養い、成年の心を満たす。その学術がポケットにはいる形で、万人のものになることは、生涯教育をうたう現代の理想である。

こうした考え方は、学術を巨大な城のように見る世間の常識に反するかもしれない。また、一部の人たちからは、学術の権威をおとすものと非難されるかもしれない。しかし、それはいずれも学術の新しい在り方を解しないものといわざるをえない。

学術は、まず魔術への挑戦から始まった。やがて、いわゆる常識をつぎつぎに改めていった。学術の権威は、幾百年、幾千年にわたる、苦しい戦いの成果である。こうしてきずきあげられた城が、一見して近づきがたいものにうつるのは、そのためである。しかし、学術の権威を、その形の上だけで判断してはならない。その生成のあとをかえりみれば、その根は常に人々の生活の中にあった。学術が大きな力たりうるのはそのためであって、生活をはなれた学術は、どこにもない。

開かれた社会といわれる現代にとって、これはまったく自明である。生活と学術との間に、もし距離があるとすれば、何をおいてもこれを埋めねばならない。もしこの距離が形の上の迷信からきているとすれば、その迷信をうち破らねばならぬ。

学術文庫は、内外の迷信を打破し、学術のために新しい天地をひらく意図をもって生まれた。文庫という小さい形と、学術という壮大な城とが、完全に両立するためには、なおいくらかの時を必要とするであろう。しかし、学術をポケットにした社会が、人間の生活にとってより豊かな社会であることは、たしかである。そうした社会の実現のために、文庫の世界に新しいジャンルを加えることができれば幸いである。

一九七六年六月

野間省一

悪魔の話
池内　紀著
ヨーロッパ人をとらえつづけた想念の歴史。彼らの不安と恐怖が造り出した「悪魔」観念はやがて魔女狩りという巨大な悲劇を招く。現代にも忍び寄る、あの悪夢を想起しないではいられない決定版・悪魔学入門。
2154

ヴェネツィア　東西ヨーロッパのかなめ　1081～1797
ウィリアム・H・マクニール著／清水廣一郎訳
ベストセラー『世界史』の著者のもうひとつの代表作。十字軍の時代からナポレオンによる崩壊まで、軍事・造船・行政の技術や商業資本の蓄積に着目し、地中海最強の都市国家の盛衰と、文化の相互作用を描き出す。
2192

イザベラ・バード　旅に生きた英国婦人
パット・バー著／小野崎晶裕訳
日本、チベット、ペルシア、モロッコ……。外国人が足を運ばなかった未開の奥地まで旅した十九世紀後半の最も著名なイギリス人女性旅行家。その幼少期から異国での苦闘、晩婚後の報われぬ日々まで激動の生涯。
2200

ローマ五賢帝　「輝ける世紀」の虚像と実像
南川高志著
賢帝ハドリアヌスは、同時代の人々には恐るべき「暴君」だった！「人類が最も幸福だった」とされるローマ帝国最盛期は、激しい権力抗争の時代でもあった。平和と安定の陰に隠された暗闘を史料から解き明かす。
2215

イギリス　繁栄のあとさき
川北　稔著
今日英国から学ぶべきは、衰退の中身である――。産業革命を支えたカリブ海の砂糖プランテーション。資本主義を担ったジェントルマンの非合理性……。世界システム論を日本に紹介した碩学が解く大英帝国史。
2224

愛欲のローマ史　変貌する社会の底流
本村凌二著
カエサルは妻に愛をささやいたか？　古代ローマ人の愛と性のかたちを描き、その内なる心性と歴史の深層をとらえる社会史の試み。性愛と家族をめぐる意識の変化は、やがてキリスト教大発展の土壌を築いていく。
2235